THE BIG BOOK OF
ARMENIAN SONGS

COMPOSED AND FOLK SONGS OF XVIII- XX CENTURIES

200+
SONGS WITH SHEET MUSIC
IN ARMENIAN AND TRANSLITERATED ENGLISH

1ˢᵗ EDITION

DUDUK HOUSE

The Big Book of Armenian Songs.
Composed and Folk Songs of XVIII-XX Centuries.
200+ Songs With Sheet Music in Armenian and Transliterated English.

In the first edition of The Big Book Of Armenian Songs, you'll find over 200 songs written by Armenian composers between the 18th and 20th centuries, as well as folk songs transcribed by Komitas and his students. A music lover will certainly find a lot of familiar melodies and tunes, as well as enjoy discovering some hidden musical gems that they might not have known existed. For each song, there are sheet music and song lyrics available, both in Armenian and transliterated into English, so that non-Armenian speakers can also perform the songs. The publishers hope is that through the power of music, this volume will do its part to spread more love around the globe.

ISBN 978-1-7779990-8-7 (Hardcover)
ISBN 978-1-7779990-9-4 (Paperback)

Copyright © 2022 Dudukhouse, Inc.

www.dudukhousemusic.com

Without roots, trees cannot grow.

The project aims to preserve the legacy of Armenian music for future generations.

ARMENIAN ALPHABET TRANSLITERATION

Armenian	Transliteration	Romanization	Pronunciation
Ա ա	A	[a]	As in car
Բ բ	B	[b]	As in bar
Գ գ	G	[g]	As in good
Դ դ	D	[d]	As in dinner
Ե ե	E	[ye] or [e]	As in yes or pet
Զ զ	Z	[z]	As in zoom
Է է	E	[e]	As in pet
Ը ը	Y	[ə]	As in about
Թ թ	T'	[tʰ]	As in tease
Ժ ժ	Zh	[zh]	As in treasure
Ի ի	I	[i]	As in see
Լ լ	L	[l]	As in light
Խ խ	Kh	[kh]	As in Bach
Ծ ծ	Ts	[ts]	A plosive **[ts]**
Կ կ	K	[k]	As in stock
Հ հ	H	[h]	As in hide
Ձ ձ	Dz	[dz]	As in odds
Ղ ղ	Gh	[gh]	As the French r
Ճ ճ	Ch	[ch]	A plosive **[ch]**
Մ մ	M	[m]	As in mood
Յ յ	Y	[y]	As in yard
Ն ն	N	[n]	As in name
Շ շ	Sh	[sh]	As in shoe
Ո ո	Vo or O	[vo] or [o]	As in vortex or for
Չ չ	Ch'	[chʰ]	As in chalk
Պ պ	P	[p]	As in copper

Ջ ջ	J	[j]	As in **j**ournal
Ռ ռ	RR	[ŕ]	Trilled '**r**'
Ս ս	S	[s]	As in **s**almon
Վ վ	V	[v]	As in **v**ase
Տ տ	T	[t]	As in lo**t**s
Ր ր	R	[r]	As in **r**ide
Ց ց	TS'	[tsʰ]	As in ligh**ts**
Ու ու	U	[u]	As in p**oo**l
Փ փ	P'	[pʰ]	As in **p**ublic
Ք ք	K'	[kʰ]	As in **k**ind
Օ օ	O	[o]	As in c**o**in
Ֆ ֆ	F	[f]	As in **f**ootball

ԱԶԱՏՈՒԹՅՈՒՆ
AZATUT'YUN

Խոսք՝ Մ. Նալբանդյանի
Lyrics by M. Nalbandyan

Երաժշտ.՝ Տ. Չուխաջյանի
Music by T. Chukhajyan

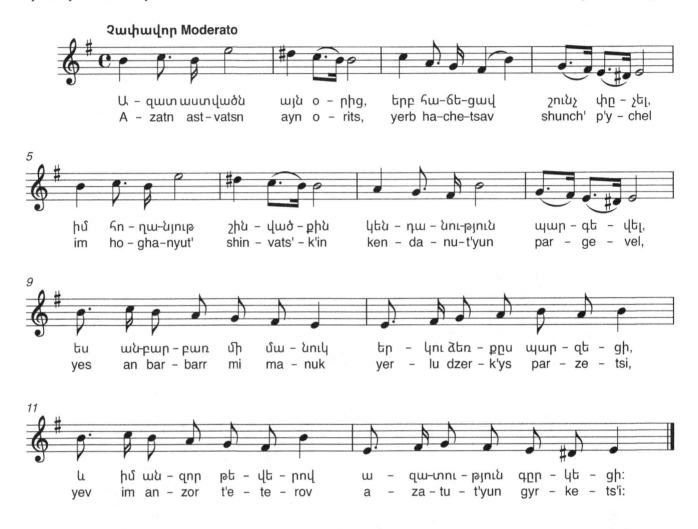

Ազատ աստվածն այն օրից,
Երբ հաճեցավ շունչ փչել,
Իմ հողանյութ շինվածքին
Կենդանություն պարգևել.
Ես անբարբառ մի մանուկ
Երկու ձեռքս պարզեցի,
Եվ իմ անզոր թևերով
Ազատություն գրկեցի:

Մինչ գիշերը անհանգիստ
Օրորոցում կապկապած
Լալիս էի անդադար,
Մորս քունը խանգարած,
Խնդրում էի նորանից
Բազուկներս արձակել.
Ես այն օրից ուխտեցի
Ազատությունը սիրել:

Թոթով լեզվիս մինչ կապերը
Արձակվեցա, բացվեցա,
Մինչ ծնողքս իմ ձայնից
Խնդացին ու բերկրեցան,
Նախկին խոսք, որ ասացի՝
Չէր հայր, կամ մայր, կամ այլ ինչ.
Ազատությո՛ւն, դուրս թռավ
Իմ մանկական բերանից:

"Ազատությո՞ւն", ինձ կրկնեց
Ճակատագիրը վերևից.
"...Ազատությա՞ն դու զինվոր
Կամիս գրվիլ այս օրից:
Ո՛հ, փշոտ է ճանապարհդ,
Քեզ շատ փորձանք կը սպասե.
Ազատություն սիրողին
Այս աշխարհը խիստ նեղ է:

— Ազատությո՛ւն,— գոչեցի,—
Թող որոտա իմ գլխին
Փայլակ, կայծակ, հուր, երկաթ,
Թող դավ դնե թշնամին,
Ես մինչ ի մահ, կախաղան,
Մինչև անարգ մահու սյուն,
Պիտի գոռամ, պիտի կրկնեմ
Անդադար. ազատությո՛ւն:

Azat astvatsn ayn orits',
Yerb hachets'av shunch' p'ch'el,
Im hoghanyut' shinvatsk'in
Kendanut'yun pargevel.
Yes anbarbarr mi manuk
Yerku dzerrk's parzets'i,
Yev im anzor t'everov
Azatut'yun grkets'i.

Minch' gishery anhangist
Ororots'um kapkapats
Lalis ei andadar,
Mors k'uny khangarats,
Khndrum ei noranits'
Bazukners ardzakel.
Yes ayn orits' ukhtets'i
Azatut'yuny sirel.

T'vot'ov lezvis minch' kapery
Ardzakvets'a, bats'vets'a,
Minch' tsnoghk's im dzaynits'
Khndats'in u berkrets'an,
Nakhkin khosk', vor asats'i՝
Ch'e'r hayr, kam mayr, kam ayl inch'.
Azatut'youn, durs t'rrav
Im mankakan beranits'.

"Azatut'yo՞un", indz krknets'
Chakatagiry verevits'.
"...Azatut'ya՞n du zinvor
Kamis grvil ays orits'.
O'h, p'shot e chanaparhd,
K'ez shat p'vordzank' ky spase.
Azatut'yun siroghin
Ays ashkharhy khist negh e.

— Azatut'yo՛un,— goch'ets'i,—
T'ogh vorota im glkhin
P'aylak, kaytsak, hur, yerkat',
T'ogh dav dne t'shnamin,
Yes minch' i mah, kakhaghan,
Minch'ev anarg mahu syun,
Piti gorram, pit krknem
Andadar. azatut'yo՛un.

ԱԶՆԻՎ ԸՆԿԵՐ
AZNIV YNKER

Խոսք՝ Ս. Շահազիզի
Lyrics by S. Shahaziz

Երաժշտ.՝ Ք. Կարա-Մուրզայի
Music by K. Kara-Murza

Աq-նիվ ըն - կեր, մե-ռա-նում եմ, բայց հանգիստ եմ ես հո-գով:
Az-niv yn - ker, me-rra-num em, bayts' han-gist em yes ho-gov.
Իմ թըշ-նա - միքս ես օրհ-նում եմ, օրհ-նում եմ քեզ աս-տու-ծով:
Im t'ysh-na - mik's yes or-hnum em, orh-num em k'ez as - tu - tsov.

Ազնի՛վ ընկեր, մեռանում եմ,
Բայց հանգիստ եմ ես հոգով.
Իմ թշնամիքս ես օրհնում եմ,
Օրհնո՛ւմ եմ քեզ աստուծով:

Հեռանում եմ, անգի՛ն ընկեր,
Չգնահատած ոչ ոքից.
Բայց հավաստյավ անձնանըվեր
Ազգիս մշակ կհաշվիմ:

Ազնի՛վ ընկեր, չըմոռանաս.
Անդավաճան, ջերմ սիրով
Ես սիրել եմ իմ հայրենիք,
Գնա՛ և դու նույն շավղով:

Խեղճությունը Հայոց ազգի
Կարեկցաբար մտածի՛ր.
Ոսկե գրքույկն Եղիշեի
Քաջ առաջնորդ քեզ ընտրի՛ր:

Իմ մտերիմ, մահըս մոտ է,
Բայց հանգիստ եմ ես հոգով.
Որովհետև խիղճս արդար է,
Ճշմարտությա՛ն ջատագով:

Azni′v ynker, merranum yem,
Bayts' hangist yem yes hogov.
Im t'shnamik's yes orhnum em,
Orhno′um em k'ez astutsov.

Herranum yem, angi′n ynker,
Ch'gnahatats voch' vok'its'.
Bayts' havastyav andznanyver
Azgis mshak khashvim.

Azni′v ynker, ch'ymorranas.
Andavachan, jerm sirov
Yes sirel yem im hayrenik',
Gna′ yev du nuyn shavghov.

Kheghchut'yuny Hayots' azgi
Karekts'abar mtatsi′r.
Voske grk'uykn Yeghishei
K'aj arrajnord k'ez yntri′r.

Im mterim, mahys mot e,
Bayts' hangist em yes hogov.
Vorovhetev khighchs ardar e,
Chshmartut'ya′n jatagov.

ԱԼԱԳՅՈԶ ԱՉԵՐԴ
ALAGYOZ ACH'ERD

Կոմիտաս
Komitas

Չափավոր Moderato
Ա - լա-գյոզ ա - չե - րըդ, կա-մար ուն - քե - րըդ
A - la-gyoz a - ch'e - ryd, ka - mar un - k'e - ryd
ու - զում եմ հե - ռա - նալ, չի թող - նում սե - րըդ:
u - zum em he - rra - nal, ch'i t'ogh - num se - ryd.
Ա - դե՜ ջան, ջուրն ընկ - նեմ, մայ - րիկ ջան,
A - de jan, jurn ynk - nem, may - rik jan,
քար կըտ - րեմ, շեկ յա-րի դար - դի - ցը:
k'ar kyt - rem, shek ya-ri dar - di - ts'y.

Ալագյոզ աչերդ,
Կամար ունքերդ,
Ուզում եմ հեռանալ,
Չի թողնում սերդ:

ԿՐԿՆԵՐԳ
Ադե՜ ջան ջուրն ընկնեմ,
Մայրիկ ջան, քար կտրեմ
Շեկ յարի դարդիցը:

Ես քեզ սիրեցի,
Որ ինձ յար ըլնես,
Էրված - վառված սրտիս,
Դեղ ու ճար ըլնիս:

Ես քեզ ի՞նչ արեցի,
Ինձնից հեռացար.
Քո մեկուճար յարին
Ո՞նց շուտ մոռացար:

Alagyoz ach'erd,
Kamar unk'erd,
Uzum em herranal,
Ch'i t'oghnum serd.

CHORUS
Ade' jan jurn ynknem,
Mayrik jan, k'ar ktrem
Shek yari dardits'y

Yes k'ez sirets'i,
Vor indz yar ylnes,
Ervats - varrvats srtis,
Degh u char ylnis.

Yes k'ez i˜nch' arets'i,
Indznits' herrats'ar.
K'o mekuchar yarin
Vo˜nts' shut morrats'ar.

ԱԼԱԳՅԱԶ ՍԱՐՆ ԱՄՊԵԼ Ա
ALAGYAZ SARN AMPEL A

Կոմիտաս
Komitas

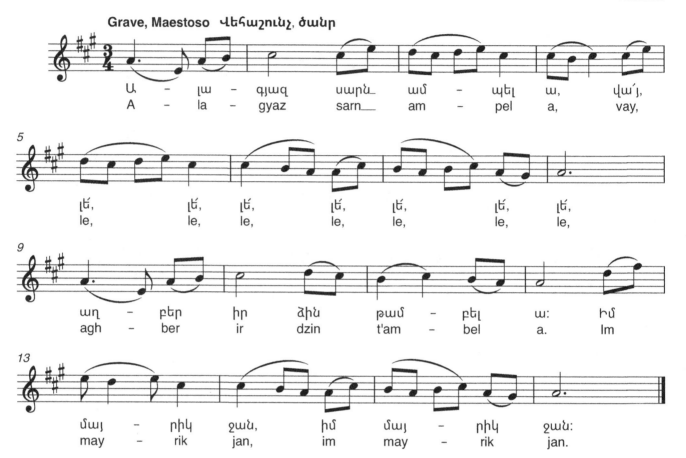

Grave, Maestoso **Վեհաշունչ, ծանր**

Ալագյազ սարն ամպել ա,
Վա՛յ, լե՛, լե՛, լե՛, լե՛, լե՛, լե՛, լե՛,
Աղբերն իր ձին թամբել ա:
Իմ մայրիկ ջան, իմ մայրիկ ջան:
Աղբերն իր ձին թամբել ա:
Յարոջ դըռնեն անցել ա:

Յարոջ դըռնեն անցել ա,
Ելե դաշտը՝ խաղցել ա:
Ելե դաշտը՝ խաղցել ա,
Անձրև եկե, թըրջել ա:

Անձրև եկե, թըրջել ա,
Արև զարկե՝ չորցել ա:
Արև զարկե՝ չորցել ա,
Քան կարմիր վարդ բացվել ա:

Alagyaz sarn ampel a,
Va'y, le', le', le', le', le', le', le',
Aghbern ir dzin t'ambel a.
Im mayrik jan, im mayrik jan.
Aghbern ir dzin t'ambel a.
Yaroj dyrrnen ants'el a.

Yaroj dyrrnen ants'el a,
Yele dashty' khaghts'el a.
Yele dashty' khaghts'el a,
Andzrev yeke, t'yrjel a.

Andzrev yeke, t'yrjel a,
Arev zarke' ch'vorts'el a.
Arev zarke' ch'vorts'el a,
K'an karmir vard bats'vel a.

ԱԼ ԼԻՆԵՄ
AL LINEM

Խոսք և երաժշտ.՝ Հարություն Թումանյանի
Lyrics and music by Harutyun Tumanyan

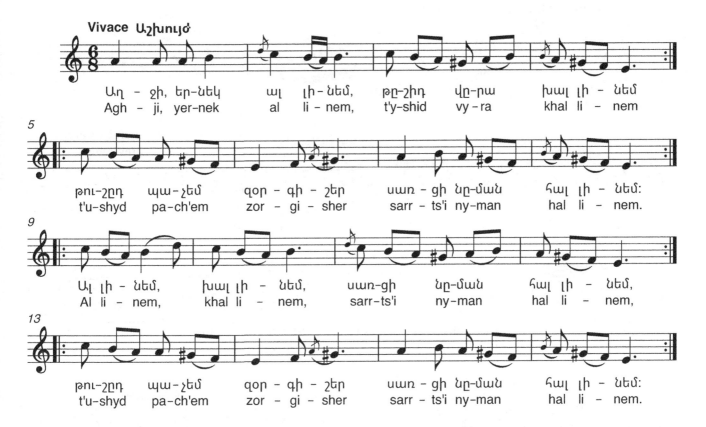

Աղ - ջի, եր-նեկ ալ լի-նեմ, թը-շիդ վը-րա խալ լի - նեմ
Agh - ji, yer-nek al li - nem, t'y-shid vy-ra khal li - nem
թու-շըդ պա-չեմ զօր - գի - շեր սառ - ցի նը-ման հալ լի - նեմ:
t'u-shyd pa-ch'em zor - gi - sher sarr - ts'i ny-man hal li - nem.
Ալ լի - նեմ, խալ լի - նեմ, սառ-ցի նը-ման հալ լի - նեմ,
Al li - nem, khal li - nem, sarr-ts'i ny-man hal li - nem,
թու-շըդ պա-չեմ զօր - գի - շեր սառ - ցի նը-ման հալ լի - նեմ:
t'u-shyd pa-ch'em zor - gi - sher sarr - ts'i ny-man hal li - nem.

Աղջի, երնեկ ալ լինեմ,
Թշիդ վրա խալ լինեմ,
Թուշդ պաչեմ զօր-գիշեր,
Սառցի նման հալ լինեմ:
　　Ալ լինեմ, խալ լինեմ,
　　Սառցի նման հալ լինեմ:

Aghji, yernek al linem,
T'shid vra khal linem,
T'ushd pach'em zor-gisher,
Sarrts'i nman hal linem.
　　Al linem, khal linem,
　　Sarrts'i nman hal linem.

Երնեկ նախշուն շալ լինեմ,
Վզիդ վրա ծալ լինեմ,
Վիզդ պաչեմ ամեն օր,
Ես քո վզին լալ լինեմ:
　　Շալ լինեմ, ծալ լինեմ,
　　Ես քո վզին լալ լինեմ:

Yernek nakhshun shal linem,
Vzid vra tsal linem,
Vizd pach'em amen or,
Yes k'o vzin lal linem.
　　Shal linem, tsal linem,
　　Yes k'o vzin lal linem.

Աղջի, երնեկ թառ լինեմ,
Թառի վրա լար լինեմ,
Գովքդ պատմեմ աշխարհին,
Ես քեզ համար լար լինեմ:
　　Թառ լինեմ, լար լինեմ,
　　Ես քեզ համար լար լինեմ:

Aghji, yernek t'arr linem,
T'arri vra lar linem,
Govk'd patmem ashkharhin,
Yes k'ez hamar lar linem.
　　T'arr linem, lar linem,
　　Yes k'ez hamar lar linem.

ԱԽ, ԱԼ ՎԱՐԴԻ
AKH, AL VARDI

Խոսք՝ Ավ. Իսահակյան
Lyrics by Av. Isahakyan

Երաժշտ.՝ Գր. Սյունու
Music by Gr. Syuni

Ա՛խ, ալ վարդի, սիրո վարդի
Չո՛ր փշերը մնացին...
Էն փշերը մատաղ սիրտըս
Քրքրեցին ու կերա՛ն:

Կարմիր - կանաչ իմ օրերըս
Սիրո սգով սևացան...
Ա՛խ, ափսո՛ս իմ գարուն կյանքիս,
Սուր փշերը մնացին...

A´kh, al vardi, siro vardi
Ch’o’r p’shery mnats’in...
En p’shery matagh sirtys
K’rk’rets’in u kera´n.

Karmir - kanach’ im orrerys
Siro sgov sevats’an...
A´kh, ap’so´s im garun kyank’is,
Su´r p’shery mnats’in...

Ա՛Խ, ԻՄ ՃԱՄՓԵՍ
AKH, IM CHAMPES

Խոսք՝ Ավ. Իսահակյան
Lyrics by Av. Isahakyan

Երաժշտ.՝ Արմ. Տիգրանյանի
Music by A. Tigranyan

Ա՛խ, իմ ճամփես մոլոր գնաց,
Անտակ ծովին դեմ առա.
Վա՛խ, իմ սերս անցա՛վ, գնա՛ց,
Ետ կանչելու ճար չկա:

Դումանն եկավ, ծովը ծածկեց,
Էն խաս հավքերն ի՞նչ եղան,
Դարդը եկավ, սիրտս ծակեց,
Էն ալ-վարդերս ի՞նչ եղան:

Ախ, խաս հավքերն ծովում խեղդվան.
Ագռավն վրես կղռռա,
Սիրուս զառ-վառ վարդերն թոռման,
Բլբուլս անթև կսգա...

A'kh, im champ'es molor gnats',
Antak tsovin dem arra.
Va'kh, im sers ants'a'v, gna'ts',
Yet kanch'elu char ch'ka.

Dumann yekav, tsovy tsatskets',
En khas havk'ern i'nch' yeghan,
Dardy yekav, sirts tsakets',
En al-varders i˝nch' yeghan.

Akh, khas havk'ern tsovum kheghdvan.
Agrravn vres kghrrrra,
Sirus zarr-varr vardern t'orrman,
Blbuls ant'ev ksga...

Ա՛Խ, ԻՆՉ ԼԱՎ ԵՆ
AKH, INCH' LAV EN

Խոսք և երաժշտ.՝ Հովհ. Թումանյանի
Lyrics and music by Hovh. Tumanyan

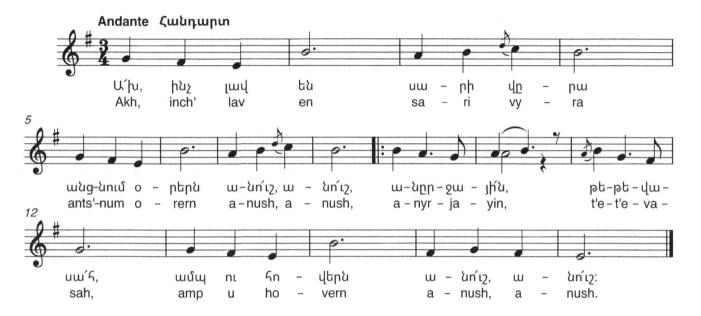

Ա՛խ, ի՛նչ լավ են սարի վըրա
Անցնում օրերն, անո՛ւշ, անո՛ւշ,
Անըրջային, թեթևասահ
Ամպ ու հովերն անո՛ւշ, անո՛ւշ:

Ահա բացվեց թարմ առավոտ,
Վարդ է թափում սարին, քարին,
Շաղ են շողում ծաղիկ ու խոտ,
Շընչում բուրմունք եդեմային:

Ա՛խ, ի՛նչ հեշտ են սարի վըրա
Սահում ժամերն անո՛ւշ, անո՛ւշ,
Շըվին փըչեց հովիվն ահա –
Աղջիկն ու սերն անո՛ւշ, անո՛ւշ:

A´kh, i´nch' lav en sari vyra
Ants'num orern, ano´ush, ano´ush,
Anyrjayin, t'et'evasah
Amp u hovern ano´ush, ano´ush.

Aha bats'vets' t'arm arravot,
Vard e t'ap'um sarin, k'arin,
Shagh en shoghum tsaghik u khot,
Shynch'um burmunk' yedemayin.

A´kh, i´nch' hesht en sari vyra
Sahum zhamern ano´ush, ano´ush,
Shyvin p'ych'ets' hovivn aha —
Aghjikn u sern ano´ush, ano´ush.

Ա՛Խ, ՄԱՐԱԼ
AKH, MARAL

Խոսք՝ Ավ. Իսահակյան
Lyrics by Av. Isahakyan

Երաժշտ.՝ Ն.Գալանտերյանի
Music by N. Galanteryan

Adagio Դանդաղ
Աղ - բյու-րի մեջ մի մա-րալ շուքն է տե-սել եղ - նի-կին
Agh - byu-ri mej mi ma-ral shuk'ne te-sel egh - ni-kin
ու ման կու - գա մի-ա - լար մու-րիկ-մու-րիկ եղ - նի-կին:
u man ku - ga mi-a - lar mu-rik-mu-rik yegh - ni-kin.
Այն եղ-նիկն էլ ե - րա-զին մա-րա-լի ձայնն է լը-սել
Ayn yegh-nikn el e - ra-zin ma-ra-li dzaynn e ly-sel
ու ման կու-գա մա - րա - լին մու-րիկ մու-րիկ զոր - գի-շեր...
u man ku-ga ma - ra - lin mu-rik mu - rik zor - gi-sher...

Աղբյուրի մեջ մի մարալ
Շուքն է տեսել եղնիկին
Ու ման կուգա միալար
Մուրիկ - մուրիկ եղնիկին:

Այն եղնիկն էլ երազին
Մարալի ձայնն է լսել.
Ու ման կուգա մարալին
Մուրիկ - մուրիկ զոր - գիշեր:

Aghbyuri mej mi maral
Shuk'n e tesel yeghnikin
Ou man kuga mialar
Murik - murik yeghnikin.

Ayn yeghnikn el yerazin
Marali dzaynn e lsel,
Ou man kuga maralin
Murik - murik zor - gisher.

Ա՛Խ, ՄԱՐԱԼ ՋԱՆ
AKH, MARAL JAN

Կոմիտաս
Komitas

Ա՛խ մարա՛լ ջան,
Կոկոնըս թոռմած մնաց,
Ջա՛ն, գյարա՛լ ջան,
Սիրտըս կըրակած մնաց.
Ա՛խ, մարա՛լ ջան,
Ի՞նչ անեմ իմ ապրելը,
Ջա՛ն, գյարա՛լ ջան,
Իմ աչքերը թաց մնաց:

Կամար ունքըդ - գովեցիր,
Սիրել էիր՝ ատեցիր,
Ինձ պես ուժով կըտրիճին
Դու անդանակ մորթեցիր:

Ջահել եմ, ընկեր չունեմ,
Ընկել եմ, ես տեր չունեմ,
Ո՛չ վատ ասեք, ո՛չ էլ լավ.
Հարըստության սեր չունեմ:

A'kh mara'l jan,
Kokonys t'orrmats mnats',
Ja'n, gyara'l jan,
Sirtys kyrakats mnats'.
A'kh, mara'l jan,
I"nch' anem im aprely,
Ja'n, gyara'l jan,
Im ach'k'ery t'ats' mnats'.

Kamar unk'yd - govets'ir,
Sirel eir' atets'ir,
Indz pes uzhov kytrichin
Du andanak mort'ets'ir.

Jahel em, ynker ch'unem,
Ynkel em, yes ter ch'unem,
Vo'ch' vat asek', vo'ch' el lav.
Harystut'yan ser ch'unem.

Ա՛խ, ՏՎԵՔ ԻՆՁ
AKH, TVEK' INDZ

Խոսք՝ Հովհ. Հովհաննիսյանի
Lyrics by Hovh. Hovhannisyan

Largo Շատ դանդաղ
Ա՛խ, տը - վեք ինձ քաղ - ցըր մի քուն, կյան-քից հե - ռու
Akh, ty - vek' indz k'agh - ts'yr mi k'un kyan-k'its he - rru
սը - լա-նամ այն աշ-խար - հը, ուր խըն-դու - թյուն, ուր սերն
sy - la-nam ayn ash-khar - hy, ur khyn-du - t'yun, ur sern
է միշտ ան - թա - ռամ, այն աշ-խար - հը,
e misht an - t'a - rram, ayn ash-khar - hy,
ուր խըն-դու - թյուն, ուր սերն է միշտ ան - թա - ռամ
ur khyn-du - t'yun, ur sern e misht an - t'a - rram.

Ա՛խ, տըվեք ինձ քաղցր մի քուն,
Կյանքից հեռու սլանամ
Այն աշխարհը, ուր խնդություն,
Ուր սերն է միշտ անթառամ։

Քնքուշ վարդերն ինձ բարձ լինեն,
Վառ կանաչից՝ իմ վերմակ,
Նոցա բույրը զվարթագին
Ծըծեմ անվերջ ես անհագ։

Եվ խայտալով իմ առաջին
Վտակն անուշ խոխոջե,
Մի թարմություն եդեմային
Չորս բոլորս տարածե։

Եվ ինձ ժըպտի արշալույսին
Գարնան մատաղ արեգակ.
Ով գիշերով իմ ճակատին
Խաղա գողտրիկ վառ լուսնակ։

Եվ աչագեղ կույն ականջիս
Յուր մեղեդին մեղմ հնչե.
Եվ հերարձակ սիրով վըզիս
Փարե քնքուշ, փաղաքշե...

Եվ հավիտյան վայելչություն
Գըրկե հոգիս, չհագենամ...
Ա՛խ, տըվեք ինձ քաղցր մի քուն,
Հեռո՛ւ, հեռո՛ւ, սըլանամ։

A´kh, tyvek' indz k'aghts'r mi k'un,
Kyank'its' herru slanam
Ayn ashkharhy, ur khndut'yun,
Ur sern e misht ant'arram.

K'nk'ush vardern indz bardz linen,
Varr kanach'its'' im vermak,
Nots'a buyry zvart'agin
Tsytsem anverj yes anhag.

Yev khaytalov im arrajin
Vtakn anush khokhoje,
Mi t'armut'yun yedemayin
Ch'ors bolors taratse.

Yev indz zhypti arshaluysin
Garnan matagh aregak.
Ov gisherov im chakatin
Khagha goghtrik varr lusnak.

Yev ach'agegh kuyn akanjis
Yur meghedin meghm hnch'e.
Yev herardzak sirov vyzis
P'are k'nk'ush, p'aghak'she...

Yev havityan vayelch'ut'yun
Gyrke hogis, ch'hagenam...
A´kh, tyvek' indz k'aghts'r mi k'un,
Herro´u, herro´u, sylanam.

ԱՂԲՅՈՒՐԻ ՄՈՏ
AGHBYURI MOT

Խոսք՝ Գ. Սարյանի
Lyrics by G. Saryan

Երաժշտ.՝ Ա. Սաթյանի
Music by A. Satyan

Ես ծարավ էի, աղբյուր, ջուր տվիր,
Քո պաղ ջրի հետ սրտիս հուր տվիր,
Թե չեմ հասնելու ես իմ մուրազին,
Սիրո կրակն ինձ ինչո՛ւ զուր տվիր:

Երբ տխրել եմ ես, շամբին եմ նայել,
Երբ լաց եմ եղել, ամպին եմ նայել.
Տեսքիդ կարոտով աղբյուրի ափին
Թեքվել եմ ու քո ճամփին եմ նայել:

Yes tsarav ei, aghbyo'ur, jur tvir,
K'o pagh jri het srtis hur tvir,
T'e ch'em hasnelu yes im murazin,
Siro krakn indz inch'o῀u zur tvir.

Yerb tkhrel em yes, shambin em nayel,
Yerb lats' em yeghel, ampin em nayel.
Tesk'id karotov aghbyuri ap'in
T'ek'vel em u k'o champ'in yem nayel.

ԱՂԲՅՈՒՐԻ ՄԵՋ ՄԻ ՄԱՐԱԼ
AGHBYURI MEJ MI MARAL

Խոսք՝ Ավ. Իսահակյանի
Words by Av. Isahakyan

Երաժշտ.՝ Ս. Մանվելյանի
Music by S. Manvelyan

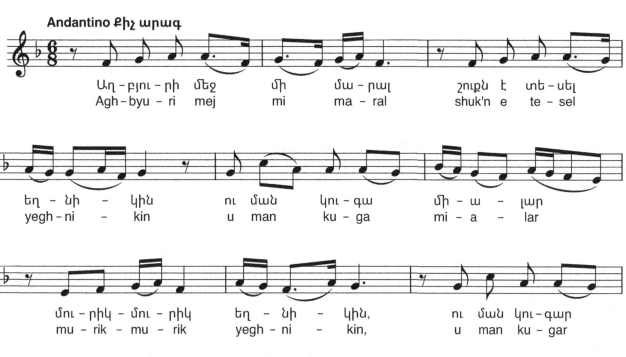

Աղբյուրի մեջ մի մարալ
Շուքն է տեսել եղնիկին
Ու ման կուգա միալար
Մուրիկ - մուրիկ եղնիկին:

Այն եղնիկն էլ երազին
Մարալի ձայնն է լսել.
Ու ման կուգա մարալին
Մուրիկ - մուրիկ զօր - գիշեր:

Aghbyuri mej mi maral
Shuk'n e tesel yeghnikin
Ou man kuga mialar
Murik - murik yeghnikin.

Ayn yeghnikn el yerazin
Marali dzaynn e lsel.
Ou man kuga maralin
Murik - murik zor - gisher.

ԱՂՋԻ ԲԱԽՏԱՎՈՐ
AGHJI BAKHTAVOR

Խոսք՝ Հովհ. Թումանյանի
Lyrics by Hovh. Tumanyan

Երաժշտ.՝ Եղ. Բաղդասարյան
Music by Yegh. Baghdasaryan

Աղ – ջի բախ-տա – վոր, եր-նեկ քու սե – րին,
Agh – ji bakh-ta – vor, yer-nek k'u se – rin,

քու սա – րի սո – վոր սև-սև աչ-քե – րին:
k'u sa – ri so – vor sev-sev ach'-k'e – rin.

Համ-բար-ձում յայ – լա՛, յայ-լա՛ ջան յայ – լա՛, սեր օ – րեր, յայ –
Ham-bar-dzum yay – la, yay-la jan yay – la, ser o – rer, yay –

լա՛, յայ – լա՛ ջան, յայ – լա՛:
la, yay – la jan, yay – la.

Աղջի բախտավոր,
Երնեկ քո սերին,
Քո սարի սովոր
Սև-սև աչերին:
  Համբարձում յայլա՛,
  Յայլա՛ ջան, յայլա՛,
  Սեր օրեր յայլա՛,
  Յայլա՛ ջան, յայլա՛:

Մեռնեմ գարունքիդ,
Ծաղկած գարուն ես,
Սարի պես մեջքիդ
Կանգնած յար ունես:
  Համբարձում յայլա՛,
  Յայլա՛ ջան, յայլա՛,
  Սեր օրեր յայլա՛,
  Յայլա՛ ջան, յայլա՛:

Aghji bakhtavor,
Yernek k'o serin,
K'o sari sovor
Sev-sev ach'erin.
  Hambardzum yayla՛,
  Yayla՛ jan, yayla՛,
  Ser orer yayla՛,
  Yayla՛ jan, yayla՛.

Merrnem garunk'id,
Tsaghkats garun es,
Sari pes mejk'id
Kangnats yar unes.
  Hambardzum yayla՛,
  Yayla՛ jan, yayla՛,
  Ser orer yayla՛,
  Yayla՛ jan, yayla՛.

ԱՂՋԻ ՄԱՐԱՆ
AGHJI MARAN

Երաժշտ.՝ ըստ Վ. Չաքմիշյանի
Transcribed by V. Chakmishyan

Հայ. ժող. երգ
Armenian folk song

Աղջի Մարան, յարիդ տարան,
Սև աչերըդ թացվել է.
Արի գնանք սարը սեյրան,
Տես, գարունը բացվել է:

Aghji Maran, yarid taran,
Sev ach'eryd t'ats'vel e.
Ari gnank' sary seyran,
Tes, garuny bats'vel e.

Յար տանողի տունը վերան,
Սրտիդ դուռը գոցվել է.
Սիրուց էրված վարդի վրա
Բըլբուլն էլ շատ լացել է:

Yar tanogh'i tuny veran,
Srtid durry gots'vel e.
Siruts' ervats vardi vra
Bylbuln el shat lats'el e.

Սիրուն Մարան, անուշ Մարան,
Քո ծով աչերն են բարի.
Ա՛խ քաշելով, սիրտ մաշելով
Օրը դարձավ մի տարի:

Sirun Maran, anush Maran,
K'o tsov ach'ern en bari.
A'kh k'ashelov, sirt mashelov
Ory dardzav mi tari.

ԱՂՋԻԿ ՆԱԶԵՐՈՎ
AGHJIK NAZEROV

Հայ. ժող. երգ
Armenian folk song

Moderato Չափավոր

Աղ – ջիկ   նա – զե – րով,   շեկ – շեկ   մա – զե –
Agh – jik   na – ze – rov,   shek – shek   ma – ze –

րով,_____   գե – րե – ցիր դու   ինձ
rov,_____   ge – re – tsir du   indz

քըն–քուշ   քո սի – րով:_____   2.Դու բրի – գա–դիր   ես,
k'yn–k'ush   k'o si – rov._____   2.Du bri – ga–dir   es,

գոր – ծում   ըն – տիր   ես,_____   Իմ սըր –
gor – tsum   yn – tir   es,_____   Im syr –

տի մա – րալ,   ես սի – րել եմ   քեզ:
ti ma – ral,   yes si – rel em   k'ez.

Աղջիկ նազերով, Շեկ - շեկ մազերով. Գերեցիր դու ինձ Քնքուշ քո սիրով:	Aghjik nazerov, Shek - shek mazerov, Gerets'ir du indz K'nk'ush k'vo sirov.
Դու բրիգադիր ես, Գործում ընտիր ես. Իմ սրտի մարալ, Ես սիրել եմ քեզ:	Du brigadir es, Gortsum yntir yes. Im srti maral, Yes sirel em k'ez.
Հագել ես շալը, Կայնել ես կալը. Քո բոյին մատաղ, Սիրուն իմ յարը:	Hagel yes shaly, Kaynel es kaly. K'o boyin matagh, Sirun im yary.

ԱՄՊԵՐՆ ԵԿԱՆ
AMPERN EKAN

Խոսք՝ Ավ.Իսահակյանի
Lyrics by Av. Isahakyan

Երաժշտ.՝ Գ. Աճեմյանի
Music by G. Atchemyan

Շարա՛ն - շարա՛ն ամպերն եկան:
Ա՛խ, մուժն առավ իմ ճամփեն.
Ո՞ւրտից կուգամ, ո՞ւրտեղ կերթամ,
Միտքըս՝ շըվար, ու չիտեմ:

Էս ի՞նչ կըսկիծ, սիրտըս ծեծկեց,
Քուրի՛կ, քեզնեն հեռու կերթամ:
Վարդի փուշը սիրտըս ծակեց,
Դարդը սըրտիս խոլոր կերթամ:

Սար ու ձորեր ձյունն է իջեր,
Քամին պա՛ղ - պա՛ղ կըփըչե.
Ես մենակ եմ, ես՝ անընկեր,
Քամին ճակտիս կըփըչե:

Շարա՛ն - շարա՛ն ամպերն եկան:
Ա՛խ, մուժն առավ իմ ճամփեն.
Ո՞ւրտից կուգամ, ո՞ւրտեղ կերթամ,
Միտքս՝ շըվար, ու չիտեմ:

Shara´n - shara´n ampern yekan,
A´kh, muzhn arrav im champ'en.
Ou˜rtits' kugam, vo˜rtegh kert'am,
Mitk'ys' shyvar, u ch'item.

Es i˜nch' kyskits, sirtys tsetskets',
K'uri´k, k'eznen herru kert'am,
Vardi p'ushy sirtys tsakets',
Dardy syrtis kholor kert'am.

Sar u dzorer dzyunn e ijer,
K'amin pa´gh - pa´gh kyp'ych'e.
Yes menak yem, yes' anynker,
K'amin chaktis kyp'ych'e.

Shara´n - shara´n ampern yekan,
A´kh, muzhn arrav im champ'en.
O˜urtits' kugam, vo˜rtegh kert'am,
Mitk's' shyvar, u ch'item.

ԱՄՊԻ ՏԱԿԻՑ
AMPI TAKITS

Խոսք՝ Հովհ. Թումանյանի
Lyrics by Hovh. Tumanyan

Երաժշտ.՝ Արմ. Տիգրանյանի
Music by Arm. Tigranyan

Moderato Չափավոր
Ամ-պի տա-կից ջուր է գա-լիս, դոշ է տա-լի, փըր - փը - րում,
Am-pi ta-kits jur e ga-lis, dosh e ta-li, p'yr - p'y - rum,
էն ո՞ւմ յարն է նըս-տած. լա - լի-ս հոն-գուր-հոն-գուր էն սա-րում,
en um yarn e nys-tats la - li-s hon-gur-hon-gur en sa-rum,
էն ո՞ւմ յարն է նըստած լա - լի-ս հոն-գուր-հոն-գուր էն սա-րում:
en um yarn e nys-tats la - li-s hon-gur-hon-gur en sa-rum.

Ամպի տակից ջուր է գալի,
Դոշ է տալի, փըրփըրում,
Էն ո՞ւմ յարն է նըստած լալիս,
Հոնգուր - հոնգուր էն սարում:

Ա՛յ պաղ ջրեր, զուլալ ջրեր,
Որ գալիս եք սարերից,
Գալիս՝ անցնում հանդ ու չոլեր,
Յարս էլ խմե՞ց էդ ջրից:

Յարաբ խմե՞ց, յարաբ հովցա՞վ
Վառված սիրտը էն յարի,
Յարաբ հովցա՞վ, յարաբ անցա՞վ
Անքուն ցավը ջիգյարի...

- Աղջի, քու յարն եկավ անցավ
Վառված, տարված քու սիրով,
Էրված ջիգյարն՝ եկավ անցավ,
Չըհովացավ պաղ ջրով:

Ամպի տակից ջուր է գալի,
Դոշ է տալի, փըրփըրում,
Ա՛խ, իմ ազիզ յարն է լալի
Հոնգուր - հոնգուր էն սարում:

Ampi takits' jur e gali,
Dosh e tali, p'yrp'yrum,
En o˜um yarn e nystats lalis,
Hongur - hongur en sarum.

A´y pagh jrer, zulal jrer,
Vor galis ek' sarerits',
Galis՝ ants'num hand u ch'oler,
Yars el khme˜ts' ed jrits'.

Yarab khme˜ts', yarab hovts'a˜v
Varrvats sirty en yari,
Yarab hovts'a˜v, yarab ants'a˜v
Ank'un ts'avy jigyari...

- Aghji, k'u yarn yekav ants'av
Varrvats, tarvats k'u sirov,
Ervats jigyarn՝ yekav ants'av,
Ch'yhovats'av pagh jrov.

Ampi takits' jur e gali,
Dosh e tali, p'yrp'yrum,
A´kh, im aziz yarn e lali
Hongur - hongur en sarum.

Ա՛Յ ԱՂՋԻԿ, ԾԱՄՈՎ ԱՂՋԻԿ
AY AGHJIK, TSAMOV AGHJIK

Կոմիտաս
Komitas

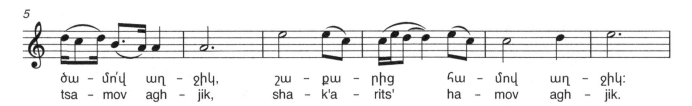

Այ աղ - ջիկ, ծա - մո՛վ աղ - ջիկ, վա՛յ,
Ay agh - jik, tsa - mov agh - jik, vay,
ծա - մո՛վ աղ - ջիկ, շա - քա - րից հա - մով աղ - ջիկ:
tsa - mov agh - jik, sha - k'a - rits' ha - mov agh - jik.
Ըն - ջա - վոր, փըն - ջա - վոր, այ, ծա - մով աղ - ջիկ,
կար - ճը - լիկ, կուր - ճը - լիկ, վա՛յ, հա - մով աղ - ջիկ:
Yn - ja - vor, p'yn - ja - vor, ay, tsa - mov agh - jik,
kar - chy - lik, kur - chy - lik, vay, ha - mov agh - jik.

Ա՛յ աղջիկ, ծամո՛վ աղջիկ,
Վա՛յ, ծամո՛վ աղջիկ,
Շաքարից համով աղջիկ.
Ընջավոր, փընջավոր, ա՛յ ծամով աղջիկ,
Կարճըլիկ, կուրճըլիկ, վա՛յ, համով աղջիկ:

Ունքերդ խելքըս տարան,
Վա՛յ, խելքըս տարան,
Թուխ աչքերդ ծով, աղջիկ.
Ընջավոր, փընջավոր, ա՛յ ծամով աղջիկ,
Կարճըլիկ, կուրճըլիկ, վա՛յ, համով աղջիկ:

Կապել ես քիրման գոտիկ,
Վա՛յ, քիրման գոտիկ,
Մարդ չես թողնում քեզ մոտիկ.
Ընջավոր, փընջավոր, ա՛յ ծամով աղջիկ,
Կարճըլիկ, կուրճըլիկ, վա՛յ, համով աղջիկ:

Տեսքով ես, համով, հոտով,
Վա՛յ, համով, հոտով,
Քան ըզծաղիկ խորոտիկ:
Ընջավոր, փընջավոր, ա՛յ ծամով աղջիկ,
Կարճըլիկ, կուրճըլիկ, վա՛յ, համով աղջիկ:

Գլուխըդ բարձր բըռնի,
Վա՛յ, բարձր բըռնի,
Շեկ տըղեն քեզի մեռնի.
Ընջավոր, փընջավոր, ա՛յ ծամով աղջիկ,
Կարճըլիկ, կուրճըլիկ, վա՛յ, համով աղջիկ:

Ինձի տան արար աշխարհ,
Վա՛յ, արար աշխարհ,
Ես ուրիշին չեմ առնի:
Ընջավոր, փընջավոր, ա՛յ ծամով աղջիկ,
Կարճըլիկ, կուրճըլիկ, վա՛յ, համով աղջիկ:

A´y aghjik, tsamo´v aghjik,
Va´y, tsamo´v aghjik,
Shak'arits' hamov aghjik.
Ynjavor, p'ynjavor, a´y tsamov aghjik,
Karchylik, kurchylik, va´y, hamov aghjik.

Unk'erd khelk'ys taran, Va´y, khelk'ys taran,
T'ukh ach'k'erd tsov, aghjik.
Ynjavor, p'ynjavor, a´y tsamov aghjik,
Karchylik, kurchylik, va´y, hamov aghjik.

Kapel es k'irman gotik,
Va´y, k'irman gotik,
Mard ch'es t'oghnum k'ez motik.
Ynjavor, p'ynjavor, a´y tsamov aghjik,
Karchylik, kurchylik, va´y, hamov aghjik.

Tesk'ov es, hamov, hotov,
Va´y, hamov, hotov,
K'an yztsaghik khorotik.
Ynjavor, p'ynjavor, a´y tsamov aghjik,
Karchylik, kurchylik, va´y, hamov aghjik.

Glukhyd bardzr byrrni,
Va´y, bardzr byrrni,
Shek tyghen k'ezi merrni.
Ynjavor, p'ynjavor, a´y tsamov aghjik,
Karchylik, kurchylik, va´y, hamov aghjik.

Indzi tan arar ashkharh,
Va´y, arar ashkharh,
Yes urishin ch'em arrni.
Ynjavor, p'ynjavor, a´y tsamov aghjik,
Karchylik, kurchylik, va´y, hamov aghjik.

ԱՅԳՈՒՆ, ԱՅԳՈՒՆ
AYGUN, AYGUN

Խոսք՝ Ն. Դանիելյանի
Lyrics by N. Danielyan

Այգուն, այգուն, իմ խըցկի մոտ,
Լուսածըպիտ մինչ առավոտ
Երգե պըլպուլն իմ Սիսուանա՝
Կիլիկիա՛, Կիլիկիա՛, Կիլիկիա՛:

Գարուն կուգա, ծաղկունք փըթթին,
Դաշտերու մեջ, ի ծոց հովտին.
Բայց պըլպուլիկն իմ դեռ կըողբա՝
Կիլիկիա՛, Կիլիկիա՛, Կիլիկիա՛:

Ա՛խ, այն վարդին կարմիր թերթեր
Արյամբ նախնյաց են ներկըվեր.
Եվ այն ցողեր, որ կը կաթին.
Արյուն - արցունքն են մեր ազգին:

Լուռ կաց, պըլպուլ, ալ մի երգեր,
Մի՛ նորոգեր մեր հին վըշտեր.
Լո՛ւռ կաց. քո տաղ վերքեր բանա՝
Կիլիկիա՛, Կիլիկիա՛, Կիլիկիա՛:

Aygun, aygun, im khyts'ki mot,
Lusazhypit minch' arravot
Yerge pylpuln im Sisuana՝
Kilikia՛, Kilikia՛, Kilikia՛.

Garun kuga, tsaghkunk' p'yt't'in,
Dashteru mej, i tsots' hovtin.
Bayts' pylpulikn im derr koghba՝
Kilikia՛, Kilikia՛, Kilikia՛.

A՛kh, ayn vardin karmir t'ert'er
Aryamb nakhnyats' en nerkyver.
Yev ayn ts'ogher, vor ky kat'in.
Aryun - arts'unk'n en mer azgin.

Lurr kats', pylpul, al mi yerger,
Mi՛ noroger mer hin vyshter.
Lo՛urr kats': k'o tagh verk'er bana՝
Kilikia՛, Kilikia՛, Kilikia՛.

ԱՅ ՎԱՐԴ
AY VARD

Խոսք՝ Ալ. Ծատուրյանի
Lyrics by Al. Tsaturyan

Երաժշտ.՝ Ալ. Սպենդիարյանի
Music by Al. Spendiaryan

28

Ա՛յ վարդ, լսիր աղաչանքիս,
Թույլ տուր թփից քեզ քաղեմ.
Եվ քեզանով սիրած կուսիս
Չքնաղ կուրծքը զարդարեմ:

ԿՐԿՆԵՐԳ
Մի՛ վախենար, նրա կրծքին
Չես թառամիլ, քնքուշ վարդ,
Այնտեղ՝ մատաղ կրծքի տակին
Կյանքի աղբյուր կա առատ...

Ա՛յ վարդ, պատմիր նրան հուշիկ
Իմ հուր տենչանքն ու հույզեր,
Թող բուրմունքով քո անուշիկ
Նրա սրտում զարթնի սեր:

Պատմիր նրան իմ ցավերը,
Պատմիր, ինչպես ամեն օր
Ես օրհնում եմ նրա սերը,
Որ ինձ կանե բախտավոր:

A′y vard, lsir aghach’ank’is,
T’uyl tur t’p’its’ k’ez k’aghem.
Yev k’ezanov sirats kusis
Ch’k’nagh kurtsk’y zardarem.

CHORUS
Mi′ vakhenar, nra krtsk’in
Ch’es t’arramil, k’nk’ush vard,
Ayntegh՝ matagh krtsk’i takin
Kyank’i aghbyur ka arrat...

A′y vard, patmir nran hushik
Im hur tench’ank’n u huyzer,
T’ogh burmunk’ov k’o anushik
Nra srtum zart’ni ser.

Patmir nran im ts’avery,
Patmir, inch’pes amen or
Yes orhnum em nra sery,
Vor indz kane bakhtavor.

ԱՆԳԻՐ, Ե՛Վ ԱՆՀԱՅՏ ...
ANGIR, EV ANHAYT

Խոսք՝ Ավ. Իսահակյանի
Lyrics by Av. Isahakyan

Երաժշտ.՝ Վ. Մելիքյանի
Music by V. Melikyan

Andante Հանդարտ
Ան - գիր և ան-հայտ, և ան - հի - շա - տակ՝
An - gir yev an - hayt, yev an - hi - sha - tak,
ա - մա - յի դաշ - տում մի գե - րեզ - ման կա,
a - ma - yi dash - tum mi ge - rez - man ka,
ո՞վ է հող դառ - նում այդ լուռ քա - րի տակ,
ov e hogh darr - num ayd lurr k'a - ri tak,
ո՞վ է լաց ե - ղել այդ քա - րի վը - րա:
ov e lats ye - ghel ayd k'a - ri vy - ra.

Անգիր, և անհայտ, և անհիշատակ՝
Ամայի դաշտում մի գերեզման կա,
Ո՞վ է հող դառնում այդ լուռ քարի տակ,
Ո՞վ է լաց եղել այդ քարի վրա:

Համըր քայլերով դարեր են անցնում,
Արտույտն երգում է իր գովքը գարնան,
Շուրջը ոսկեղեն արտեր են ծփում,
Ո՞ է երազել և սիրել նրան ...

Angir, yev' anhayt, yev' anhishatak'
Amayi dashtum mi gerezman ka,
O˜v e hogh darrnum ayd lurr k'ari tak,
O˜v e lats' yeghel ayd k'ari vra.

Hamyr k'aylerov darer en ants'num,
Artuytn yergum e ir govk'y garnan,
Shurjy voskeghen arter en tsp'um,
O˜ ve yerazel yev sirel nran ...

ԱՆԾԱՆՈԹ ԱՂՋԿԱՆ
ANTSANOT' AGHJKAN

Խոսք՝ Վ. Տերյանի
Lyrics by V. Teryan

Երաժշտ.՝ Վ. Կոտոյանի
Music by V. Kotoyan

Andante Հանդարտ
Լույսնէ մեռ - նում, օ - րը մըթ - նում, մու-թը տը - նիցտուն է մըտ - նում:
Luysn e merr - num, o - ry myt' - num, mu-t'y ty - nits tun e myt - num.
Ես տե-սա քեզ իմ ճամ-փի մոտ, իմ մը - տե - րիմ, իմ ան - ծա - նոթ:
Yes te - sa k'ez im cham - p'i mot, im my - te - rim, im an - tsa - not'.
Աղ-բյուրն ա - նուշ հե-քիա-թի պես իր լույս եր - գով ժըպ-տումէր մեզ,
Agh-byurn a - nush he - k'ia - t'i pes ir luys yer - gov zhyp - tum er mez,
դու մո-տե - ցար մեղմ, համ-րա - քայլ, որ-պես քըն - քուշ ի-րիկ-վա փայլ:
du mo-te - tsar meghm, ham - ra - k'ayl, vor - pes k'yn - k'ush i - rik - va p'ayl:
Ա - նա-կըն - կալ բախ-տի նը - ման հայտ-նը - վե - ցիր պայ-ծառ - ան -
A - na - kyn - kal bakh - ti ny - man hayt - ny - ve - tsir pay - tsarr - an -
ձայն, ան - ջատ - վե - ցինք, համր ու հան - դարտ, կյան - քի ճամ -
dzayn, an - jat - ve - tsinq, hamr u han - dart, kyan - k'i cham -
փին մի ա - կըն - թարթ:
p'in mi a - kyn - t'art'.

Լույսն էր մեռնում, օրը մթնում,
Մութը տնից տուն էր մտնում,
Ես տեսա քեզ իմ ճամփի մոտ,
Իմ մտերի՛մ, իմ անծանոթ։

Աղբյուրն անուշ հեքիաթի պես
Իր լույս երգով ժպտում էր մեզ,
Դու մոտեցար մեղմ համրաքայլ,
Որպես քնքուշ իրիկվա քայլ։

Անակնկալ բախտի նման
Հայտնվեցիր պայծառ - անձայն,
Անջատվեցինք համր ու հանդարտ,
Կյանքի ճամփին մի ակնթա՛րթ ...

Luysn er merrnum, ory mt'num,
Mut'y tnits' tun er mtnum,
Yes tesa k'ez im champ'i mot,
Im mteri'm, im antsanot'.

Aghbyurn anush hek'iat'i pes
Ir luys yergov zhptum er mez.
Du motets'ar meghm hamrak'ayl,
Vorpes k'nk'ush irikva k'ayl.

Anaknkal bakhti nman
Haytnvets'ir paytsarr - andzayn
Anjatvets'ink' hamr u handart,
Kyank'i champ'in mi aknt'a´rt'...

ԱՆՁՐԵՎՆ ԵԿԱՎ
ANDZREVN YEKAV

Կոմիտաս
Komitas

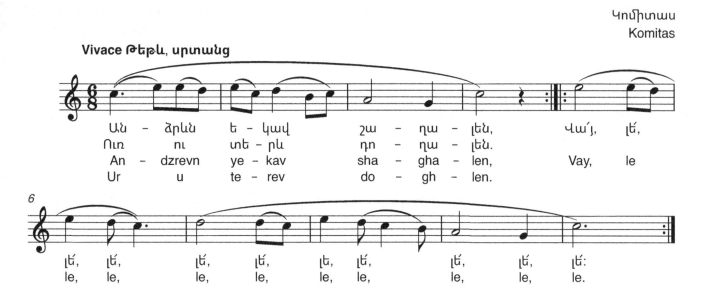

Vivace Թեթև, սրտանց
Ան - ձրևն ե - կավ շա - ղա - լեն, Վա՛յ, լե՛,
Ուռ ու տե - րև դո - ղա - լեն.
An - dzrevn ye - kav sha - gha - len, Vay, le
Ur u te - rev do - gh - len.
լե՛, լե՛, լե՛, լե՛, լե, լե՛, լե՛, լե՛, լե՛:
le, le, le, le, le, le, le, le, le.

Անձրև եկավ շաղալեն,
Ուռ ու տերև դողալեն.
Վա՛յ, լե՛, լե՛, լե՛, լե՛,
Լե՛, լե՛, լե՛, լե՛, լե՛:

Հըրես եկավ իմ ախպեր,
Ալ ձին տակին խաղալեն:
Վա՛յ, լե՛, լե՛, լե՛, լե՛,
Լե՛, լե՛, լե՛, լե՛, լե՛:

Խալիչեքը փռել եմ,
Նախշուն բարձեր շարել եմ.
Թառլան ջան քեզ՝ ուտելու
Սեր, կարագ հազրել եմ:

Տապակած հավի ճուտ բերեմ,
Ոչխարի մածուն բերեմ,
Որ գիտենաս, անո՛ւշ ջան,
Թե քեզ սրտով կը սիրեմ:

Ղուշ մի՛ դառնա թևավոր,
Դու խա՛ղ կանչե ձևավոր...
Յարաբ կլնի՞ էն օրը,
Որ գաս մեր տուն թագավոր:

Andzrev yekav shaghalen,
Urr u terev doghalen.
Va´y, le´, le´, le´, le´,
Le´, le´, le´, le´, le´.

Hyres yekav im akhper,
Al dzin takin khaghalen.
Va´y, le´, le´, le´, le´,
Le´, le´, le´, le´, le´.

Khalich'ek'y p'rrel em,
Nakhshun bardzer sharel em.
T'arrlan jan k'ez' utelu
Ser, karag hazrel em.

Tapakats havi chut berem,
Voch'khari matsun berem,
Vor gitenas, ano´ush jan,
T'e k'ez srtov ky sirem.

Ghush mi' darrna t'evavor,
Du kha´gh kanch'e dzevavor...
Yarab klni˝ en ory,
Vor gas mer tun t'agavor.

ԱՆՈՐ
ANOR

Խոսք՝ Ա. Վտարանդիի
Lyrics by A. Vtarandi

Երաժշտ.՝ Հ. Պերպերյանի
Music by H. Perperian

Andante Հանդարտ
Սիր - տըս կը - թը - ռի ջաղ - ջի քա-րին պես, մար -
Sir - tys ky - t'y - rri jagh - ji k'a - rin pes, mar -
մինս կը - փըղ - րի ջաղ - ջի ալ - րին պես,
mins ky - p'ygh - ri jagh - ji al - rin pes,
Ե՜րբ պի - տի լուս - նա գի - շերն դա - րի պես,
yerb pi - ti lus - na gi - shern da - ri pes,
տես - նե - ի տը - ղան խա - չին լուս - նին պես։
tes - ne - i ty - ghan kha - ch'in lus - nin pes.
Տես - նեմ, կը - սե - ի, ձեռ - քիս վար - դը տամ,
Tes - nem ky - se - i, dzerr - k'is var - dy tam,
Վար - դը որ չառ - նե, nu - կի խըն-ձոր տամ, խըն -
Var - dy vor ch'arr - ne, vos - ki khyn-dzor tam, khyn -
ձորն երբ չառ - նե, մա - զըս քա - շեմ տամ,
dzorn yerb ch'arr - ne, ma - zys k'a - shem tam,
ան ալ որ չառ - նե, հո - գիս հա - նեմ տամ։
an al vor ch'arr - ne, ho - gis ha - nem tam.

Սիրտս կըթռի ջաղջի քարին պես,
Մարմինս կփղի ջաղջի ալրին պես.

Ե՜րբ պիտի լուսնա գիշերն դարի պես,
Տեսնեի տղան խաչին լուսնին պես:

Տեսնեմ, կըսեի, ձեռքիս վարդը տամ
Վարդը, որ չառնե, ոսկի խնձոր տամ,
Խնձորն երբ չառնե, մազս քաշեմ տամ,
Ան ալ որ չառնե, հոգիս հանեմ տամ:

Sirts kyt'rri jaghji k'arin pes,
Marmins kp'ghi jaghji alrin pes.

Ye΄rb piti lusna gishern dari pes,
Tesnei tghan khach'in lusnin pes.

Tesnem, kysei, dzerrk'is vardy tam
Vardy, vor ch'arrne, voski khndzor tam,
Khndzorn yerb ch'arrne, mazs k'ashem tam,
An al vor ch'arrne, hogis hanem tam.

ԱՆՏՈՒՆԻ
ANTOUNI

Կոմիտաս
Komitas

Սիրտս նման է էն փըլած տներ,
Կոտրեր գերաններ, խախտեր է սըներ,
Բուն պիտի դնեն մեջ վայրի հավքեր,
Երթամ՝ ձի թալեմ էն ելման գետեր,
Ըլնիմ ձկներու ձագերանցըն կեր:

Ա՛յ, տո լաճ տընավեր:

Սև ծով մ'եմ տեսե, սպիտակն էր բոլոր,
Ալին կըզարներ, չէր խառնի հիրոր,
Էն ո՞րն է տեսե մեկ ծովն երկթավոր,
Անտունի սիրտն է պղտոր ու մոլոր:
Ա՛խ, իսկ մի լնիք սըրտիք սևավոր:

Ա՛յ, տո լաճ տընավեր:

Sirts nman e en p'ylats tner,
Kotrer geranner, khakhter e syner,
Bun piti dnen mej vayri havk'er,
Yert'am՝ dzi t'alem en yelman geter,
Ylnim dzkneru dzagerants'yn ker.

A´y, to lach tynaver.

Sev tsov m'em tese, spitakn er bolor,
Alin kyzarner, ch'er kharrni hiror,
En vo˜rn e tese mek tsovn yerkt'avor,
Antuni sirtn e pghtor u molor.
A´kh, isk mi lnik' syrtik' sevavor.

A´y, to lach tynaver.

ԱՆՑԱԾ ԳԱՐՈՒՆ
ANTS'ATS GAROUN

Խոսք՝ Հ. Շեմսի
Lyrics by H. Shems

Երաժշտ.՝ Ն. Ալեքսանյանի
Music by N. Aleksanyan

Իմ խենթ գարնան օրեր անուշ,
Եկեք ինձ կրկին.
Սուրբ ցնորքներ, հուշեր քնքուշ
Իմ երազ կյանքի:

Հիմա աղքատ, թշվառ եմ ես,
Սիրտս է պարապ ու լռին.
Բայց դուն միշտ կաս, հուշ հրակեզ՝
Դուն ժպիտն իմ թախծի:

Իմ սուրբ վշտով հպարտ եմ ես,
Գահազուրկ արքա.
Ամեն անգամ, որ հիշեմ քեզ,
Կմոռանամ կյանքս:

Լույսի աղջիկ, եկար անցար,
Տիրեցիր իմ հեզ սրտին.
Դուն անհուն ես, կապույտ - պայծառ,
Դեռ հեռվեն կժպտիս:

Im khent' garnan orer anush,
Yekek' indz krkin,
Surb ts'nork'ner, husher k'nk'ush
Im yeraz kyank'i.

Hima aghk'at, t'shvarr em yes,
Sirts e parap u lrrin,
Bayts' dun misht kas, hush hrakez՝
Dun zhpitn im t'akhtsi.

Im surb vshtov hpart em yes,
Gahazurk ark'a,
Amen angam, vor hishem k'ez,
Kmorranam kyank's.

Luysi aghjik, yekar ants'ar,
Tirets'ir im hez srtin,
Dun anhun es, kapuyt - paytsarr,
Derr herrven kzhptis.

ԱՆՈՒՇ ԳԱՐՈՒՆ
ANUSH GAROUN

Խոսք՝ Գր. Գրիգորյանի
Lyrics by Gr. Grigoryan

Երաժշտ.՝ Դ. Ղազարյանի
Music by D. Ghazaryan

Moderato Չափավոր

Քեզ եմ մնում, անուշ գարուն,
Ծաղիկ յարիս հետդ գալուն,
Դու կարոտ ես վառ արևի,
Ես՝ իմ կյանքի գարուն յարի:

Դու վարդ ունես քեզ հմայող,
Քո կյանքի հետ, նա էլ մարող,
Ես յար ունեմ հավետ գարուն,
Իմ հոգու մեջ — վա՛ռ մնայուն:

K’ez yem mnum, anush garun,
Tsaghik yaris hetd galun,
Du karot yes varr arevi,
Yes՝ im kyank’i garun yari.

Du vard unes k’ez hmayogh,
K’o kyank’i het, na el marogh,
Yes yar unem havet garun,
Im hogu mej — va՛rr mnayun.

ԱՆՈՒՇ ՀՈՎԻԿ
ANOUSH HOVIK

Խոսք՝ Լ. Շանթի
Lyrics by L. Shant

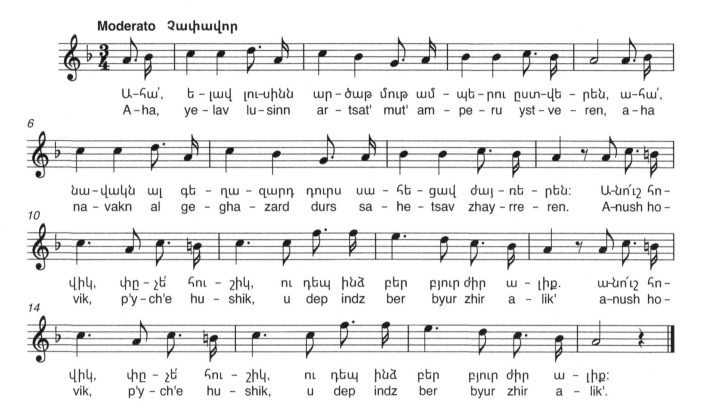

Moderato Չափավոր
Ա-հա՛, ե - լավ լու-սինն ար - ծաթ մութ ամ - պե - րու ըստ-վե - րեն, ա-հա՛,
A - ha, ye - lav lu - sinn ar - tsat' mut' am - pe - ru yst - ve - ren, a - ha
նա-վակն ալ գե - ղա - զարդ դուրս սա - հե - ցավ ժայ - ռե - րեն: Ա-նո՛ւշ հո-
na - vakn al ge - gha - zard durs sa - he - tsav zhay - rre - ren. A-nush ho -
վիկ, փը - չէ՛ հու - շիկ, ու դեպ ինձ բեր բյուր ժիր ա - լիք. ա-նո՛ւշ հո-
vik, p'y - ch'e hu - shik, u dep indz ber byur zhir a - lik' a-nush ho -
վիկ, փը - չէ՛ հու - շիկ, ու դեպ ինձ բեր բյուր ժիր ա - լիք:
vik, p'y - ch'e hu - shik, u dep indz ber byur zhir a - lik'.

Ահա՛, ելավ լուսինն արծաթ
Մութ ամպերու ըստվերեն,
Ահա՛, նավակն ալ գեղազարդ
Դուրս սահելով ժայռերեն:
Անո՛ւշ հովիկ, փչէ՛ հուշիկ,
Ու դեպ ինձ բեր բյուր ժիր ալիք:

Aha′, yelav lusinn artsat'
Mut' amperu ystveren,
Aha′, navakn al geghazard
Durs sahelov zhayrreren.
Ano′ush hovik, p'ch'e′ hushik,
Ou dep indz ber byur zhir alik'.

Նավակին մեջ գեղուհին
Փռված անփույթ լուսնի տակ,
Կը ձայնակցի իր կիթառին
Հնչուն ձայնով մը հստակ:
Անո՛ւշ հովիկ, փչէ՛ հուշիկ,
Ու դեպ ինձ բեր բյուր ժիր ալիք:

Navakin mej geghuhin
P'rrvats anp'uyt' lusni tak,
Ky dzaynakts'i ir kit'arrin
Hnch'un dzaynov my hstak.
Ano′ush hovik, p'ch'e′ hushik,
Ou dep indz ber byur zhir alik'.

Ձայնով կերգե սեր ու գգվանք
Համակ հուզում ու սարսուռ,
Ալ թո՛ղ աղջիկ երգն ու նվագ,
Բոց աչքերդ ինձ դարձուր:
Անո՛ւշ հովիկ, փչէ՛ հուշիկ,
Ու դեպ ինձ բեր բյուր ժիր ալիք:

Dzaynov kerge ser u ggvank'
Hamak huzum u sarsurr,
Al t'o'gh aghjik yergn u nvag,
Bots' ach'k'erd indz dardzur.
Ano′ush hovik, p'ch'e′ hushik,
Ou dep indz ber byur zhir alik'.

ԱՇՆԱՆ ԵՐԳԸ
ASHNAN YERGY

Խոսք՝ Հովհ. Թումանյանի
Lyrics by Hovh. Tumanyan

Երաժշտ.՝ Ռ. Մելիքյանի
Music by R. Melikyan

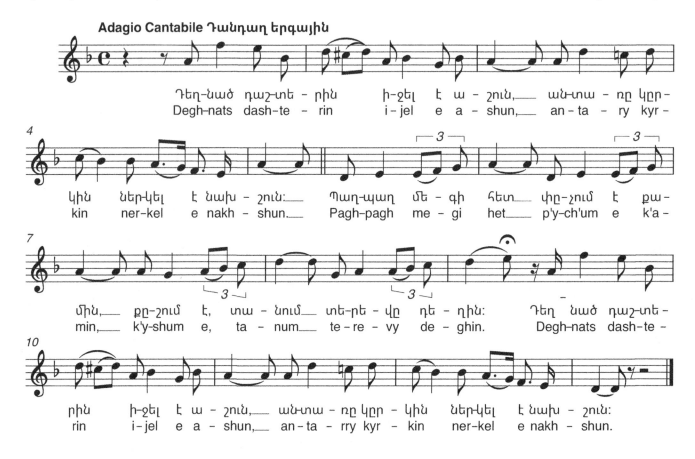

Դեղնած դաշտերին
Իջել է աշուն,
Անտառը կրկին
Ներկել է նախշուն:

Պաղ – պաղ մեգի հետ
Փըչում է քամին,
Քըշում է տանում
Տերևը դեղին:

Տըխուր հանդերից
Ամենքը տրտում
Քաշվում են կամաց
Իրենց տունն ու բուն:

Դեղնած դաշտերին
Իջել է աշուն,
Անտառը կրկին
Ներկել է նախշուն:

Deghnats dashterin
Ijel e ashun,
Antarry krkin
Nerkel e nakhshun.

Pagh – pagh megi het
P'ych'um e k'amin,
K'yshum e tanum
Terevy deghin.

Tykhur handerits'
Amenk'y trtum
K'ashvum en kamats'
Irents' tunn u bun.

Deghnats dashterin
Ijel e ashun,
Antarry krkin
Nerkel e nakhshun.

ԱՌԱՎՈՏ
ARRAVOT

Խոսք՝ Ե. Չարենցի
Lyrics by Ye. Charents

Երաժշտ.՝ Ն. Եղիազարյանի
Music by N. Yeghiazaryan

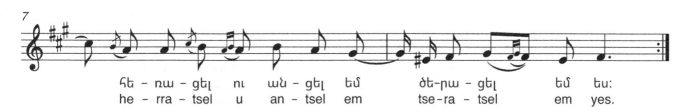

Ախ, գիտեմ, որ այդ դո՛ւ ես,
Որ այդպես հմայվում ես,
Հմայում ու նայում ես
Օրերում այս հուր։
Դու անուշ կարկաչում ես,
Դու կանչող մի հնչյուն ես,
Կարկաչում ու կանչում ես,
Չգիտեմ, թե ո՛ւր:

Եվ հիմա ես լսում եմ,
Որ վերջին երազում իմ
Քո կարոտն սկսում է
Իմ հոգին հուզել։
Ես կարծես ծերացե՛լ եմ,
Ծերացել ու դարձե՛լ եմ
Ու նորից երազել եմ
Կարոտանք ու սեր ...

Իմ անցած օրերի պես,
Հնացած օրերի պես,
Ես արդեն հեռացել եմ,
Հնացել եմ ես։
Ես արդեն հնացել եմ,
Ես արդեն հիմա ծեր եմ,
Հեռացել ու անցել եմ –
Ծերացել եմ ես:

Բայց այս վառ օրերի մեջ,
Երբ հողմերն աղմկում են,
Աղմկում ու երգում է
Անցած սիրտը իմ։
Ես կարծես դեռ ջահել եմ,
Ինձ կարծես հմայել են
Եվ իմ սիրտը պահել է
Կրակները հին:

Akh, gitem, vor ayd do´u yes,
Vor aydpes hmayvum es,
Hmayum u nayum es
Orerum ays hur.
Du anush karkach'um es,
Du kanch'ogh mi hnch'yun es,
Karkach'um u kanch'um es,
Ch'gitem, t'e o´ur.

Yev hima yes lsum em,
Vor verjin yerazum im
K'o karotn sksum e
Im hogin huzel.
Yes kartses tserats'e´l em,
Tserats'el u dardze´l em
Ou nori'ts' yerazel em
Karotank' u ser...

Im ants'ats oreri pes,
Hnats'ats oreri pes,
Yes arden herrats'el em,
Hnats'el em yes.
Yes arden hnats'el em,
Yes arden hima tse´r em,
Herrats'el u ants'el em –
Tserats'el em yes.

Bayts' ays varr oreri mej,
Yerb hoghmern aghmkum en,
Aghmkum u yergum e
Ants'ats sirty im.
Yes kartses derr jahel em,
Indz kartses hmayel en
Yev im sirty pahel e
Kraknery hin.

ԱՍՈՒՄ ԵՆ ՈՒՌԻՆ
ASUM EN OURIN

Խոսք՝ Հովհ. Թումանյանի
Lyrics by Hovh. Tumanyan

Երաժշտ.՝ Արմ. Տիգրանյանի
Music by Arm. Tigranyan

Andante Հանդարտ
Ա-սում են՝ ու - ռին աղ-ջիկ էր ինձ պես, մը-նում էր յա -
A - sum en ou - rrin agh - jik er indz pes, my - num er ya -
րին, ու չե - կավ նա տես, մը-նում էր յա - րին,
rin, u ch'e - kav na tes, my - num er ya - rin,
ու չե - կավ նա տես: Խեղ - ճը դո - ղա - լով՝ ան-հույս կը - ռա -
ou ch'e - kav na tes. Khegh-chy do - gha - lov, an - huys ky - rra -
ցավ, դար-դից չո - րա - ցավ, ու - ռե - նի դար - ձավ, -
tsav, dar - dits ch'o - ra - tsav, ou - rre - ni darr - dzav, -
դար-դից չո - րա - ցավ, ու - ռե - նի դար - ձավ: Ջը-րե-րի վը -
dar - dits ch'o - ra - tsav, ou - rre - ni dar - dzav. Jy - re - ri vy -
րա գը - լու - խը կա - խած, դեռ դո-ղում է նա
ra gy - lu - khy ka - khats, derr do-ghum e na
ու լա - լիս կա - մաց, դեռ դո-ղում է նա ու լա - լիս կա -
ou la - lis ka - mats, derr do-ghum e na ou la - lis ka -

45

mats. Ou am-boghj ta - rin mi mitk' e a - num, t'e ya - ry ya -
rin vonts e mo - rra - num... t'e ya - ry ya - rin
vonts e mo - rra - num... vonts e mo - rra - num...

Ասում են՝ ուռին
Աղջիկ էր ինձ պես,
Մընում էր յարին,
Ու չեկավ նա տես:

Խեղճը դողալով՝
Անհույս կըռացավ,
Դարդից չորացավ,
Ուռենի դարձավ:

Ջըրերի վըրա
Գըլուխը կախած
Դեռ դողում է նա
Ու լալիս կամաց:

Ու ամբողջ տարին
Մի միտք է անում
Թե յարը յարին
Ո՛նց է մոռանում...

Asum en՝ urrin
Aghjik er indz pes,
Mynum er yarin,
Ou ch'ekav na tes.

Kheghchy doghalov՝
Anhuys kyrrats'av,
Dardits' ch'orats'av,
Urreni dardzav.

Jyreri vyra
Gylukhy kakhats
Derr doghum e na
Ou lalis kamats'.

Ou amboghj tarin
Mi mitk' e anum
T'e yary yarin
Vo՛nts' e morranum...

ԱՐԱՔՍԻ ԱՐՏԱՍՈՒՔԸ
ARAK'SI ARTASUK'Y

Խոսք՝ Ռ. Պատկանյանի
Lyrics by R. Patkanyan

Երաժշտ.՝ Պ. Աֆրիկյանի
Music by P. Afrikyan

Մայր Ա - րաք - սի ա - փե - րով քայ - լա - մո - լոր
Mayr A - rak' - si a - p'e - rov k'ay - la - mo - lor

գը - նում եմ, Հին - հին դա - րուց հի - շա - տակ,
gy - num em, Hin - hin da - ruts hi - sha - tak,

ա - լյաց մե - ջը պըտ - րում եմ: Հին - հին դա - րուց
a - lyats me - jy pyt - rum em. Hin - hin da - ruts

Հի - շա - տակ ա - լյաց մե - ջը պըտ - րում եմ:
hi - sha - tak a - lyats me - jy pyt - rum em.

Մայր Արաքսի ափերով
Քայլամոլոր գընում եմ,
Հին - հին դարուց հիշատակ,
Ալյաց մեջը պըտրում եմ:

Բայց նոքա միշտ հեղհեղուկ,
Պըղտոր ջրով եզերքին
Դարիվ - դարիվ խփելով
Փախչում էին լալագին:

– “Արա՛քս, ինչո՞ւ ձկանց հետ
Պար չես բռնում մանկական,
Դու դեռ ծովը չի հասած
Սըգավո՞ր ես ինձ նման”:

"Խիզախ, անմի՛տ պատանի,
Նիրհըս ինչու՞ դարեվոր
Վըրդովում ես, նորոգում
Իմ ցավերը բյուրավոր” :

Էլ չի խոսեց Արաքսը,
Հորձանք տըվեց ահագին,
Օղակ - օղակ օձի պես
Առաջ սողաց մոլեգին:

Mayr Arak’si ap’erov
K’aylamolor gynum em,
Hin - hin daruts’ hishatak,
Alyats’ mejy pytrum em.

Bayts’ nok’a misht heghheghuk,
Pyghtor jrov yezerk’in
Dariv - dariv khp’elov
P’akhch’um ein lalagin.

– “Arák’s, inch’o̍u dzkants’ het
Par ch’es brrnum mankakan,
Du derr tsovy ch’i hasats
Sygavo̍r es indz nman”.

"Khizakh, anmi’t patani,
Nirhys inch’u̍ darevor
Vyrdovum es, norogum
Im ts’avery byuravor”.

El ch’i khosets’ Arak’sy,
Hordzank’ tyvets’ ahagin,
Oghak - oghak odzi pes
Arraj soghats’ molegin.

ԱՐԴՅՈՔ ՈՒ՛Ր ԵՍ
ARDYOK' UR ES

Խոսք՝ Վ. Տերյանի

Lyrics by V. Teryan

Երաժշտ.՝ Ն. Գալանտերյանի

Music by N. Galanteryan

Ես չըգիտեմ ո՛ւր են տանում հեռավոր
Ուղիների ժապավեններն անհամար,
Ես նստում եմ ճամփի վրա ամեն օր
Ե՛վ աղոթում, և՛ թախծում եմ քեզ համար:
Օձանման ոլորումով հեռախույս
Ինձ կանչում են ուղիները բյուրավոր.

Արդյոք ո՞ւր ես, արդյոք ո՞ւր ես
խորհրդավոր արշալույս,
Արդյոք ո՞ւր ես, արդյոք ո՞ւր ես
հանդիպումի պայծառ օր...

Եվ իմ մոլոր ուղիներում, ո՛վ գիտե,
Գուցե մի օր դու երևաս, լուսերես.
Գուցե ժպտաս քո խոսքերով արծաթե
Եվ մութ սրտիս նոր խնդության լույս բերես:
Օձանման ոլորումով հեռախույս
Ինձ կանչում են ուղիները բյուրավոր.

Արդյոք ո՞ւր ես, արդյոք ո՞ւր ես
խորհրդավոր արշալույս,
Արդյոք ո՞ւր ես, արդյոք ո՞ւր ես
հանդիպումի պայծառ օր...

Yes ch'ygitem ou´r en tanum herravor
Ughineri zhapavennern anhamar,
Yes nstum em champ'i vra amen or
Ye'v aghot'um, yev' t'akhtsum em k'ez hamar.
Odzanman volorumov herrakhuys
Indz kanch'um en ughinery byuravor.

Ardyok' o˘ur es, ardyok' o˘ur es
khorhrdavor arshaluys,
Ardyok' o˘ur es, ardyok' o˘ur es
handipumi paytsarr or...

Yev im molor ughinerum, o´v gite,
Guts'e mi or du yerevas, luseres.
Guts'e zhptas k'o khosk'erov artsat'e
Yev mut' srtis nor khndut'yan luys beres.
Odzanman volorumov herrakhuys
Indz kanch'um en ughinery byuravor.

Ardyok' o˘ur es, ardyok' o˘ur es
khorhrdavor arshaluys,
Ardyok' o˘ur es, ardyok' o˘ur es
handipumi paytsarr or...

ԱՐԻ, ԻՄ ՍՈԽԱԿ
ARI IM SOKHAK

Խոսք՝ Ռ. Պատկանյանի
Lyrics by R. Patkanyan

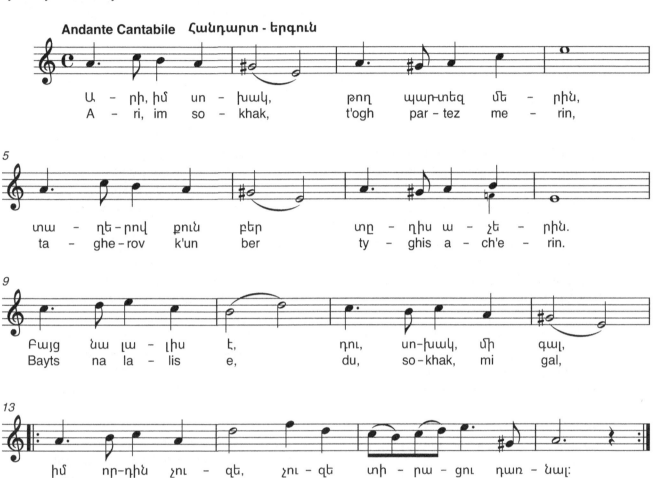

Andante Cantabile Հանդարտ - երգուն
Ա - րի, իմ սո - խակ, թող պար-տեզ մե - րին,
A - ri, im so - khak, t'ogh par - tez me - rin,
տա - ղե - րով քուն բեր տը - ղիս ա - չե - րին.
ta - ghe - rov k'un ber ty - ghis a - ch'e - rin.
Բայց նա լա - լիս է, դու, սո-խակ, մի գալ,
Bayts na la - lis e, du, so-khak, mi gal,
իմ որ-դին չու - զե, չու - զե տի - րա - ցու դառ - նալ:
im vor-din ch'u - ze, ch'u - ze ti - ra - tsu darr - nal.

Արի՛, ի՛մ սոխակ, թո՛ղ պարտեզ մերին,
Տաղերով քուն բեր տըղիս աչերին.
Բայց նա լալիս է. դու, սոխակ, մի՛ գալ,
Իմ որդին չուզե տիրացու դառնալ:

Ե՛կ, աբեղածագ, թո՛ղ արտ ու արոտ,
Օրորե՛ տըղիս, քընի է կարոտ.
Բայց նա լալիս է. դու, ծագուկ մի՛ գալ,
Իմ որդին չուզե սըգավոր դառնալ:

Թո՛ղ դու, տատրակի՛կ, քու ձագն ու բունը,
Վուվուով տըղիս բեր անուշ քունը.
Բայց նա լալիս է. տատրակիկ, մի՛ գալ,
Իմ որդին չուզե սըգավոր դառնալ:

Կաչաղա՛կ, ճարպիկ, գող, արծաթասեր.
Շահի զըրուցով որդուս քունը բեր.
Բայց նա լալիս է. կաչաղա՛կ, մի՛ գալ,
Իմ որդին չուզե սովդաքար դառնալ:

Թո՛ղ որսըդ, արի՛, քաջասի՛րտ բազե,
Քու երգը գուցե իմ որդին կուզե...
Բազեն որ եկավ՝ որդիս լըռեցավ,
Ռազմի երգերի ձայնով քընեցավ:

Ari', i'm sokhak, t'o'gh partez merin,
Tagherov k'un ber tyghis ach'erin.
Bayts' na lalis e, du, sokhak, mi' gal,
Im vordin ch'uze tirats'u darrnal.

Ye'k, abeghadzag, t'o'gh art u arot,
Orore' tyghis, k'yni e karot.
Bayts' na lalis e, du, dzaguk mi' gal,
Im vordin ch'uze sygavor darrnal.

T'o'gh du, tatraki'k, k'u dzagn u buny,
Vuvuov tyghis ber anush k'uny.
Bayts' na lalis e, tatrakik, mi' gal,
Im vordin ch'uze sygavor darrnal.

Kach'agha'k, charpik, gogh, artsat'aser,
Shahi zyruts'ov vordus k'uny ber.
Bayts' na lalis e, kach'agha'k, mi' gal,
Im vordin ch'uze sovdak'ar darrnal.

T'o'gh vorsyd, ari', k'ajasi'rt baze,
K'u yergy guts'e im vordin kuze...
Bazen vor yekav' vordis lyrrets'av,
Rrazmi yergeri dzaynov k'ynets'av.

ԱՐԾՎԻ ՍԵՐԸ
ARTSVI SERY

Խոսք՝ Շ. Կուրղինյանի
Lyrics by Sh. Kurghinyan

Երաժշտ՝ Դ. Ղազարյանի
Music by D.Ghazaryan

Հեյ, ջա՛ն աղ-ջիկ, մա-րա՛լ աղ-ջիկ, ափ-սոս թըռ-չել
Hey, jan agh-jik, ma-ral agh-jik, ap'-sos t'yrr-ch'el
չը-գի-տես, էդ ծը-մա-կում լը-ռիկ-մըն-ջիկ
ch'y-gi-tes, ed tsy-ma-kum ly-rrik-myn-jik
պի-տի թոշ-նես ծաղ-կի պես:
pi-ti t'osh-nes tsagh-ki pes:
Leggiero Թեթև
Թե թըռ-չե-իր իմ ժայ-ռե-րին քեզ թա-գու-հի կընտ-րե-ի,
T'e t'yrr-ch'e-ir im zhay-rre-rin k'ez t'a-gu-hi kynt-re-i,
քուն գար աչ-քիդ՝ իմ թե-վե-րին ա-նուշ եր-գով
k'un gar ach'-k'id im t'e-ve-rin a-nush yer-gov
As an ending Վերջավորության համար
կոր-րե-ի... Օ-դում թըռ-չել միշտ թե-թև...
kor-re-i... O-dum t'yrr-ch'el mish t'e-t'ev...

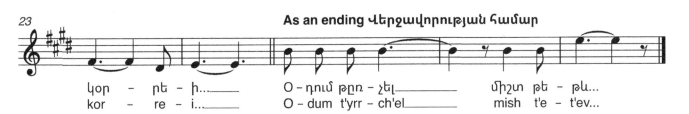

Հեյ, ջա՛ն աղջիկ, մարա՛լ աղջիկ,
Ափսոս թռչել չգիտես.
Էդ ծըմակում լռիկ - մնջիկ
Պիտի թոշնես ծաղկի պես:

Թե թռչեիր – իմ ժայռերին
Քեզ թագուհի կընտրեի.
Քուն գար աչքիդ՝ իմ թևերին
Անուշ երգով կօրրեի...

Էդ աչերդ՝ ինձ սև գիշեր,
Ժպիտդ՝ վառ արեգակ,
Անծեր երկինք քեզ չէր իշխեր
Ու կը լիներ հըպատակ:

Յարաբ թըռչել հե՞չ չգիտես,
Քեզ ո՞վ ծնեց առանց թև.
Յարաբ կյանքում հե՞չ ուզած չես
Օդում թռչել միշտ թեթև...

Hey, ja´n aghjik, mara´l aghjik,
Ap’sos t’rrch’el ch’gites,
Ed tsymakum lrrik - mnjik
Piti t’oshnes tsaghki pes.

T’e t’rrch’eyir – im zhayrrerin
K’ez t’aguhi kyntrei,
K’un gar ach’k’id‘ im t’everin
Anush yergov korrei...

Ed ach’erd‘ indz sev gisher,
Zhpitd‘ varr aregak,
Antser yerkink’ k’ez ch’er ishkher
Ou ky liner hypatak.

Yarab t’yrrch’el he՞ch’ ch’gites,
K’ez o՞v tsnets’ arrants’ t’ev,
Yarab kyank’um he՞ch’ uzats ch’es
Odum t’rrch’el misht t’et’ev...

ԱՐՓԱ-ՍԵՎԱՆ
ARP'A-SEVAN

Խոսք՝ Յու. Սահակյանի
Lyrics by Yu. Sahakyan

Երաժշտ.՝ Էդգ. Հովհաննիսյանի
Music by Ed. Hovhannisyan

Դյուցազուն լեռների լանջերին թիկնած,
Ալեհեր իմ ճամփորդ, իմ Սևան,
Կյանք ես տվել դու մեր սրտերին պապակ,
Ու ծարավ ես հիմա, ու հոգնած...
(Կրկնել 2 անգամ)

ԿՐԿՆԵՐԳ
Երազ Սևան, ծարավ իմ Սևան,
Բարձրիկ ծովերի արքա,
Սպասիր սևան, շունչ քաշիր, Սևան,
Քո գիրկն է շտապում Արփան:

Փոխելով իր ճամփան դարավոր ու հին,
Հեռավոր տեսլիքովդ հարբած,
Խենթաբար ճեղքում է շղթան լեռների
Վիշապաքաղ ու ծուռ իմ Արփան:
(Կրկնել 2 անգամ)

Քո կապույտ հմայքիդ, հավերժիդ համար,
Մենք ճամփա ենք պոկում լեռներից,
Որ ծփաս դու հավետ, որ լինես անմար,
Թև - թռիչք տաս քո զավակներին:
(Կրկնել 2 անգամ)

Dyuts'azun lerrneri lanjerin t'iknats,
Aleher im champ'ord, im Sevan,
Kyank' yes tvel du mer srterin papak,
Ou tsarav es hima, u hognats...
(Repeat 2 times)

CHORUS
Yeraz Sevan, tsarav im Sevan,
Bardzrik tsoveri ark'a,
Spasir Sevan, shunch' k'ashir, Sevan,
K'o girkn e shtapum Arp'an.

P'okhelov ir champ'an daravor u hin,
Herravor tesilk'ovd harbats,
Khent'abar cheghk'um e shght'an lerrneri
Vishapak'agh u tsurr im Arp'an.
(Repeat 2 times)

K'o kapuyt hmayk'id, haverzhid hamar,
Menk' champ'a yenk' pokum lerrnerits',
Vor tsp'as du havet, vor lines anmar,
T'ev - t'rrich'k' tas k'o zavaknerin.
(Repeat 2 times)

ԱՓՍՈՍԱՆՔ
AP'SOSANK'

Խոսք՝ Դևի
Lyrics by Dev

Երաժշտ.՝ Ն. Գալանտերյանի
Music by N. Galanteryan

Տես, ուռիների տերևները թաց անձրևի ներքո
Վաղը կթափվեն, վաղը չեն լինի ճյուղերի վըրա.
Վաղը կփռվի ամեն, ամեն տեղ մի ցուրտ երեկո,
Ու տերևները կմեռնեն անհույս՝ ցեխերի վրա:

Ինչպե՛ս չհիշել, ինչպե՛ս չափսոսալ գարնան երեկոն,
Ինչպե՛ս չհիշել իրիկվա ցողը ուսերի վրա,
Ինչպե՛ս չտեսնել, որ շուտ անցնում են լավ օրերը քո
Ու կնճիռները փռվում են, փռվում այտերիդ վրա:

Ինչպե՛ս չտխրել, ինչպե՛ս չունկնդրել կյանքի հոսանքին,
Ինչպես չհառես խոնավ աչքերը վառ արշալույսին.
Ինչպես չկառչել ոսկրոտ ձեռներով այս անցնող կյանքին,
Այս անցնող կյանքին – թեկուզ միշտ խաբող, թեկուզ փուչ ու սին:

Օ՛, ինչպե՛ս, ինչպե՛ս քո կամքի ընդդեմ, բաժանվել, գնալ,
Աշնան հողմավար ու դողդողացող տերևի նման.
Ինչպե՛ս մի օրվա թիթեռի նման թևերը բանալ
Ու անհետ գնալ առանց վերադարձ, չեկածի նման ...

Tes, urrineri terevnery t’ats’ andzrevi nerk’o
Vaghy kt’ap’ven, vaghy ch’en lini chyugheri vyra,
Vaghy kp’rrvi amen, amen tegh mi ts’urt yereko,
Ou terevnery kmerrnen anhuys՝ ts’ekheri vra.

Inch’pe´s ch’hishel, inch’pe´s ch’ap’sosal garnan yerekon,
Inch’pe´s ch’hishel irikva ts’oghy vosteri vra,
Inch’pe´s ch’tesnel, vor shut ants’num en lav orery k’o
Ou knchirrnery p’rrvum en, p’rrvum ayterid vra.

Inch’pe´s ch’tkhrel, inch’pe´s ch’unkndrel kyank’i hosank’in,
Inch’pes ch’harres khonav ach’k’ery varr arshaluysin,
Inch’pes ch’karrch’el voskrot dzerrnerov ays ants’nogh kyank’in,
Ays ants’nogh kyank’in – t’ekuz misht khabogh, t’ekuz p’uch’ u sin.

O´, inch’pe´s, inch’pe´s k’o kamk’i ynddem, bazhanvel, gnal,
Ashnan hoghmavar u doghdoghats’ogh terevi nman,
Inch’pe´s mi orva t’it’erri nman t’every banal
Ou anhet gnal arrants’ veradardz, ch’ekatsi nman ...

ԲԱՐԻ ԱՐԱԳԻԼ
BARI ARAGIL

Խոսք՝ Ա. Գրաշու
Lyrics by A. Grashi

Երաժշտ.՝ Ալ. Հեքիմյանի
Music by Al. Hekimyan

Moderato - Adagio
Չափավոր – դանդաղ
Ես ո՛չ ան - տուն եմ, ո՛չ էլ տա-րա - գիր, ու - նեմ հան-գըր - վան,
Yes voch an - tun em, voch el ta - ra - gir, u - nem han - gyr - van,
ու - նեմ օ - թե - վան, ա - զատ հայ - րե - նիք, եր - ջա-նիկ եր - կիր,
u - nemo - t'e - van, a - zat hay - re - nik', yer - ja - nik yer - kir,
եր - ջա-նիկ, եր - ջա-նիկ եր - կիր: Բա-րով ա - րա - գիլ, բախ-տի ա - րա - գիլ,
yer - ja - nik, yer - ja - nik yer - kir. Ba - rov a - ra - gil, bakh - ti a - ra - gil,
ա - րա-գիլ գար - նան, ա - րա-գիլ ամ - ռան, իմ տան մոտ ապ - րիր,
a - ra - gil gar - nan, a - ra - gil am - rran, im tan mot ap - rir,
բա-րի ա - րա - գիլ, բույն հյու-սիր ծա - ռին, բար-դու կա - տա - րին:
ba - ri a - ra - gil, buyn hyu - sir tsa - rrin, bar - du ka - ta - rin.

Ես ո՛չ անտուն եմ, ո՛չ էլ տարագիր,
Ունեմ հանգրվան, ունեմ օթևան,
Ազատ հայրենիք, երջանիկ երկիր,
Երջանիկ, երջանիկ երկիր:

ԿՐԿՆԵՐԳ
Բարով արագիլ, բարի արագիլ,
Արագիլ գարնան, արագիլ ամռան,
Իմ տան մոտ ապրիր, բախտի արագիլ,
Բույն հյուսիր ծառին, բարդու կատարին:

Իմ բալիկների աստղերն են շողում
Հույսով անթառամ, վարդերով վառման.
Վշտերս դառան ժպիտներ շողուն,
Ժպիտներ, ժպիտներ շողուն:

Արագիլ, ինձ հետ ուրախ գովերգիր,
Յայլա ու վրան, հանդեր հոտևան,
Արտեր, այգիներ, մանուշակ երկինք,
Մանուշակ, մանուշակ երկինք:

Yes vo'ch' antun em, vo'ch' el taragir,
Unem hangrvan, unem ot'evan,
Azat hayrenik', yerjanik yerkir.
Yerjanik, yerjanik yerkir.

CHORUS
Barov aragil, bari aragil,
Aragil garnan, aragil amrran,
Im tan mot aprir, bakhti aragil,
Buyn hyusir tsarrin, bardu katarin.

Im balikneri astghern en shoghum
Huysov ant'arram, varderov varrman,
Vshters darran zhpitner shoghun,
Zhpitner, zhpitner shoghun.

Aragil, indz het urakh govergir
Yayla u vran, hander hotevan,
Arter, ayginer, manushak yerkink',
Manushak, manushak yerkink'.

ԲԻՆԳՅՈԼ
BINGYOL

Խոսք՝ Ավ. Իսահակյանի
Lyrics by Av. Isahakyan

Երբ բաց եղան գարնան կանաչ դռները,
Քնար դառան աղբյուրները Բինգյոլի,
Շարվե – շարան անցան զուգված ուղտերը,
Յարս էլ գնաց յայլաները Բինգյոլի:

Անգին յարիս լույս երեսին կարոտ եմ,
Նազուկ մեջքին, ծով ծամերին կարոտ եմ,
Քաղցր լեզվին, անուշ հոտին կարոտ եմ,
Սև աչքերով էն եղնիկին Բինգյոլի:

Պա՛ղ – պա՛ղ ջրեր, պապակ շուրթըս չի բացվի,
Ծուփ – ծուփ ծաղկունք, լացող աչքս չի բացվի,
Դեռ չտեսած յարիս, – սիրտըս չի բացվի,
Ինձ ի՛նչ, ավա՛ղ, բլբուլները Բինգյոլի:

Մոլորվել եմ, ճամփաներին ծանոթ չեմ,
Բյուր լճերին, գետ ու քարին ծանոթ չեմ,
Ես պանդուխտ եմ, էս տեղերին ծանոթ չեմ,
Քույրիկ, ասա, ո՞րն է ճամփան Բինգյոլի:

Yerb bats' yeghan garnan kanach' drrnery,
K'nar darran aghbyurnery Bingyoli,
Sharve – sharan ants'an zugvats ughtery,
Yars el gnats' yaylanery Bingyoli.

Angin yaris luys yeresin karot em,
Nazuk mejk'in, tsov tsamerin karot em,
K'aghts'r lezvin, anush hotin karot em,
Sev ach'k'erov en yeghnikin Bingyoli.

Pa´gh – pa´gh jrer, papak shurt'ys ch'i bats'vi,
Tsup' – tsup' tsaghkunk', lats'ogh ach'k's ch'i bats'vi,
Derr ch'tesats yaris, – sirtys ch'i bats'vi,
Indz i´nch', ava´gh, blbulnery Bingyoli.

Molorvel em, champ'anerin tsanot' ch'em,
Byur lcherin, get u k'arin tsanot' ch'em,
Yes pandukht em, es tegherin tsanot' ch'em,
K'uyrik, asa, vo˝rn e champ'an Bingyoli.

ԲԼՈՒՐԻՆ ՎՐԱ
BLURIN VRA

Խոսք՝ Մ. Զարիֆյանի
Lyrics by M. Zarifyan

Երաժշտ.՝ Լ. Նազարյանցի
Music by L. Nazaryants

Andante Հանդարտ
Ե - կո՛ւր, իմ աղ - վոր, այս գի - շեր հո՛վ կա, լոկ հոս է ան -
Ye - kur, im agh - vor, ays gi - sher hov ka, lok hos e an -
դորր, հա-վա - տա ինձ, որ հո - գիս կը-ցան - կա ոչ թէ լու - սըն - կա, այլ ան -
dor, ha-va - ta indz, vor ho - gis ky-tsan - ka voch t'e lu - syn - ka, ayl an -
դո՛ւն - դըդ խոր, ե - կո՛ւր, իմ աղ - վոր, այս գի - շեր հո՛վ կա...
dun - dyd khor, ye - kur, im agh - vor, ays gi - sher hov ka...
ծո-վը հե - ռա - վոր տես, կը հե - կե - կա, այս գի - շեր հո՛վ կա...
tso-vy he - rra - vor tes, ky-he - ke - ka, ays gi - sher hov ka...
քույր, հա - վա - տա, որ հոգ - վույս մե - նա - վոր այս գի - շեր մա՛հ կա,
k'uyr, ha - va - ta, vor hog - vuys me - na - vor ays gi - sher mah ka,
տես կը-հե - կե - կա ծո-վը հե - ռա - վոր... Ե - կո՛ւր, իմ աղ - վոր...
tes ky-he - ke - ka tso-vy he - rra - vor... Ye - kur, im agh - vor...

Եկուր, իմ աղվոր,
Այս գիշեր հով կա,
Լոկ հոս է անդորր,
Հավատա ինձ, որ
Հոգիս կցանկա
Ոչ թե լուսընկա:

Այլ անդունդը խոր,
Եկուր, իմ աղվոր,
Այս գիշեր հով կա...
Ծովը հեռավոր
Տես, կհեկեկա,
Այս գիշեր հով կա ...

Քույր, հավատա, որ
Հոգվույս մենավոր
Այս գիշեր մահ կա.
Տես` կհեկեկա
Ծովը հեռավոր ...
Եկուր, իմ աղվոր ...

Yekur, im aghvor,
Ays gisher hov ka,
Lok hos e andorr,
Havata indz, vor
Hogis kts'anka
Voch' t'e lusynka.

Ayl andundy khor,
Yekur, im aghvor,
Ays gisher hov ka...
Tsovy herravor
Tes, khekeka,
Ays gisher hov ka...

K'uyr, havata, vor
Hogvuys menavor
Ays gisher mah ka,
Tes, khekeka
Tsovy herravor ...
Yekur, im aghvor ...

ԲՈՒԺՔՈՒՅՐԸ
BUZHK'UYRY

Խոսք՝ Ա. Դարբնու
Lyrics by A. Darbni

Երաժշտ.՝ Ար. Սաթունց
Music by A. Satunts

Նա մի աղջիկ էր սև մազերով,
Կապույտ աչքերով և նուրբ սրտով.
Տասնութ տարեկան մի զինվոր էր նա
Իր մայր հողին կապված կարոտով:
Տասնութ տարեկան մի բուժքույր էր նա
Իր մայր հողին կապված կարոտով:

Մարտի դաշտում վերքս կապեց
Եվ ինչպես քույր՝ ինձ ժպտաց բարի,
Ու կարծես թե մի վառ աստղ էր նա,
Որ նայում էր կապույտ կամարից:

Արդեն անցել են շատ գարուններ,
Բայց հիշում եմ քեզ, իմ լավ ընկեր.
Ո՞ւր ես դու հիմա, իմ զինվոր աղջիկ,
Կուզեի նորից քեզ հանդիպել:
Ո՞ւր ես դու հիմա, իմ խիզախ բուժքույր,
Կուզեի նորից քեզ հանդիպել:

Շատ վերքեր ես մարտում կապել,
Քանի կյանք ես քո ձեռքով փրկել,
Ամեն գարուն քեզ, քույր իմ անգին,
Այնպես եմ ուզում կյանքդ երգել:

Na mi aghjik er sev mazerov,
Kapuyt ach'k'erov yev nurb srtov,
Tasnut' tarekan mi zinvor er na
Ir mayr hoghin kapvats karotov.
Tasnut' tarekan mi buzhk'uyr er na
Ir mayr hoghin kapvats karotov.

Marti dashtum verk's kapets,
Yev inch'pes k'uyr` indz zhptats' bari,
Ou kartses t'e mi varr astgh er na,
Vor nayum er kapuyt kamarits'.

Arden ants'el en shat garunner,
Bayts' hishum em k'ez, im lav ynker,
Ou˜r es du hima, im zinvor aghjik,
Kuzeyi norits' k'ez handipel.
Ou˜r es du hima, im khizakh buzhk'uyr,
Kuzeyi norits' k'ez handipel.

Shat verk'er es martum kapel,
K'ani kyank' es k'o dzerrk'ov p'rkel,
Amen garun k'ez, k'uyr im angin,
Aynpes em uzum kyank'd yergel.

ԲՈՒԽԱՐԻԿ
BUKHARIK

Խոսք՝ Հ. Հովհաննիսյանի
Lyrics by H. Hovhannisyan

Երաժշտ.՝ Գ. Ալեմշահի
Music by G. Alemshah

Ծըխե՛, ծըխե՛, ով բուխարիկ հայրենի,
Կարոտանքիս այրումով,
Ես հեռու եմ, բայց ծուխդ հոգվույս կհասնի
Իմ սարերուս հովերով:

Դյութված հյուղակ՝ սրինգներով հովվական,
Դալարին մեջ լուռ քնով,
Անգամ մը գեթ քաղցրությանդ մեջ մայրական
Գայի անուշ երազով:

Ծըխե՛, ծըխե՛, ով բուխարիկ հայրենի,
Կարոտանքիս այրումով:

Tsykhe′, tsykhe′, ov bukharik hayreni,
Karotank'is ayrumov,
Yes herru yem, bayts' tsukhd hogvuys khasni
Im sarerus hoverov.

Dyut'vats hyughak' sringnerov hovvakan,
Dalarin mej lurr k'nov,
Angam my get' k'aghts'rut'yand mej mayrakan
Gayi anush yerazov.

Tsykhe′, tsykhe′, ov bukharik hayreni,
Karotank'is ayrumov.

ԲԱՐԵԿԱՄՈՒԹՅԱՆ ՎԱԼՍ
BAREKAMUT'YAN VALS

Խոսք՝ Գ. Սարյանի
Lyrics by G. Saryan

Երաժշտ.՝ Էդ. Միրզոյանի
Music by Ed. Mirzoyan

Waltz Վալս
Տուր ձեռ - քըդ թան - կա - գին, ձեռ - քըդ հա - րա - զատ,
Tur dzer - k'yd t'an - ka - gin, dzer - k'yd ha - ra - zat,
թող ջինջ մեր հո - գին միշտ գըն - ծա ա - զատ:
t'ogh jinj mer ho - gin misht tsyn - tsa a - zat.
Սերն է վառ ծաղ - կում, սիրտն է սեր եր - գում,
Sern e varr tsagh - kum, sirtn e ser yer - gum,
տոն է խըն - դու - թյուն մեր Հայ - րե - նի - քում: Մեր
ton e khyn - du - t'yun mer Hay - re - ni - k'um. Mer
երգն է միշտ զը - վարթ, մեր կյան - քը եր - ջա - նիկ,
yergn e misht zy - vart', mer kyanq - k'y yer - ja - nik,
ու եր - գը այդ հը - պարտ քո գովքն է, Հայ - րե - նիք:
u yer - gy ayd hy - part k'o govk'n e, Hay - re - nik'.

Տուր ձեռքդ թանկագին,
Ձեռքդ հարազատ,
Թող ջինջ մեր հոգին
Միշտ ցնծա ազատ:
Սերն է վառ ծաղկում,
Սիրտն է սեր երգում,
Տոն է խնդության
Մեր Հայրենիքում:

ԿՐԿՆԵՐԳ
Մեր երգն է միշտ զվարթ,
Մեր կյանքը՝ երջանիկ,
Ու երգը այդ հպարտ
Քո գովքն է, Հայրենի՛ք:

Անխախտ եղբայրության
Դրոշն է մեր ձեռքին,
Թող սար, ձոր թնդան,
Ձայն տան մեր երգին:
Խինդ է անսահման
Ամեն մի հոգում.
Տոն է խնդության
Մեր Հայրենիքում:

Մեր երգն է խանդավառ,
Սարն է առջևում,
Մենք հենց մի անտառ
Երգ ենք շառաչում.
Լույս է անսահման
Մեր սրտում, հոգում,
Տոն է խնդության
Մեր Հայրենիքում:

Tur dzerrk'd t'ankagin,
Dzerrk'd harazat,
T'ogh jinj mer hogin
Misht ts'ntsa azat.
Sern e varr tsaghkum,
Sirtn e ser yergum,
Ton e khndut'yan
Mer Hayrenik'um.

CHORUS
Mer yergn e misht zvart',
Mer kyank'y' yerjanik,
Ou yergy ayd hpart
K'o govk'n e, Hayreni'k'.

Ankhakht yeghbayrut'yan
Droshn e mer dzerrk'in,
T'ogh sar, dzor t'ndan,
Dzayn tan mer yergin,
Khind e ansahman
Amen mi hogum,
Ton e khndut'yan
Mer Hayrenik'um.

Mer yergn e khandavarr,
Sarn e arrjevum,
Menk' hents' mi antarr
Yerg enk' sharrach'um,
Luys e ansahman
Mer srtum, hogum,
Ton e khndut'yan
Mer Hayrenik'um.

ԳԱՐՆԱՆԱՅԻՆ
GARNANAYIN

Խոսք՝ Գ. Սարյանի
Lyrics by G. Saryan

Երաժշտ.՝ Խ. Ավետիսյանի
Music by Kh. Avetisyan

Կանաչները արթնացան,
Դարձան ծառերը ծաղկուն,
Ծիծեռնակներ ետ դարձան,
Արագիլներ եկան տուն:

ԿՐԿՆԵՐԳ
Իսկ դու արդյոք ե՞րբ կըգաս,
Ծաղկած ծիծաղ իմ գարուն,
Գարնանային իմ երազ,
Ուրախություն վարարուն:

Ամառն եկավ խանդավառ,
Մրգեր կախեց ծառերին,
Արտեր հնձեց անհամար,
Արև փռեց սարերին:

ԿՐԿՆԵՐԳ

Եկավ աշունը, աշունը տրտում,
Կգա և ձյունը՝ կարոտն իմ սրտում:

ԿՐԿՆԵՐԳ

Kanach'nery art'nats'an,
Dardzan tsarrery tsaghkun,
Tsitserrnakner yet dardzan,
Aragilner yekan tun.

CHORUS
Isk du ardyok' ye˜rb kygas,
Tsaghkats tsitsagh im garun,
Garnanayin im yeraz,
Urakhut'yun vararun.

Amarrn yekav khandavarr,
Mrger kakhets' tsarrerin,
Arter hndzets' anhamar,
Arev p'rrets' sarerin.

CHORUS

Yekav ashuny, ashuny trtum,
Kga yev dzyuny՝ karotn im srtum.

CHORUS

ԳԱՐՆԱՆ ՕՐԵՐ
GARNAN ORER

Խոսք՝ Ավ. Իսահակյանի
Lyrics by A. Isahakyan

Երաժշտ.՝ Գ. Կառվարենցի
Music by G. Garvarents

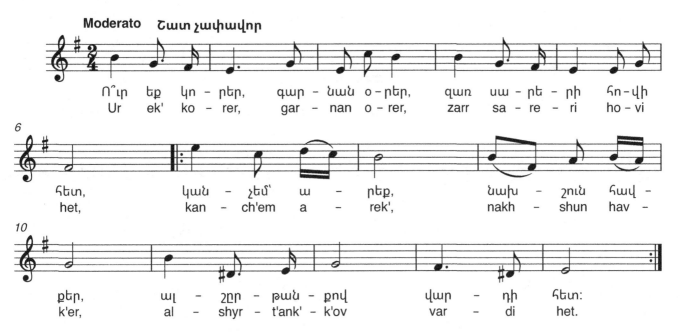

Ո՞ւր էք կորեր, գարնան օրեր,
Զառ սարերի հովի հետ,
Կանչեմ, արի՛ք, նախշուն հավքեր,
Ալ - շըրթանքով վարդի հետ:

Աղբյուր կուգար էս քարափեն,
Կաքավն էստեղ երգ կասեր,
Խոր ծըմակեն կուգար էրեն,
Սիրտըս ուրախ կը զարկեր:

Ցո՛ւրտ է հիմի, ձյո՛ւնն է եկեր,
Չորս դիս ձըմեռ ու սառույց,
Ա՜խ, էլ չըկան արև օրեր,
Սիրտս էլ սառեր է վաղուց ...

O՞ur ek' korer, garnan orer,
Zarr sareri hovi het,
Kanch'em, ari'k', nakhshun havk'er,
Al - shyrt'ank'ov vardi het.

Aghbyur kugar es k'arap'en,
Kak'avn estegh yerg kaser,
Khor tsymaken kugar eren,
Sirtys urakh ky zarker.

Ts'ou'rt e himi, dzyo'unn e yeker,
Ch'ors dis dzymerr u sarruyts',
A´kh, el ch'ykan arev orer,
Sirts el sarrer e vaghuts' ...

ԳԱՐՈՒՆ
GARUN

Խոսք՝ Մ. Պեշիկթաշլյանի
Lyrics by M. Peshiktashlyan

Երաժշտ.՝ Տ. Չուխաջյանի
Music by T.Chukhadjyan

Largo, sognante Լայն, երազուն
Ո՜հ, ինչ ա-նուշ և ինչ - պես զով ա - ռա - վո-տից
Oh, inch' a-nush yev inch' - pes zov a - rra - vo-tits',
փը - չես, հո-վիկ, ծաղ-կանց վը-րա գուր - գու-րա-լով և մա-զե-րուն
p'y - ch'es, ho-vik, tsagh-kants vy-ra gur - gu - ra-lov, yev ma-ze-run
կու - սին փափ-կիկ, ո՜հ, ինչ ա-նուշ և ինչ-պես զով,
ku - sin p'ap'-kik, oh, inch' a-nush yev inch-pes zov,
ա-ռա-վո-տից փը - չես, հո - վիկ, ծաղ-կանց վը-րա գուր-գու-րա-լով
a-rra-vo-tits p'y - ch'es ho - vik, tsagh-kants vy-ra gur-gu-ra-lov
և մա-զե-րուն կու - սին փափ-կիկ: Բայց չես հո-վիկ իմ Հայ - րե-նյաց,
yev ma-ze-run ku - sin p'ap'-kik. Bayts ch'es ho-vik im Hay - re-nyats
գը - նա՛, ան-ցի՛ր սըր - տես ի բաց, բայց չես հո-վիկ
gy - na, an - tsir syr - tes i bats, bayts ch'es ho-vik
իմ Հայ - րե-նյաց, գը - նա՛, ան-ցի՛ր սըր - տես ի բաց:
im Hay - re-nyats, gy - na, an - tsir syr - tes i bats.

Ո՛հ, ի՛նչ անուշ և ինչպես զով
Առավոտից փըչես, հովիկ,
Ծաղկանց վըրա գուրգուրալով
Եվ մազերուն կուսին փափկիկ,
    Բայց չես հովիկ իմ Հայրենյաց,
    Գընա՛, անցի՛ր սըրտես ի բաց:

Ո՛հ, ինչ աղու և սըրտագին
Ծառոց մեջեն երգես, թռչնիկ,
Սիրո ժամերն ի անտառին
Ըզմայլեցան ի քո ձայնիկ,
    Բայց չես թըռչնիկ իմ Հայրենյաց,
    Գընա՛, երգե՛ սըրտես ի բաց:

Ո՛հ, ի՛նչ մրմունջ հանես, վըտակ,
Ականակիտ ու հանդարտիկ,
Քու հայելվույդ մեջ անապակ
Նային զիրենք վարդն ու աղջիկ.
    Բայց չես վտակ իմ Հայրենյաց.
    Գընա՛, հոսե՛ սըրտես ի բաց:

Թեպետ թռչնիկ ու հով Հայոց
Ավերակաց ծրջին վերա,
Թեպետ պղտոր վըտակն Հայոց
Նոճիներուն մեջ կը սողա,
    Նոքա հառա՛չք են Հայրենյաց,
    Նոքա չերթան սըրտես ի բաց:

O′h, i′nch' anush yev inch'pes zov
Arravotits' p'ych'es, hovik,
Tsaghkants' vyra gurguralov
Yev mazerun kusin p'ap'kik,
    Bayts' ch'es hovik im Hayrenyats',
    Gyna′, ants'i′r syrtes i bats'.

O′h, inch' aghu yev syrtagin
Tsarrots' mejen yerges, t'rrch'nik,
Siro zhamern i antarrin
Yzmaylets'an i k'o dzaynik,
    Bayts' ch'es t'yrrch'nik im Hayrenyats',
    Gyna′, yerge′ syrtes i bats'.

O′h, i′nch' mrmunj hanes, vytak,
Akanakit u handartik,
K'u hayelvuyd mej anapak
Nayin zirenk' vardn u aghjik.
    Bayts' ch'es vtak im Hayrenyats'.
    Gyna′, hose′ syrtes i bats'.

T'epet t'rrch'nik u hov Hayots'
Averakats' tsrjin vera,
T'epet pghtor vytakn Hayots'
Nochinerun mej ky sogha.
    Nok'a harra′ch'k' en Hayrenyats',
    Nok'a ch'ert'an syrtes i bats'.

ԳԱՐՈՒՆ
GARUN

Խոսք՝ Վ. Տերյանի
Lyrics by V. Teryan

Երաժշտ.՝ Ն. Եղիազարյանի
Music by N. Yeghiazaryan

Սիրային

Գա - րու-նը այն-քա'ն ծա - ղիկ է վա-ռել, գա - րու-նը այն-պես պայ -
Ga - ru-ny ayn-k'an tsa - ghik e va-rrel, ga - ru-ny ayn-pes pay -

ծառ է կըր-կին, ու - զում եմ մե - կին քըն - քշո-րեն սի - րել ու -
tsar e kyr-kin, u - zum em me - kin k'yn - k'sho-ren si - rel u -

զում եմ ա - նուշ փայ - փա-յել մե - կին։ Այն-պես գըգ-վող է
zum em a - nush p'ay - p'a-yel me - kin. Ayn-pes gyg-vogh e

ե - րե-կոն ան-ափ, ծա - ղիկ-ներն այն-պես նա - զով են փակ-վում
ye - re-kon an-ap', tsa - ghik-nern ayn-pes na - zov en p'ak-vum

շուր-ջըս վառ-ված է մի ա - նուշ տագ-նապ, մի նոր հու-զում է
shur - jys varr-vats e mi a - nush tag-nap, mi nor hu-zum e

սիր - տըս մը - րըր - կում, սիր-տըս մը - րըր - կում...
sir - tys my - ryr - kum, sir - tys my - ryr - kum...

Գարունը այնքա՛ն ծաղիկ է վառել,
Գարունը այնպե՛ս պայծառ է կրկին,
– Ուզում եմ մեկին քնքշորեն սիրել,
Ուզում եմ անուշ փայփայել մեկին:

ԿՐԿՆԵՐԳ
– Այնպե՛ս գգվող է երեկոն անափ,
Ծաղիկներն այնպես նազով են փակվում,
– Շուրջըս վառված է մի անուշ տագնապ,
Մի նոր հուզում է սիրտըս մրրկում...

Անտես զանգերի կարկաչն եմ լսում,
Իմ բացված սրտում հնչում է մի երգ,
– Կարծես թե մեկը ինձ է երազում,
Կարծես կանչում է ինձ մի քնքուշ ձեռք...

Garuny aynk'a'n tsaghik e varrel,
Garuny aynpe's paytsarr e krkin,
Uzum em mekin k'nk'shoren sirel,
Uzum em anush p'ayp'ayel mekin.

CHORUS
Aynpe's ggvogh e yerekon anap',
Tsaghiknern aynpes nazov en p'akvum,
Shurjys varrvats e mi anush tagnap,
Mi nor huzum e sirtys mrrkum...

Antes zangeri karkach'n em lsum,
Im bats'vats srtum hnch'um e mi yerg,
Kartses t'e meky indz e yerazum,
Kartses kanch'um e indz mi k'nk'ush dzerrk'...

ԳԱՐՈՒՆ Ա
GARUN A

Կոմիտաս
Komitas

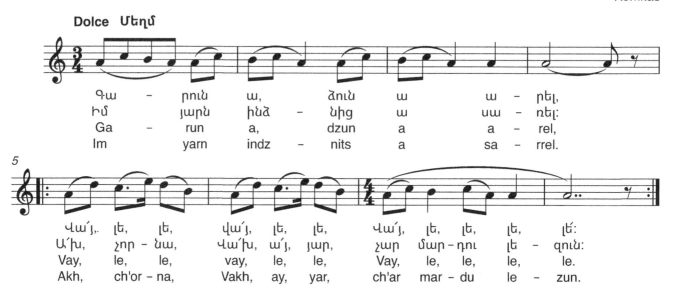

Dolce Մեղմ

Գա — րուն ա, ձուն ա ա — րել,
Իմ յարն ինձ — նից ա սա — ռել։
Ga — run a, dzun a a — rel,
Im yarn indz — nits a sa — rrel.

Վա՛յ, լէ, լէ, վա՛յ, լէ, լէ, Վա՛յ, լէ, լէ, լէ, լէ՜։
Ա՛խ, չոր — նա, Վա՛խ, ա՛յ, յար, չար մար — դու լէ — զուն։
Vay, le, le, vay, le, le, Vay, le, le, le, le.
Akh, ch'or — na, Vakh, ay, yar, ch'ar mar — du le — zun.

Գարուն ա, ձուն ա արել,
Վա՛յ, լէ, լէ, վա՛յ, լէ, լէ,
Վա՛յ, լէ, լէ, լէ, լէ՜։

Իմ յարն ինձնից ա սառել։
Ա՛խ, չորնա, վա՛խ, ա՛յ յար,
Չար մարդու լէզուն։

Քամին փչում ա պաղ-պաղ,
Լերդ ու թոքս անում ա դաղ։

Յա՛ր, ինձ բեմուրազ արիր,—
Սերըդ ինձնե զատ արիր։

Garun a, dzun a arel,
Va′y, le, le, va′y, le, le,
Va′y, le, le, le, le′.

Im yarn indznits' a sarrel.
A′kh, ch'orna, va′kh, a′y yar,
Ch'ar mardu lezun.

K'amin p'ch'um a pagh-pagh,
Lerd u t'ok's anum a dagh.

Ya′r, indz bemuraz arir,—
Seryd indzne zat arir.

ԳԱՐՈՒՆ Է ԳԱԼԻՍ
GARUN E GALIS

Խոսք՝ Հ. Սահյանի
Lyrics by H. Sahyan

Երաժշտ.՝ Ալ. Հեքիմյանի
Music by Al. Hekimyan

lis,
ga - run e ga - lis.

Ձմեռը հալվել, դարձել է առու,
Դարձել է առու, դարձել է վտակ,
Արաքսի հունով նա գնում է հեռու,
Գնում ու լցվում է ծովը անհատակ:
Հոգնած թևերը քսելով ամպին,
Կրծքին դեռ խոնավ ծվենը նրա,
Արագիլն իջել է Արաքսի ափին,
Հանգստանում է մի ոտքի վրա:

ԿՐԿՆԵՐԳ
Երկինք ու երկիր մեզ ձայն են տալիս,
Դռները բացեք, գարուն է գալիս:

Աղբյուրն աղբյուրին իր գիրկն է կանչում,
Իրար են փարվում հովերն արթնացած,
Ծաղկունքից արբած բնությունն է շնչում,
Քանդում է մեղուն ժիր ակնամոմը թաց:
Հողն է մայրության հրճվանքից դողում,
Թող որ հավիտյան միշտ ազատ մնա,
Թող որ ոչ մի ծիլ չմնա հողում,
Ոչ մի բույն հավքի թափուր չմնա:

ԿՐԿՆԵՐԳ

Dzmerry halvel, dardzel e arru,
Dardzel e arru, dardzel e vtak,
Arak'si hunov na gnum e herru,
Gnum u lts'vum e tsovy anhatak.
Hognats t'every k'selov ampin,
Krtsk'in derr khonav tsveny nra,
Aragiln ijel e Arak'si ap'in,
Hangstanum e mi votk'i vra.

CHORUS
Yerkink' u yerkir mez dzayn en talis,
Drrnery bats'ek', garun e galis.

Aghbyurn aghbyurin ir girkn e kanch'um,
Irar en p'arvum hovern art'nats'ats,
Tsaghkunk'its' arbats bnut'yunn e shnch'um,
K'andum e meghun zhir aknamomy t'ats'.
Hoghn e mayrut'yan hrchvank'its' doghum,
T'ogh vor havityan misht azat mna,
T'ogh vor voch' mi tsil ch'mna hoghum,
Voch' mi buyn havk'i t'ap'ur ch'mna.

CHORUS

ԳԱՐՈՒՆ ԵՐԵՎԱՆ
GARUN YEREVAN

Խոսք՝ Ա. Գրաշու
Lyrics by A.Grashi

Երաժշտ.՝ Ա. Խաչատրյանի
Music by A. Khachatryan

Գա - րուն Ե - րե - վան, սի - րուն Ե - րե - վան,
Ga - run Ye - re - van, si - run Ye - re - van,
վար - դեր ես ճամ - փիս փը - ռում Ե - րե - վան,
var - der es cham - p'is p'y - rrum Ye - re - van,
ուր էլ գը - նամ, ուր էլ մը - նամ, քեզ եմ հա - վի -
ur el gy - nam, ur el my - nam, k'ez em ha - vi -
տյան սի - րում, Ե - րե - վան, քեզ եմ հա - վի -
tyan si - rum, Ye - re - van, k'ez em ha - vi -
տյան սի - րում, Ե - րե - վան:
tyan si - rum, Ye - re - van.
Իմ ջա - հել սըր - տի վառ ու վառ-մանհույսն ես, Ե - րե - վան,
Im ja - hel syr - ti varr u varr - man huysn es, Ye - re - van,
իմ ժո - ղո - վըր - դի վառ աչ - քե - րի լույս ես, Ե - րե - վան,
im zho - gho - vyr - di varr ach - k'e - ri luys es, Ye - re - van,
իմ Հա - յաս - տա - նի զարդն ես, Ե - րե - վան,
im Ha - yas - ta - ni zardn es, Ye - re - van,

im Ha - yas - ta - ni
zardn es, Ye - re - van.

Գարո՛ւն Երևան, սիրո՛ւն Երևան,
Վարդեր ես ճամփիս փռում, Երևա՛ն,
Ուր էլ գնամ, ուր էլ մնամ
Քեզ եմ հավիտյան սիրում, Երևա՛ն:

ԿՐԿՆԵՐԳ
Իմ ժողովրդի վառ աչքերի լույսն ես, Երևա՛ն,
Իմ Հայաստանի զարդն ես Երևա՛ն:

Զուգվել, զարդարվել, սիրուն աննման,
Դու նորահարս ես դարձել, Երևա՛ն,
Հայաստանի գարնան գրկում
Ծաղկի՛ր, ծիծաղի՛ր, երգի՛ր Երևա՛ն:

Երգը շրթունքիս կռիվ գնացի,
Քո կյանքի համար անվախ կռվեցի,
Կրակ կռվում, կրակ հեռվում,
Պատկերիդ պայծառ կարոտ մնացի:

Յար, Երևանի օդն է անուշիկ,
Հանց մանուշակի հոտն է անուշիկ,
Գնանք ման գանք հովերի հետ,
Զանգվի ափերի օդն է անուշիկ:

Garo'un Yerevan, siro'un Yerevan,
Varder es champ'is p'rrum, Yereva'n,
Ur el gnam, ur el mnam
K'ez em havityan sirum, Yereva'n.

CHORUS
Im zhoghovrdi varr ach'k'eri luysn es, Yereva'n,
Im Hayastani zardn es Yereva'n.

Zugvel, zardarvel, sirun annman,
Du norahars es dardzel, Yereva'n,
Hayastani garnan grkum
Tsaghki'r, tsitsaghi'r, yergi'r Yereva'n.

Yergy shrt'unk'is krriv gnats'i,
K'o kyank'i hamar anvakh krrvets'i,
Krak krrvum, krak herrvum,
Patkerid paytsarr karot mnats'i.

Yar, Yerevani odn e anushik,
Hants' manushaki hotn e anushik,
Gnank' man gank' hoveri het,
Zangvi ap'eri odn e anushik.

ԳՅՈՒԼՆԱՐԱ
GYULNARA

Խոսք՝ Հովհ. Ղուկասյանի
Lyrics by H. Ghukasyan

Երաժշտ.՝ Արտ. Այվազյանի
Music by Art. Ayvazyan

Եր-կըն-քում լուս-նյակն է պայ - ծառ, լուռ քը-նով նըն-ջել է աշ-
Yer-kyn-k'um lus-nyakn e pay - tsarr, lurr k'y-nov nyn-jel e ash-
խարհ. չի-նա - րի տակ կան-գնել եմ ձեր այ - գում, քեզ հա-
kharh ch'i-na - ri tak kan-gnel em dzer ay - gum, k'ez ha-
մար այս քըն-քուշ երգն եմ եր - գում, չի-նա - գում: Գյուլ - նա-րա, Գյուլ-
mar ays k'yn-k'ush yergn em yer - gum, ch'i-na - gum. Gyul - na-ra, Gyul-
նա-րա, հա-ռա-չում է խեղճ թա-ռիս լա-րը և եր-գում սի-րով մի ան-
na-ra, ha-rra-ch'um e kheghch t'a-rris la-ry yev yer-gum si-rov mi an-
մար քո մա - սին, քեզ հա - մար: Գյուլ - մար:
mar k'o ma - sin, k'ez ha - mar. Gyul - mar.

Երկնքում լուսնակն է պայծառ,
Լուռ քնով ննջել է աշխարհ,
Չինարի տակ կանգնել եմ ձեր այգում,
Քեզ համար այս քնքուշ երգն եմ երգում:

ԿՐԿՆԵՐԳ
Գյուլնարա, Գյուլնարա,
Հառաչում է խեղճ թառիս լարը
Եվ երգում սիրով մի անմար,
Քո մասին, քեզ համար...

Քո սիրով առուն է հոսում,
Քո մասին գարունն է խոսում,
Քեզ կանչում և տանջվում եմ ամեն օր,
Ա՛խ, խղճա, սերը քաղցր է, ցավը՝ խոր:

Իմ սրտում քո սերն է քնքուշ,
Դուրս արի, գիշերն է անուշ,
Եկ քայլենք վառ լուսնի տակ այս սիրուն
Եվ երգենք մեր սիրո երգը անհուն:

Yerknk'um lusnakn e paytsarr,
Lurr k'nov nnjel e ashkharh,
Ch'inari tak kangnel em dzer aygum,
K'ez hamar ays k'nk'ush yergn em yergum.

CHORUS
Gyulnara, Gyulnara,
Harrach'um e kheghch t'arris lary
Yev yergum sirov mi anmar,
K'o masin, k'ez hamar...

K'o sirov arrun e hosum,
K'o masin garunn e khosum,
K'ez kanch'um yev tanjvum em amen or,
A´kh, khghcha, sery k'aghts'r e, ts'avy՝ khor.

Im srtum k'o sern e k'nk'ush,
Durs ari, gishern e anush,
Yek k'aylenk' varr lusni tak ays sirun
Yev yergenk' mer siro yergy anhun.

ԳՅՈՒՄՐԻ – ԼԵՆԻՆԱԿԱՆ
GYUMRI - LENINAKAN

Խոսք՝ Հովհ. Շիրազի
Lyrics by H. Shiraz

Երաժշտ.՝ Վ. Բալյանի
Music by V. Balyan

Allegro Աշխույժ
Հա-յաս-տա-նի աղն ես, Գյում-րի, դու խոս-քա-շեն,
Ha-yas-ta-ni aghn es, Gyum-ri, du khos-k'a-shen,
սը-րա-միտ, ճըշ-մար-տու-թյան մաղն ես Գյում-րի,
sy-ra-mit, chysh-mar-tu-t'yan maghn es Gyum-ri,
դու ի-մաս-տուն, մի-ա-միտ: Աղ-ջիկ-նե-րըդ տը-նա-րար են,
du i-mas-tun, mi-a-mit. Agh-jik-ne-ryd ty-na-rar en,
ան-մա-հու-թյան օ-րո-րոց, տը-ղա-նե-րըդ
an-ma-hu-t'yan o-ro-rots, ty-gha-ne-ryd
շի-նա-րար են, դու հան-ճա-րեղ քա-րա-գործ:
shi-na-rar en, du han-cha-regh k'a-ra-gorts.
Chorus Կրկներգ
Դու իմ Գյում-րի Լե-նի-նա-կան դու իմ նոր,
Du im Gyum-ri Le-ni-na-kan du im nor,
Ա-րա-գա-ծին բազ-մած ար-ծիվ փա-ռա-վոր:
A-ra-ga-tsin baz-mats ar-tsiv p'a-rra-vor.
Դու իմ Գյում-րի, Լե-նի-նա-կան դու իմ նոր,
Du im Gyum-ri, Le-ni-na-kan du im nor,

A - ra - ga - tsin baz-mats ar - tsiv p'a - rra - vor.

Հայաստանի աղն ես, Գյումրի,
Դու խոսքաշեն, սրամիտ,
Ճշմարտության մաղն ես, Գյումրի,
Դու իմաստուն, միամիտ:
Աղջիկներդ տնարար են,
Անմահության օրորոց,
Տղաներդ շինարար են,
Դու հանճարեղ քարագործ:

ԿՐԿՆԵՐԳ
Դու իմ Գյումրի,
Լենինական դու իմ նոր,
Արագածին բազմած
Արծիվ փառավոր:

Դու երգարան Հայաստանի,
Երգիչների ակնաղբյուր,
Քո վանքերի ղողանջի տեղ
Այժմ մուրճերդ են հնչում:
Արագածդ արքայական
Ոսկե թագն է քո հողի,
Քո մի քարն էլ Լենինական,
Աշխարհի հետ չեմ փոխի:

Դու իմ անուշ ծննդավայր,
Շիրազամայր իմ Գյումրի,
Դու մի բուռ ես, բայց մի աշխարհ,
Դու իմ արծիվ, իմ Գյումրի:
Շիրազն ասաց՝ գիշեր ու տիվ
Քեզ եմ երգում, իմ Շիրակ,
Արագածին բազմած արծիվ,
Հավերժ կապրես իմ քաղաք:

Hayastani aghn yes, Gyumri,
Du khosk'ashen, sramit,
Chshmartut'yan maghn yes, Gyumri,
Du imastun, miamit.
Aghjiknerd tnarar en,
Anmahut'yan ororots',
Tghanerd shinarar yen,
Du hancharegh k'aragorts.

CHORUS
Du im Gyumri,
Leninakan du im nor,
Aragatsin bazmats
Artsiv p'arravor.

Du yergaran Hayastani,
Yergich'neri aknaghbyur,
K'o vank'eri ghoghanji tegh
Ayzhm murcherd en hnch'um.
Aragatsd ark'ayakan
Voske t'agn e k'o hoghi,
K'o mi k'arn el Leninakan,
Ashkharhi het ch'em p'okhi.

Du im anush tsnndavayr,
Shirazamayr im Gyumri,
Du mi burr yes, bayts' mi ashkharh,
Du im artsiv, im Gyumri.
Shirazn asats" gisher u tiv
K'ez em yergum, im Shirak,
Aragatsin bazmats artsiv,
Haverzh kapres im k'aghak'.

ԴԱՐԴՍ ԼԱՑԵՔ
DARDS LATS'EK'

Խոսք՝ Ավ. Իսահակյանի
Lyrics by A. Isahakyan

Երաժշտ.՝ Հ.Մ.Միքյանի
Music by H.M.Mikyan

Դա՛ր - դըս լա - ցեք, սա - րի սըմ-բուլ, ալ - վան-ալ-վան
Dar - dys la - tsek', sa - ri sym-bul, al - van-al-van
ծա - ղիկ - ներ. դար - դըս լա - ցեք, բա - ղի բըլ - բո՛ւլ,
tsa - ghik - ner, dar - dys la - tsek', ba - ghi byl - bul,
ամպ - շող երկ - նուց զով - հո - վեր.. դար - դըս լա - ցեք,
amp - shogh yerk - nuts zov - ho - ver... dar - dys la - tsek',
բա - ղի բըլ - բո՛ւլ, ամպ - շող երկ - նուց զով - հո - վեր..
ba - ghi byl - bul, amp - shogh yerk - nuts zov - ho - ver...

Դա՛րդս լացեք, սարի սմբուլ,
Ալվան-ալվան ծաղիկներ,
Դա՛րդս լացեք, բաղի բլբո՛ւլ,
Ամպշող երկնուց զով հովեր...

Երկինք - գետինք գլխուս մթնան,
Անտուն, անտեր կուլամ ես,
Յարիս տարա՛ն – ջանիս տարա՛ն,
Հոնգո՛ւր-հոնգո՛ւր կուլամ ես...

Ա՛խ, յարս ինձի հանեց սըրտեն,
Անճար թողեց ու գնաց,
Սրտիս սավդեն – խորունկ յարեն
Անդեղ թողեց ու գնաց:

Դա՛րդըս լացեք, սարի սմբուլ,
Ալվան-ալվան ծաղիկներ,
Դա՛րդըս լացեք, բաղի բլբուլ,
Ամպշող երկնուց զով – հովե՛ր...

Da´rds lats'ek', sari smbul,
Alvan-alvan tsaghikner,
Da´rds lats'ek', baghi blbo´ul,
Ampshogh yerknuts' zov hover...

Yerkink' - getink' glkhus mt'nan,
Antun, anter kulam yes,
Yaris tara´n – janis tara´n,
Hongo´ur-hongo´ur kulam yes...

A´kh, yars indzi hanets' syrten,
Anchar t'oghets' u gnats',
Srtis savden – khorunk yaren
Andegh t'oghets' u gnats'.

Da'rdys lats'ek', sari smbul,
Alvan-alvan tsaghikner,
Da'rdys lats'ek', baghi blbul,
Ampshogh yerknuts' zov – hove´r...

ԴԼԵ ՅԱՄԱՆ
DLE YAMAN

Կոմիտաս
Komitas

Ad Libitum Ազատ
Դը-լե յա-ման, մեր տուն, ձեր տուն դի-մաց, դի-մաց,
Dy-le ya-man, mer tun, dzer tun di-mats, di-mats,
դը-լե յա-ման, հե-րիք ա-նեմ աչ-քով ի-մաց, յա-ման,
dy-le ya-man, he-rik' a-nem ach'-k'ov i-mats, ya-man,
յա-ման, յա՛ր, դը-լե յա-ման, հե-րիք ա-նես
ya-man, yar, dy-le ya-man, he-rik' a-nes
աչ-քով ի-մաց, յա-ման, յա - ման յար:
ach'-k'ov i-mats, ya-man, ya - man yar.

Դլե յաման,
Մեր տուն, ձեր տան դիմաց, դիմաց
Դլե, յաման,
Հերիք անես աչքով իմաց
Յաման, յաման, յար:

Դլե յաման,
Գյամին էկավ կրակի պես
Դլե յաման,
Էկավ, հասավ չուր ծովու կես,
Յաման, յաման, յար:

Դլե յաման
Արև դիպավ Մասիս սարին
Դլե յաման,
Կարոտ մնացի ես իմ յարին
Յաման, յաման, յար:

Դլե յաման,
Արև դիպավ Վանա ծովին,
Դլե յաման,
Քո սեր կաթավ մեջ իմ սրտին,
Յաման, յաման, յար:

Դլե յաման ,
Մեր տուն, ձեր տուն իրար դիմաց
Դլե յաման,
Մենք սիրեցինք առանց իմաց,
Յաման, յաման, յար:

Դլե յաման,
Աշխարհի մեջ մի տեր ունիմ,
Դլե յաման,
Յարիս վըրա վառ սեր ունիմ,
Յաման, յաման, յար:

Դլե յաման,
Արևն առեր Վանա ծովին,
Դլե յաման,
Ես քեզ սիրի աշնան հովին,
Յաման, յաման, յար:

Dle yaman,
Mer tun, dzer tan dimats', dimats'
Dle, yaman,
Herik' anes ach'k'ov imats'
Yaman, yaman, yar.

Dle yaman,
Gyamin ekav kraki pes
Dle yaman,
Ekav, hasav ch'ur tsovu kes,
Yaman, yaman, yar.

Dle yaman
Arev dipav Masis sarin
Dle yaman,
Karot mnats'i yes im yarin
Yaman, yaman, yar.

Dle yaman,
Arev dipav Vana tsovin,
Dle yaman,
K'o ser kat'av mej im srtin,
Yaman, yaman, yar.

Dle yaman,
Mer tun, dzer tun irar dimats'
Dle yaman,
Menk' sirets'ink' arrants' imats',
Yaman, yaman, yar.

Dle yaman,
Ashkharhi mej mi ter unim,
Dle yaman,
Yaris vyra varr ser unim,
Yaman, yaman, yar.

Dle yaman,
Arevn arrer Vana tsovin,
Dle yaman,
Yes k'ez siri ashnan hovin,
Yaman, yaman, yar.

ԴՈՒ ԱՆՄԵՂ ԵՍ
DU ANMEGH ES

Խոսք՝ Ա. Ղարիբյանի
Lyrics by A. Gharibyan

Երաժշտ.՝ Հ. Ենգիբարյանի
Music by H. Yengibaryan

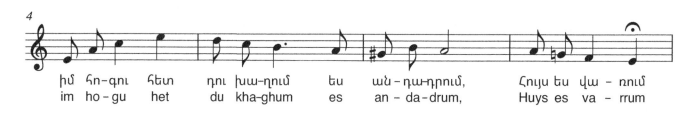

Դու ան - մեղ ես, քո ա - չերն են մե - ղա - վոր,
Du an - megh es, k'o a - ch'ern en me - gha - vor
իմ հո-գու հետ դու խա-ղում ես ան - դա-դրում, Հույս ես վա - ռում
im ho - gu het du kha-ghum es an - da - drum, Huys es va - rrum
քո հա-յաց - քով ա-մեն օր, մեկ կան-չում ես, մեկ էլ խա - բում,
k'o ha-yats' - k'ov a-men or, mek kan-ch'um es, mek el kha - bum,
մո - լո-րում դու ան-մեղ ես քո ա - չերն են մե - ղա - վոր:
mo - lo - rum du an-megh es k'o a - ch'ern en me - gha - vor.

Դու անմեղ ես, քո աչերն են մեղավոր,
Իմ հոգու հետ դու խաղում ես անդադրում,
Հույս ես վառում քո հայացքով ամեն օր,
Մեկ կանչում ես, մեկ էլ խաբում, մոլորում ...
Դու անմեղ ես, քո աչերն են մեղավոր:

Լալ չգիտեմ, արցունք չունեմ ես բնավ,
Մահն ինձ համար մի հանգիստ է ցանկալի,
Այս աշխարհում ինձ չհաղթեց ոչ մի ցավ,
Վախենում եմ, որ քո սերն ինձ տապալի...
Դու անմեղ ես, քո աչերն են մեղավոր:

Այս աշխարհում անցողիկ ենք ես ու դուն,
Այս աշխարհն էլ անկման մի օր կունենա,
Հեծեծանքս է իմ անարցունք, որ անհուն
Տիեզերքի սահմաններում կմնա ...
Դու անմեղ ես, քո աչերն են մեղավոր:

Բայց մորմոքիս անպատասխան հայացքով –
Սիրտս ես փշրել, ես ի՞նչ անեմ սգավոր,
Քեզ անիծե՞մ, ինչպե՞ս և ի՞նչ անեծքով,
Ոչ ... ներում եմ, չէ՞ աչերդ են մեղավոր...
Դու անմեղ ես, քո աչերն են մեղավոր:

Du anmegh es, k'o ach'ern en meghavor,
Im hogu het du khaghum es andadrum,
Huys es varrum k'o hayats'k'ov amen or,
Mek kanch'um es, mek el khabum, molorum ...
Du anmegh es, k'vo ach'ern en meghavor.

Lal ch'gitem, arts'unk' ch'unem yes bnav,
Mahn indz hamar mi hangist e ts'ankali,
Ays ashkharhum indz ch'haght'ets' voch' mi ts'av,
Vakhenum em, vor k'o sern indz tapali...
Du anmegh es, k'o ach'ern en meghavor.

Ays ashkharhum ants'oghik enk' yes u dun,
Ays ashkharhn el ankman mi or kunena,
Hetsetsank's e im anarts'unk', vor anhun
Tiyezerk'i sahmannerum kmna ...
Du anmegh es, k'o ach'ern en meghavor.

Bayts' mormok'is anpataskhan hayats'k'ov
Sirts es p'shrel, yes i՞nch' anem sgavor,
K'ez anitse՞m, inch'pe՞s yev i՞nch' anetsk'ov,
Voch' ... nerum em, ch'e՞ ach'erd en meghavor ...
Du anmegh yes, k'o ach'ern en meghavor.

ԴՈՒ ԻՄ ՀՊԱՐՏ ՀԱՅ ԱՂՋԻԿ
DU IM HPART HAY AGHJIK

Խոսք՝ Գ. Բորյանի
Lyrics by G. Boryan

Երաժշտ.՝ Գ. Արմենյանի
Music by G. Armenyan

Andante Հանդարտ
Ճամ-փի մի-ջին կանգ-նել եմ, կանգ-նել եմ մո - լոր-վել եմ,
Cham-p'i mi-jin kang - nel em, kang - nel em mo - lor - vel em,
շո - րո - րա - լեն դու ան-ցար, ան-ցար, էլ ետ չը - դար-ձար:
sho-ro - ra - len du an - tsar, an-tsar, el et ch'y - dar-dzar.
Ա-րի, ա - րի, նա - զով աղ-ջիկ, եղ - նիկ դու մեր սա-րե-րի, ա՜խ, ի-զուր, ի -
A-ri, a - ri, na - zov agh-jik, yegh - nik du mer sa - re - ri, akh, i - zur, i -
զուր մի՛ տան-ջիր, դու իմ հը-պարտ հայ աղ-ջիկ: Ա - րի, ա - րի
zur mi tan - jir, du im hy - part hay agh-jik: A - ri, a - ri
նա - զով աղ-ջիկ, եղ - նիկ մեր սա - րե-րի, ա՜խ, ի-զուր, ի -
na - zov agh - jik, yegh - nik mer sa - re - ri, akh, i - zur, i -
զուր մի՛ տան-ջիր, դու իմ հը-պարտ հայ աղ - ջիկ:
zur mi tan - jir, du im hy - part hay agh - jik.

Ճամփի միջին կանգնել եմ,
Կանգնել եմ, մոլորվել եմ,
Շորորալեն դու անցար,
Անցար, էլ ետ չդարձար:

ԿՐԿՆԵՐԳ
Արի, արի, նազով աղջիկ,
Եղնիկ դու մեր սարերի,
Ա՛խ, իզուր, իզուր մի՛ տանջիր,
Դու իմ հպարտ հայ աղջիկ:

Ոչ գնում ես, ո՛չ գալիս,
Ոչ էլ բարև ես տալիս,
Բայց աչքերիդ սև ծովում
Ում պատկերն է շողշողում:

Գիշեր է զով լուսնկա,
Այս աստղերը մեզ վկա,
Ուր էլ գնաս, ետ կգաս,
Իմն ես, իմն էլ կմնաս:

Champ'i mijin kangnel em,
Kangnel em, molorvel em,
Shororalen du ants'ar,
Ants'ar, el yet ch'dardzar.

CHORUS
Ari, ari, nazov aghjik,
Yeghnik du mer sareri,
A´kh, izur, izur mi' tanjir,
Du im hpart hay aghjik.

Voch' gnum es, vo'ch' galis,
Voch' el barev es talis,
Bayts' ach'k'erid sev tsovum
Um patkern e shoghshoghum.

Gisher e zov lusnka,
Ays astghery mez vka,
Ur el gnas, yet kgas,
Imn es, imn el kmnas.

ԴՈՒ ՆՈՐԻՑ ԵԿԵԼ ԵՍ
DU NORITS YEKEL ES

Խոսք՝ Դևի
Lyrics by Dev

Երաժշտ.՝ Ն. Գալանտերյանի
Music by N. Galanteryan

Andante Հանդարտ
Դու նո-րից ե-կել ես, ի՞նչ ա-նեմ, ես այն-պես սի-րել եմ
Du no-rits ye-kel es, inch' a-nem, yes ayn-pes si-rel em
քո հո-գին, գե-րել ես հա-յաց-քով քո ան-ծայր ու կա-պել
k'o ho-gin, ge-rel es ha-yats-k'ov k'o an-tsayr u ka-pel
քո սի-րո հը-մայ-քին։ Քեզ եր-կար, շատ եր-կար եմ սի-րել
k'o si-ro hy-may-k'in. K'ez yer-kar, shat yer-kar em si-rel
ու թա-քուն լա-ցել եմ քեզ հա-մար, դու նո-րից ե-կել
u t'a-k'un la-tsel em k'ez ha-mar, du no-rits ye-kel
ես Քեզ սի-րե՜մ, քեզ սի-րե՜մ, քեզ սի-րե՜մ, ի՞նչ ա-
es K'ez si-rem, k'ez si-rem, k'ez si-rem, inch' a-
նեմ աչ-քե-րըս դեռ թաց են մինչ հի-մա։
nem ach'-k'e-rys derr t'ats en minch hi-ma.

Դու նորից եկել ես, ի՞նչ անեմ,
Ես այնպես սիրել եմ քո հոգին,
Գերել ես հայացքովդ քո անեզր
Ու կապել քո սիրո հմայքին:

Քեզ երկար, շատ երկար եմ սիրել,
Ու թաքուն արտասվել քեզ համար,
Դու նորից եկել ես, - քեզ սիրե՞մ,
Քեզ սիրե՞մ, քեզ սիրե՞մ, ի՞նչ անեմ,
Աչքերս դեռ թաց են մինչ հիմա:

Չգիտես ի՞նչ անես, ո՞ւմ սիրես,
Դու խենթ ես, խենթ աղջիկ մի լուսե,
Ես էլ քեզ խենթի պես եմ սիրել,
Բայց քեզնից երբեք սեր չեմ տեսել:

Դու խենթ ես, խենթ աղջիկ, բայց հիմա
Դու նորից եկել ես, ի՞նչ անեմ,
Ես էլ խենթ եմ դառել ակամա,
Քեզ նորից սիրել եմ, ի՞նչ անեմ,
Աչքերս դեռ թաց են մինչ հիմա:

Du norits' yekel es, i՞nch' anem,
Yes aynpes sirel em k'o hogin,
Gerel es hayats'k'ovd k'o anezr
Ou kapel k'o siro hmayk'in.

K'ez yerkar, shat yerkar em sirel,
U t'ak'un artasvel k'ez hamar,
Du norits' yekel es, - k'ez sire՞m,
K'ez sire՞m, k'ez sire՞m, i՞nch' anem,
Ach'k'ers derr t'ats' en minch' hima.

Ch'gites i՞nch' anes, o՞um sires,
Du khent' es, khent' aghjik mi luse,
Yes el k'ez khent'i pes em sirel,
Bayts' k'eznits' yerbek' ser ch'em tesel.

Du khent' es, khent' aghjik, bayts' hima
Du norits' yekel es, i՞nch' anem,
Yes el khent' em darrel akama,
K'ez norits' sirel em, i՞nch' anem,
Ach'k'ers derr t'ats' en minch' hima.

ԵՐԱԶ ՈՒ ՍԵՐ
YERAZ OU SER

Խոսք և երաժշտ.՝ Ե. Շաղիկյանի
Lyrics and music by Ye. Shaghikyan

Իմ հոգու մեջ անհաս, անափ
Կրակներ կան, հուրեր, հուրեր,
Խենթ ցնորքներ անծիր, անծեր,
Անքուն հույզեր, երազ ու սեր:

Իմ սրտի մեջ աշխարհներ կան,
Արևներ կան, լույսեր, լույսեր,
Լույս անուրջներ, խոր տագնապներ,
Ծարավ սրտեր, երազ ու սեր:

Իմ երգի մեջ կարոտներ կան,
Կարոտի հուր, խոհեր, խոհեր,
Մասիսներ կան, ամենից վեր,
Այրող հուշեր, երազ ու սեր:

Im hogu mej anhas, anap'
Krakner kan, hurer, hurer,
Khent' ts'nork'ner antsir, antser,
Ank'un huyzer, yeraz u ser.

Im srti mej ashkharhner kan,
Arevner kan, luyser, luyser,
Luys anurjner, khor tagnapner,
Tsarav srter, yeraz u ser.

Im yergi mej karotner kan,
Karoti hur, khoher, khoher,
Masisner kan, amenits' ver,
Ayrogh husher, yeraz u ser.

ԵՍ ԵԼԱ ԳՆԱՑԻ
YES ELA GNATSI

Հայ. ժողովրդական երգ
Armenian folk song

Յա՛ր, յա՛ր, յա՛ր, յա - րո ջա՛ն, յա՛ր, յա՛ր, յա՛ր, յա - րո ջա՛ն:
Յա՛ր, յա՛ր, յա՛ր, յա-րո ջա՛ն: Չէ, սի - րե - լիս,
չէ, գո - վե - լիս, չէ, պատ-վե - լիս, չէ, չէ:

Ես ելա գնացի սարերը անձի,
Դու ելար գնացիր քաղաքը տանձի:
Յա՛ր, յա՛ր, յա՛ր, յարո ջան,
Յա՛ր, յա՛ր, յա՛ր, յարո ջան:
Չէ, սիրելիս, չէ գովելիս,
Չէ պատվելիս, չէ, չէ:

Yes yela gnats'i sarery andzi,
Du yelar gnats'ir k'aghak'y tandzi.
Ya'r, ya'r, ya'r, yaro jan,
Ya'r, ya'r, ya'r, yaro jan.
Ch'e, sirelis, ch'e govelis,
Ch'e patvelis, ch'e, ch'e.

Դու ելար գնացիր դաշտերը հնձի.
Ես մենակ մնացի նստա ու լացի:
Յա՛ր, յա՛ր, յա՛ր, յարո ջան,
Յա՛ր, յա՛ր, յա՛ր, յարո ջան:
Չէ, սիրելիս, չէ գովելիս,
Չէ պատվելիս, չէ, չէ:

Du yelar gnats'ir dashtery hndzi.
Yes menak mnats'i nsta u lats'i.
Ya'r, ya'r, ya'r, yaro jan,
Ya'r, ya'r, ya'r, yaro jan.
Ch'e, sirelis, ch'e govelis,
Ch'e patvelis, ch'e, ch'e.

ԵՍ ՍԱՐԵՆ ԿՈՒԳԱՅԻ
YES SAREN KUGAYI

Կոմիտաս
Komitas

Moderato Չափավոր
Ես սա-րեն կու - գա-յի, դուն դու-ռը բա - ցիր,
Yes sa-ren ku - ga-yi, dun du-rry ba - tsir,
ձե - ռըդ ծո - ցըդ տա - րար, ա՛խ, ա - րիր, լա - ցիր:
dze - rryd tso - tsyd ta - rar, akh, a - rir, la - tsir.
Վա՛յ, վա՛յ, վա՛յ, վառ - վում եմ, վա՛յ, վա՛յ, վա՛յ, հալ - վում եմ,
Vay, vay, vay, varr - vum em, vay, vay, vay, hal - vum em,
հալ - վում, վառ - վում եմ:
hal - vum, varr - vum em.
Վա՛յ, վա՛յ, վա՛յ, վառ - վում եմ, վա՛յ, վա՛յ, վա՛յ, հալ - վում եմ,
Vay, vay vay varr - vum em, vay, vay, vay, hal - vum em,
հալ - վում, վառ - վում եմ:
hal - vum, varr - vum em.

Ես սարեն կուգայի,
Դուն դուռը բացիր.
Ձեռդ ծոցդ տարար,
Ա՛խ, արիր, լացիր:
    Վա՛յ, վա՛յ, վա՛յ, վառվում եմ,
    Վա՛յ, վա՛յ, վա՛յ, հալվում եմ,
    Հալվում, վառվում եմ:

Ես մի պինդ պաղ էի,
Դու մըրմուռ լացիր,
Քո հրեղեն արցունքով
Ինձ հալեցիր:
    Վա՛յ, վա՛յ, վա՛յ...

Ես մի չոր ծառ էի,
Դու գարնան արև.
Քո սիրով ծաղկեցավ
Իմ ճյուղն ու տերև:
    Վա՛յ, վա՛յ, վա՛յ...

Թե ինձ չէիր առնի,
Ինչո՞ւ սիրեցիր.
Մի բուռ կըրակ եղար,
Սիրտըս էրեցիր:
    Վա՛յ, վա՛յ, վա՛յ...

Yes saren kugayi,
Dun durry bats'ir,
Dzerrd tsots'd tarar,
A´kh, arir, lats'ir.
    Va'y, va'y, va'y, varrvum em,
    Va'y, va'y, va'y, halvum em,
    Halvum, varrvum em.

Yes mi pind pagh ei,
Du myrmurr lats'ir,
K'o hreghen arts'unk'ov
Indz halets'ir.
    Va'y, va'y, va'y...

Yes mi ch'or tsarr ei,
Du garnan arev,
K'o sirov tsaghkets'av
Im chyughn u terev.
    Va'y, va'y, va'y...

T'e indz ch'eir arrni,
Inch'o՞u sirets'ir,
Mi burr kyrak yeghar,
Sirtys erets'ir.
    Va'y, va'y, va'y...

ԵՍ ՍԻՐԵՑԻ
YES SIRETS'I

Խոսք՝ Վ. Թեքեյանի
Lyrics by V. Tekeyan

Երաժշտ.՝ Գ. Ալեմշահի
Music by G. Alemshah

Andante, Moderato Հանդարտ, չափավոր
Ես սի-րե - ցի, բայց ոչ ոք սի-րած-նե - րես գիտ-ցավ___ թե՛ զին-քը
Yes si-re - tsi, bayts voch vok' si-rats-ne - res git-tsav___ t'e zin-k'y
որ-քան սի-րե - ցի... ո՞վ կար - դալ սիր-տը գի - տե: Սե-րըս կար-ծես այն
vor-k'an si-re - tsi... ov kar - dal sir-ty gi - te. Se-rys kar-tses ayn
գետն էր, որ իր հո-սանք-ը ան - բավ. ա-ռավ լե-ռան ձյու - նե - րեն___ ու
getn er, vor ir ho-san-k'y an - bav_ a-rrav le-rran dzyu-ner - ren___ u
լե - ռը զայն չը - տե - սավ: Սե - րըս այնդուռն էր կար - ծես,
le - rry zayn ch'y - te - sav. Se - rys ayn durrn er kar - tses,
ուր - կե ոչ ոք մը-տավ ներս, ծա-ղիկ-նե-րով ծած - կը - ված՝___ գաղտ-
ur - ke voch vok' my-tav ners, tsa-ghik-ne-rov tsats - ky - vats___ gaght-
նի պար-տեզ մըն էր սե - րըս: Ու ե - թե սե-րըս ո - մանք
ni par - tez myn er se - rys. Ou e - t'e se-rys vo - mank'
Եր - կըն - քին վրա՝ ան - սահ - ման տե-սած ծու - խի մը նը - ման, կը -
Yer - kyn - k'in vra an - sah - man te - sats tsu - khi my ny - man, ky -

100

ra-kyn
a-nor
ch'y-te - san...

Ես սիրեցի, բայց ոչ ոք
Սիրածներես գիտցավ թե՝
Զինքը որքա՜ն սիրեցի...
Ո՞վ կարդալ սիրտը գիտե:

Սերս կարծես այն գետն էր,
Որ իր հոսանքը անբավ
Առավ լեռան ձյուներեն
Ու լեռը զայն չտեսավ:

Սերս այն դուռն էր կարծես,
Ուրկե ոչ ոք մտավ ներս,
Ծաղիկներով ծածկված՝
Գաղտնի պարտեզ մըն էր սերս:

Ու եթե սերս ոմանք
Երկքնին վրա՝ անսահմա՜ն
Տեսան ծուխի մը նման,
Կրակն անոր չտեսան...:

Yes sirets'i, bayts' voch' vok'
Siratsneres gitts'av t'e՝
Zink'y vork'a՜n sirets'i...
O՞v kardal sirty gite.

Sers kartses ayn getn er,
Vor ir hosank'y anbav
Arrav lerran dzyuneren
Ou lerry zayn ch'tesav.

Sers ayn durrn er kartses,
Urke voch' vok' mtav ners,
Tsaghiknerov tsatskvats՝
Gaghtni partez myn er sers.

Ou yet'e sers vomank'
Yerkk'nin vra՝ ansahma՜n
Tesan tsukhi my nman,
Krakn anor ch'tesan....

ԵՍ ՔԵԶ ՏԵՍԱ
YES K'EZ TESA

Հայ. ժողովրդական երգ
Armenian folk song

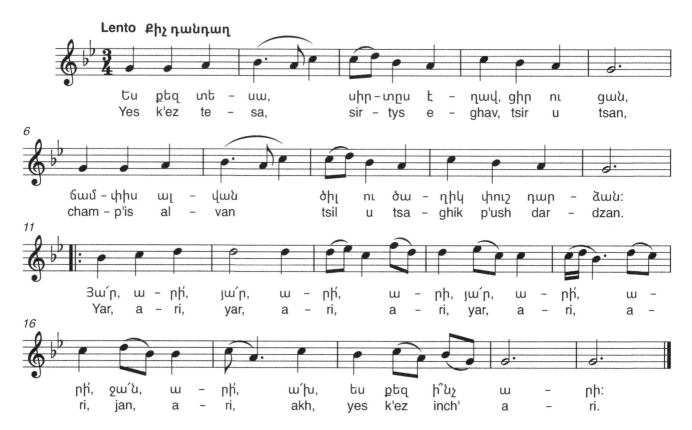

Ես քեզ տեսա
Սիրտս եղավ ցիր ու ցան,
Ճամփես ալվան
Ծիլ ու ծաղիկ փուշ դարձան:

Yes k’ez tesa
Sirts yeghav ts’ir u ts’an,
Champ’es alvan
Tsil u tsaghik p’ush dardzan.

ԿՐԿՆԵՐԳ
Յա՛ր արի՛, յա՛ր, արի՛
Արի, յա՛ր, արի,
Արի, ջա՛ն, արի,
Ա՛խ, ես քեզ ի՞նչ արի:

CHORUS
Ya´r ari’, ya´r, ari’
Ari, ya´r, ari,
Ari, ja´n, ari,
A´kh, yes k’ez i˝nch’ ari.

Լուսնակ գիշեր
Սիրտս կուլա քեզ համար
Գիշեր - ցերեկ
Մտածում եմ, արի տար:

Lusnak gisher
Sirts kula k’ez hamar
Gisher - ts’erek
Mtatsum em, ari tar.

Սարից իջա,
Յարս դռան կանգնած էր,
Աչքով արի.
Կարծես սիրտը մարած էր:

Sarits’ ija,
Yars drran kangnats er,
Ach’k’ov ari.
Kartses sirty marats er.

ԵՐԱԶ
YERAZ

Խոսք՝ Ս. Շահազիզի
Lyrics by Shahaziz

Ես լսեցի մի անուշ ձայն,
Իմ ծերացած մոր մոտ էր,
Փայլեց նշույլ ուրախության,
Բայց ափսո՛ս, որ երազ էր:

Կարկաչահոս աղբյուր այնտեղ
Թավալում էր մարգարիտ,
Նա հստակ էր որպես բյուրեղ,
Այն երա՛զ էր ցնորամիտ:

Եվ մեղեդին տխուր, մայրենի,
Հիշեց մանկության օրեր,
Մորս համբույրն ես զգացի,
Ա՛խ, ափսո՛ս, որ երազ էր:

Կուրծքին սեղմեց կարոտագին,
Աչքերս սրբեց – շատ թաց էր,
Բայց արտասուքս գնում էին...
Ա՛խ, այդ ինչո՞ւ երազ էր...

Yes lsets'i mi anush dzayn,
Im tserats'ats mor mot er,
P'aylets' nshuyl urakhut'yan,
Bayts' ap'so's, vor yeraz er.

Karkach'ahos aghbyur ayntegh
T'avalum er margarit,
Na hstak er vorpes byuregh,
Ayn yera'z er ts'noramit.

Yev meghedin tkhur, mayreni,
Hishets' mankut'yan orer,
Mors hambuyrn yes zgats'i,
A'kh, ap'so's, vor yeraz er.

Kurtsk'in seghmets' karotagin,
Ach'k'ers srbets' – shat t'ats' er,
Bayts' artasuk's gnum ein...
A'kh, ayd inch'o'u yeraz er...

ԵՐԱԶ ՏԵՍԱ
YERAZ TESA

Խոսք՝ Ավ. Իսահակյանի
Lyrics by Av. Isahakyan

Երաժշտ.՝ Էդ. Միրզոյանի
Music by Ed. Mirzoyan

Adagio Amoroso Դանդաղ Սիրային
Ե-րազ տե-սա ձեր տան ա - ռաջ զու-լալ աղ-բյուր կը - բը - խեր,
Ye-raz te-sa dzer tan a - rraj zu - lal agh-byur ky - by - kher,
ձե-նը մեղ-միկ, քաղ-ցրա-կար - կաչ, չորս դին ծո՛ւփ-ծո՛ւփ ծաղ-կունք
dze-ny megh-mik, k'agh-tsra-kar - kach', ch'ors din tsup' - tsup' tsagh-kunk'
էր, ձե-նը մեղ-միկ, քաղ-ցրա-կար-կաչ, չորս դին ծո՛ւփ-ծո՛ւփ ծաղ-կունք
er, dze-ny megh-mik, k'agh-tsra-kar - kach', ch'ors din tsup' - tsup' tsagh-kunk'
էր, Ջուր խը-մե-լու դու - ռըդ ե-կա, պա-պակ է - ի
er, Jur khy-me-lu du - rryd ye-ka, pa-pak e - i
ու ծա-րավ, ջինջ աղ-բյու-րը, մեկ էլ տե-սա, ցա - մաք կըտ-րավ, քար դա-ռավ,
u tsa-rav, jinj agh-byur-ry, mek el te-sa, tsa - mak' kyt - rav, k'ar da-rrav,
rit.
ջինջ աղ-բյու-րը քար դա-ռավ: Ա... ա... ա...
jinj agh-byu-ry k'ar da-rrav. A... a... a...
a tempo
քար - դա - ռավ: Քը-նից զարթ-նա սիրտս էր տըր - տում,
k'ar - da - rrav. k'y-nits zart'-na sirts er tyr - tum,

ա՛խ, էս շատվատ ե - րազ է. ծա-րավն՝ես եմ, աղ-բյու - րը դուն,
akh, es shat vat ye - raz e. tsa-ravn es em, agh-byu - ry dun,
սերդ ինձ հա - մար ցամ - քել է
serd indz ha - mar tsam - k'el e

Երազ տեսա - ձեր տան առաջ
Զուլալ աղբյուր կըբխեր,
Ձենը մեղմիկ, քաղցրակարկաչ,
Չորս դին ծո՛ւփ-ծո՛ւփ ծաղկունք էր:

Ջուր խմելու դուռըդ եկա,
Պապակ էի ու ծարավ,
Ջինջ աղբյուրը, մեկ էլ տեսա,
Ցամաք կտրավ, քար դառավ:

Քընից զարթնա, սիրտս էր տրտում.
Ա՛խ, էս շա՛տ վատ երազ է,
Ծարավն՝ ես եմ, աղբյուրը՝ դուն.
Սերդ ինձ համար ցամքել է:

Yeraz tesa - dzer tan arraj
Zulal aghbyur kybkher,
Dzeny meghmik, k’aghts’rakarkach’,
Ch’ors din tso′up’-tso′up’ tsaghkunk’ er.

Jur khmelu durryd yeka,
Papak ei u tsarav,
Jinj aghbyury, mek el tesa,
Ts’amak’ ktrav, k’ar darrav.

K’ynits’ zart’na, sirts er trtum,
A′kh, es sha′t vat yeraz e,
Tsaravn` yes em, aghbyury` dun,
Serd indz hamar ts’amk’el e.

ԵՐԱՆԻ ԹԵ
YERANI T'E

Խոսք՝ Ա. Գրաշու
Lyrics by A. Grashi

Երաժշտ.՝ Ա. Աճեմյանի
Music by A. Achemyan

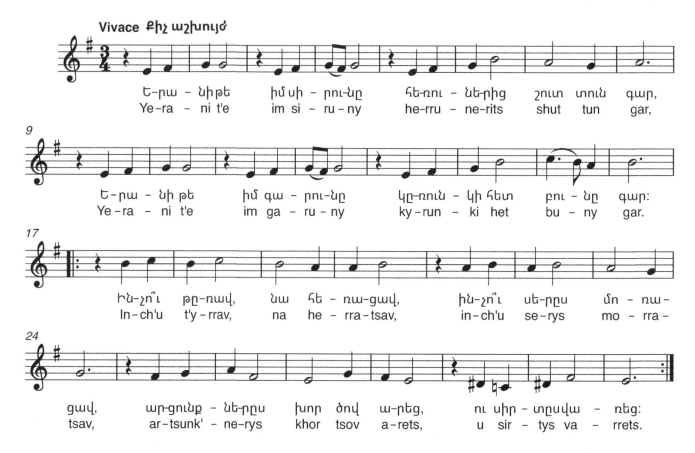

Ին-չո՞ւ թը-ռավ, նա հե - ռա-ցավ, ին-չո՞ւ սե-րըս մո - ռա-
ցավ, ար-ցունք - նե-րըս խոր ծով ա-րեց, ու սիր - տըս վա - ռեց:

Երանի թե իմ սիրունը,
Հեռուներից տուն գար,
Երանի թե իմ գարունը,
Կռունկի հետ բունը գար.

ԿՐԿՆԵՐԳ
Ինչո՞ւ թռավ նա հեռացավ
Ինչո՞ւ սերս մոռացավ
Արցունքներս խոր ծով արեց
Ու սիրտս վառեց:

Երանի թե, իմ աչքի լույս,
Քեզնից բարի լուր առնեմ,
Մի՞թե հանգավ աստղը կյանքիս
Մի՞թե սերս պիտ մարեմ:

Yerani t'e im siruny,
Herrunerits' tun gar,
Yerani t'e im garuny,
Krrunki het buny gar.

CHORUS
Inch'o˘u t'rrav na herrats'av
Inch'o˘u sers morrats'av
Arts'unk'ners khor tsov arets
Ou sirts varrets'.

Yerani t'e, im ach'k'i loys,
K'eznits' bari lur arrnem,
Mi˘t'e hangav astghy kyank'is
Mi˘t'e sers pit marem.

ԵՐԲ ԱԼԵԿՈԾ...
YERB ALEKOTS...

Խոսք՝ Քր. Թադևոսյանի
Lyrics by Kr. Tadevosyan

Երաժշտ.՝ Շերամի
Music by Sheram

Andante Հանդարտ
Երբ ա - լե - կոծ ծո - վի վե - րա իմ մա - կույ - կը
Yerb a - le - kots tso - vi ve - ra im ma - kuy - ky
խոր - տակ - վի՝ ես փըր - փրա-դեզ ա - լյաց մե - ջը
khor - tak - vi, yes p'yr - p'ra - dez a - lyats me - jy
դեռ իմ հույ - սը չեմ կըտ - րի, ես փըր - փրա-դեզ
derr im huy - sy ch'em kyt - ri, yes p'yr - p'ra - dez
ա - լյաց մե - ջը դեռ իմ հույ - սը չեմ կըտ - րի:
a - lyats me - jy derr im huy - sy ch'em kyt - ri.

Երբ ալեկոծ ծովի վերա
Իմ մակույկը խորտակվի՝
Ես փրփրադեզ ալյաց մեջը
Դեռ իմ հույսը չեմ կտրի:

Բոլոր ուժովս և համարձակ
Բազուկներս կպարզեմ,
Ալիքները պատառելով
Դեպի ափը կթռչեմ:

Անհավասար այդ կռվի մեջ,
Թե ույժերս սպառվեն,
Ալիքները հորձանք տալով
Ինձի անդունդ թող նետեն:

Այն ժամանակ գեթ սփոփանք
Ես կգտնեմ նրա մեջ,
Որ մեռնում եմ քաջի նման
Կռիվ տալով մինչև վերջ:

Yerb alekots tsovi vera
Im makuyky khortakvi՝
Yes p'rp'radez alyats' mejy
Derr im huysy ch'em ktri.

Bolor uzhovs yev hamardzak
Bazukners kparzem,
Alik'nery patarrelov
Depi ap'y kt'rrch'em.

Anhavasar ayd krrvi mej,
T'e uyzhers ysparrven,
Alik'nery hordzank' talov
Indzi andund t'ogh neten.

Ayn zhamanak get' sp'op'ank'
Yes kgtnem nra mej,
Vor merrnum em k'aji nman
Krriv talov minch'ev verj.

ԵՐԵՎԱՆԻ ԳԻՇԵՐՆԵՐԸ
YEREVANI GISHERNERY

Խոսք՝ Ա. Գրաշու
Lyrics by Al. Grashi

Երաժշտ.՝ Ալ. Դոլուխանյանի
Music by Al. Dolukhanyan

Ե-րե-վա-նի գի-շեր-նե-րը կա-պու-տակ, սի-րո հա-զար
Ye-re-va-ni gi-sher-ne-ry ka-pu-tak, si-ro ha-zar
երգ են վա-ռել կըրծ-քիս տակ, գար-նանը-ման Ե-րե-վա-նը
yerg en va-rrel kyrts-k'is tak, gar-nan ny-man Ye-re-va-ny
մեր ժըպ-տուն քո սի-րո հետ միշտ շո-ղում է իմ սըր-տում:
mer zhyp-tun k'o si-ro het misht sho-ghum e im syr-tum.
գար-նան նը-ման Ե-րե-վա-նը մեր ժըպ-տուն
gar-nan ny-man Ye-re-va-ny mer zhyp-tun
քո սի-րո հետ միշտ շո-ղում է իմ սըր-տում:
k'o si-ro het misht sho-ghum e im syr-tum.
Դու ինձ հա-մար աստղ ես ան-մար:
Du indz ha-mar astgh es an-mar.

Երևանի գիշերները կապուտակ
Սիրո հազար երգ են վառել կրծքիս տակ,
Գարնան նման Երևանը մեր ժպտուն,
Քո սիրո հետ միշտ շողում է իմ սրտում:

Երևանի գիշերները հովասուն
Ձեր պարտեզում պայծառ հեքիաթ են ասում,
Ամեն ծաղկում չքնաղ դեմքն եմ քո տեսնում,
Կրծքիդ հևքն եմ, սրտիդ երգն եմ ես լսում:

Երևանի գիշերները լուսավառ
Ինձ դարձրել են սև աչքերիդ սիրահար,
Երբ կարոտով քեզ գրկում եմ, համբուրում`
Ինձ տեսնում եմ սև աչքերիդ հայելում:

Yerevani gishernery kaputak
Siro hazar yerg en varrel krtsk'is tak,
Garnan nman Yerevany mer zhptun,
K'o siro het misht shoghum e im srtum.

Yerevani gishernery hovasun
Dzer partezum paytsarr hek'iat' en asum,
Amen tsaghkum ch'k'nagh demk'n em k'o tesnum,
Krtsk'id hevk'n em, srtid yergn em yes lsum.

Yerevani gishernery lusavarr
Indz dardzrel en sev ach'k'erid sirahar,
Yerb karotov k'ez grkum em, hamburum`
Indz tenum em sev ach'k'erid hayelum.

ԵՐԿԻՆՔՆ ԱՄՊԵԼ Է
YERKINK'N AMPEL E

Կոմիտաս
Komitas

Moderato, Dolce Միջին արագությամբ, քնքուշ

Եր - կին - քըն ամ - պել է, ինչ ա - նուշ թոն է,
Yer - kin - k'yn am - pel e, inch' a - nush t'on e,

Եր - կին - քըն ամ - պել է, ինչ ա - նուշ թոն է,
Yer - kin - k'yn am - pel e, inch' a - nush t'on e,

գամ, դըռ - նեն անց - նեմ՝ հոգ - յա - կըս հոն է,
gam, dyrr - nen ants - nem hog - ya - kys hon e,

գամ, դըռ - նեն անց - նեմ՝ հոգ - յա - կըս հոն է:
gam, dyrr - nen ants - nem, hog - ya - kys hon e.

Երկինքըն ամպել է,
Գետին շաղերով,
Ես քեզ սիրում եմ
Անուշ խաղերով:

Երկինքըն ամպել է,
Գետինը մութ է,
Ես քեզ ուզել եմ,
Թո՛ղ ասեն՝ սուտ է:

Շորո՛ր դու, շեկլի՛կ յար,
Տեսնեմ՝ դու ումն ես,
Իրավ եմ ասում՝
Դու իմ սըրտումն ես:

Երկինքըն ամպել է,
Ի՛նչ անուշ թոն է,
Գամ, դըռնեն անցնեմ՝
Հոգյակըս հոն է:

Երկինքըն ամպել է,
Գետինը թաց է,
Յարըս քնել է,
Երեսը բաց է:

Երկինքըն ամպել է,
Ի՛նչ անուշ երակ,
Սըրտիս մեջ լըցավ
Մի բուռը կըրակ:

Yerkink'yn ampel e,
Getin shagherov,
Yes k'ez sirum yem
Anush khagherov.

Yerkink'yn ampel e,
Getiny mut' e,
Yes k'ez uzel em,
T'o'gh asen' sut e.

Shoro'r du, shekli'k yar,
Tesnem' du umn es,
Irav yem asum'
Du im syrtumn es.

Yerkink'yn ampel e,
I'nch' anush t'on e,
Gam, dyrrnen ants'nem'
Hogyakys hon e.

Yerkink'yn ampel e,
Getiny t'ats' e,
Yarys k'nel e,
Yeresy bats' e.

Yerkink'yn ampel e,
I'nch' anush yerak,
Syrtis mej lyts'av
Mi burry kyrak.

ԶԱՐԹԻ՛Ր, ԼԱՈ
ZART'IR LAO

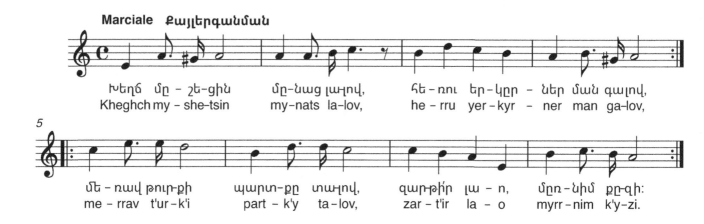

Marciale Քայլերգանման
Խեղճ մը - շե-ցին մը-նաց լա-լով, հե - ռու եր-կըր - ներ ման գա-լով,
Kheghch my - she-tsin my-nats la-lov, he - rru yer-kyr - ner man ga-lov,
5
մե - ռավ թուր-քի պարտ-քը տա-լով, զար-թի՛ր լա - ո, մըռ-նիմ քը-զի:
me - rrav t'ur-k'i part - k'y ta-lov, zar - t'ir la - o myrr-nim k'y-zi.

Խեղճ մշեցին մընաց լալով,
Հեռու երկրներ ման գալով.
Մեռավ թուրքի պարտքը տալով,
Զարթի՛ր, լաո, մռնիմ քըզի:

Չուր ե՞րբ մընամ էլու դռներ,
Էրթամ գտնեմ զիմ խեղճ գառներ.
Սուքեմ զիմ բախչի ծառեր,
Զարթի՛ր, լաո, մռնիմ քըզի:

Գրող տանի քուրդ Հասոյին,
Որ ըսպանեց ջոջ Ափոյին.
Իլաջ մացեր Արաբոյին,
Զարթի՛ր, լաո, մռնիմ քըզի:

Սևիլ, շիվար մացած հայեր,
Եղած անտուն, բնավ հավքեր.
Սուլթան կուզե ջնջե մըզի,
Զարթի՛ր, լաո, մռնիմ քըզի:

Kheghch mshets'in mynats' lalov,
Herru yerkrner man galov,
Merrav t'urk'i partk'y talov,
Zart'i'r, lao, mrrnim k'yzi.

Ch'ur ye˝rb mynam elu drrner,
Ert'am gtnem zim kheghch garrner,
Suk'em zim bakhch'i tsarrer,
Zart'i'r, lao, mrrnim k'yzi.

Grogh tani k'urd Hasoyin,
Vor yspanets' joj Ap'oyin,
Ilaj mats'er Araboyin,
Zart'i'r, lao, mrrnim k'yzi.

Sevil, shivar mats'ats hayer,
Yeghats antun, bnav havk'er,
Sult'an kuze jnje myzi,
Zart'i'r, lao, mrrnim k'yzi.

ԶԵՅԹՈՒՆՑՈՑ ՔԱՅԼԵՐԳԸ
ZEYTUNTS'OTS' K'AYLERGY

Խոսք՝ Հ. Չաքրյանի
Lyrics by H. Chakryan

Երաժշտ.՝ Տ. Չուխաջյանի
Music by T. Chukhadjyan

Marciale Քայլերգանման
Ա - րևն ե-լավ, զեյ - թուն-ցի-ներ, դեհ, ձի հեծ-նենք, առ-նենք զեն - քեր,
A - revn ye-lav, zey - t'un - tsi-ner, deh, dzi hets-nenk', arr - nenk' zen - k'er,
դի - մենք ա-ռաջ, ին - չո՞ւ - ին-չո՞ւ գը - լուխ ծը-ռենք
di - menk' a - rraj, in - ch'u - in-ch'u gy - lukh tsy-rrenk'
բըռ - նա - վո-րին մեր վիզ պար-զած, ին - չո՞ւ - ին-չո՞ւ
byrr - na - vo-rin mer viz par - zats, in - ch'u - in-ch'u
գը - լուխ ծը-ռենք բըռ - նա - վո-րին մեր վիզ պար-զած:
gy - lukh tsy-rrenk' byrr - na - vo-rin mer viz par - zats.

Արևն ելավ, Զեյթունցիներ,
Դեհ ձի հեծնենք, առնենք զենքեր, դիմենք առաջ,
Ինչո՞ւ, ինչո՞ւ գլուխ ծռենք,
Բռնավորին մեր վիզ պարզած:

Զեյթունցի ենք, մեր սփոփանք
Են պատերազմ և արշավանք,
Սուր, թուր, գնդակ և հրացան
Են խաղալիք մեր հավիտյան:

Ամբողջ հինգ դար գերի ենք մենք,
Մեր շղթայք մենք պատրաստել ենք,
Ինչո՞ւ այժմեն մենք չստիպենք,
Մեզ գերողին կրելու զայն:

Կեցցե՛ Զեյթուն, ապրի՛ Զեյթուն,
Թող չտեսնե ստրկություն,
Քանի ունի մեզ պես որդիք,
Ապրի Զեյթուն, կեցցե՛ Զեյթուն:

Arevn yelav, Zeyt'unts'iner,
De dzi hetsnenk', arrnenk' zenk'er, dimenk' arraj,
Inch'u˜, inch'u˜ glukh tsrrenk',
Brrnavorin mer viz parzats.

Zeyt'unts'i yenk', mer sp'op'ank'
En paterazm yev arshavank',
Sur, t'ur, gndak yev hrats'an
En khaghalik' mer havityan.

Amboghj hing dar geri enk' menk',
Mer shght'ayk' menk' patrastel enk',
Inch'u˜ ayzhmen menk' ch'stipenk',
Mez geroghin krelu zayn.

Kets'ts'e´ Zeyt'un, apri´ Zeyt'un,
T'ogh ch'tesne strkut'yun,
K'ani uni mez pes vordik',
Apri Zeyt'un, kets'ts'e´ Zeyt'un.

ՋՈՀՎԱԾՆԵՐ
ZOHVATSNER

Խոսք՝ Ա. Սահակյանի
Lyrics by A. Sahakyan

Երաժշտ.՝ Ա. Մեջինյանի
Music by A. Mejinyan

Դա-ժան կըռ-վում դուք ըն - կաք, ջա-հել, սի-րուն տը-ղա - ներ,
Da-zhan kyrr-vum duk' yn - kak', ja - hel, si - run ty - gha - ner,
հե - տո կըռ-վից տուն ե - կաք որ-պես ար - ձան - ներ:
he - to kyrr-vits tun ye - kak' vor-pes ar - dzan - ner.
Ա՛խ, ին - չեր կա - սեք, թե խո - սեք:
Akh, in - ch'er ka - sek', t'e kho - sek'.
Քարեք դար-ձել, գը - րա - նիտ, բայց մենք չու - նենք
K'ar ek' darr-dzel, gy - ra - nit, bayts menk' ch'u - nenk'
քա - րե սիրտ, Դուք մեր սըր-տում, մեր մեջ եք,
k'a - re sirt, Duk' mer syr - tum, mer mej ek',
մենք ձեզ եր-բեք չենք մո - ռա - նա ու միշտ կը - հի - շենք:
menk' dzez yer-bek' ch'enk' mo - rra - na u misht ky - hi - shenk'.

Դաժան կռվում դուք ընկաք՝
Ջահել սիրուն տղաներ,
Հետո կռվից տուն եկաք,
Որպես արձաններ,
Ախ ինչեր կասեք, դե՜ խոսեք:

ԿՐԿՆԵՐԳ
Քար եք դարձել, գրանիտ,
Բայց մենք չունենք քարե սիրտ,
Դուք մեր սրտում՝ մեր մեջ եք.
Մենք ձեզ երբեք չենք մոռանա,
Ու միշտ կհիշենք:

Մայրեր կան ձեզ սպասող,
Քույր, եղբայրներ՝ կարոտող,
Մինչ դուք վշտից դառնացած
Համբույր չտեսած,
Ախ ինչեր կասեք, դե՜ խոսեք:

Dazhan krrvum duk' ynkak'
Jahel sirun tghaner,
Heto krrvits' tun yekak',
Vorpes ardzanner,
Akh inch'er kasek', de´ khosek'.

CHORUS
K'ar ek' dardzel, granit,
Bayts' menk' ch'unenk' k'are sirt,
Duk' mer srtum՝ mer mej ek'.
Menk' dzez yerbek' ch'enk' morrana,
Ou misht khishenk'.

Mayrer kan dzez spasogh,
K'uyr, yeghbayrner՝ karotogh,
Minch' duk' vshtits' darrnats'ats
Hambuyr ch'tesats,
Akh inch'er kasek', de´ khosek'

ԷԼ ՉԿԱՆ ԻՆՁ ՀԱՄԱՐ
EL CH'KAN INDZ HAMAR

Խոսք՝ Տ. Տերունու
Lyrics by T. Teruni

Երաժշտ.՝ Դ. Ղազարյանի
Music by D. Ghazaryan

Ո՛չ ծիծաղ, ո՛չ ժպիտ,
Ո՛չ աչեր պարզ, վճիտ,
Հոնքեր թավ, նուրբ կամար
Էլ չկան ինձ համար:

Ո՛չ երգեր, ո՛չ էլ տաղ,
Ոսկե խոսք, կայտառ խաղ.
Ո՛չ վարսեր մետաքսյա
Ա՜խ, չկան էլ հիմա:

Vo'ch' tsitsagh, vo'ch' zhpit,
Vo'ch' ach'er parz, vchit,
Honk'er t'av, nurb kamar
El ch'kan indz hamar.

Vo'ch' yerger, vo'ch' el tagh,
Voske khosk', kaytarr khagh,
Vo'ch' varser metak'sya
A՜kh, ch'kan el hima.

ԷՐԵԲՈՒՆԻ – ԵՐԵՎԱՆ
EREBOUNI - YEREVAN

Խոսք՝ Պ. Սևակի
Lyrics by P. Sevak

Երաժշտ.՝ Էդգ. Հովհաննիսյանի
Music by E. Hovhannisyan

Երևան դարձած իմ Էրեբունի,
Դու մեր նոր Դվին, մեր նոր Անի:
Մեր փոքրիկ հողի դու մեծ երազանք,
Մեր դարե կարոտ, մեր քարե նազանք:

ԿՐԿՆԵՐԳ
Երևան դարձա՛ծ իմ Էրեբունի,
Դարեր ես անցել, բայց մնացել ես պատանի:
Քո Մասիս հորով, քո Արաքս մորով,
Մեծանաս դարով, Երևա՛ն:

Մենք արյան կանչեր ունենք մեր սրտում,
Անկատար տենչեր ունենք դեռ շատ:
Մեր կանչն առանց քեզ՝ իզուր կկորչի,
Առանց քեզ՝ մեր տաք տենչն էլ կսառչի:

Կյանքում ամեն սեր լինում է տարբեր,
Իսկ մենք բոլորս էլ քեզնով արբել:
Տաք է սերը մեր՝ շեկ քարերիդ պես,
Հին է սերը մեր՝ ձիգ դարերիդ պես:

Yerevan dardzats im Erebuni,
Du mer nor Dvin, mer nor Ani.
Mer p'ok'rik hoghi du mets yerazank',
Mer dare karot, mer k'are nazank'.

CHORUS
Yerevan dardza´ts im Erebuni,
Darer es ants'el, bayts' mnats'el yes patani.
K'o Masis horov, k'o Arak's morov,
Metsanas darov, Yereva´n.

Menk' aryan kanch'er unenk' mer srtum,
Ankatar tench'er unenk' derr shat.
Mer kanch'n arrants' k'ez˙ izur kkorch'i,
Arrants' k'ez˙ mer tak' tench'n el ksarrch'i.

Kyank'um amen ser linum e tarber,
Isk menk' bolors el k'eznov arbel.
Tak' e sery mer˙ shek k'arerid pes,
Hin e sery mer˙ dzig darerid pes.

ԹՈՂ ԲԼԲՈՒԼ ՉԵՐԳԵ
T'OGH BLBUL CH'ERGE

Կոմիտաս
Komitas

Թո՛ղ բըլբուլ չերգե Մըշո դաշտերում,
Թո՛ղ երգ չըհընչե Սասնո լեռներում,
Թո՛ղ ժըպիտ չըգա Հայերուս դեմքին,
Թող թախիծ տիրե Հայերուս սըրտին:

Հայի ձեռքերը արյունով ներկված,
Հայոց սըրտերը վշտով է պատած,
Ալ ինչո՞ւ ծաղկե քաղցրահոտ շուշան
Հայոց եդեմի դաշտերում աննըման:

Քանի հայ աղջիկ չէ զարդարելու
Ծաղկով իր կուրծքը, շըքեղ պըճնելու,
Թո՛ղ երգ չըհընչե Մըշո դաշտերում,
Թո՛ղ բըլբուլ չերգե Սասնո լեռներում:

T'o'gh bylbul ch'erge Mysho dashterum,
T'o'gh yerg ch'yhynch'e Sasno lerrnerum,
T'o'gh zhypit ch'yga Hayerus demk'in,
T'ogh t'akhits tire Hayerus syrtin.

Hayi dzerrk'ery aryunov nerkvats,
Hayots' syrtery vshtov e patats,
Al inch'o˘u tsaghke k'aghts'rahot shushan
Hayots' yedemi dashterum annyman.

K'ani hay aghjik ch'e zardarelu
Tsaghkov ir kurtsk'y, shyk'egh pychnelu,
T'o'gh yerg ch'yhynch'e Mysho dashterum,
T'o'gh bylbul ch'erge Sasno lerrnerum.

ԹԱՂՈՒՄՆ ՔԱՋՈՐԴՎՈՒՅՆ
T'AGHUMN K'AJORDVUYN

Խոսք՝ Մ. Պեշիկթաշլյանի
Lyrics by M. Peshiktashlyan

Երաժշտ.՝ Մ. Եկմալյանի
Music by M. Yekmalyan

Ո՛չ փող զարկինք, ո՛չ արձագանք լեռնասույզ, (ո՛հ, լեռնասույզ),
Սարե ի սար չարաշըշուկ տարին լուր, (ո՛հ, տարին լուր),
Ու չերգեցինք ողբոց երգեր սըրտահույզ, (ո՛հ, սըրտահույզ),
Երբ պատանվույն բացին մըռայլ փոսին դուռ, (ո՛հ, փոսին դուռ):

Գիշերական մունջ ըստվերներ շուրջ կային,
Երբ հրացանի կոթով ըզհող փորեցինք,
Լուսին միայն դողդոջ շողայր մեր գլխին,
Սուգ էր պատեր ըզդաշտ, բըլուր և երկինք:

Պետք չեր դագաղ, և ոչ ճերմակ պատանքներ,
Որով գոցվեր ազատորդի Զեյթունցին,
Նա հետ մարտին կարծես հոգնած կը հանգչեր,
Ու վերարկուն կարմիր բավեր յուր անձին:

Բայց երբ գլուխն ի բարձ դրինք հողաշեն,
Տեսանք ըզգեղ ճակտին ու վերքըն պայծառ,
"Ո՛վ պատանյակ, ըսինք ամենքս մեկ բերնեն,
Վասն հայրենյաց մեռար, դու շատ ապրեցար":

"Գնա՛, զրուցե՛ հայկազարմից մեծ ոգվուց,
Որ կան այստեղ ազատ ու քաջ դեռ հայեր,
Որոնք ի բյուր պատերազմաց թեպետ խոց՝
Մեջ ամպրոպաց ի ժայռ կանգուն են կեցեր":

Vo´ch' p'ogh zarkink', vo´ch' ardzagank' lerrnasuyz, (o´h, lerrnasuyz),
Sare i sar ch'arashyshuk tarin lur, (o´h, tarin lur),
Ou ch'ergets'ink' voghbots' yerger syrtahuyz, (o´h, syrtahuyz),
Yerb patanvuyn bats'in myrrayl p'osin durr, (o´h, p'osin durr).

Gisherakan munj ystverner shurj kayin,
Yerb hrats'ani kot'ov yzhogh p'orets'ink',
Lusin miayn doghdoj shoghayr mer glkhin,
Sug er pater yzdasht, bylur yev yerkink'.

Petk' ch'er dagagh, yev voch' chermak patank'ner,
Vorov gots'ver azatordi Zeyt'unts'in,
Na het martin kartses hognats ky hangch'er,
Ou verarkun karmir baver yur andzin.

Bayts' yerb glukhn i bardz drink' hoghashen,
Tesank' yzgegh chaktin u verk'yn paytsarr,
"O´v patanyak, ysink' amenk's mek bernen,
Vasn hayrenyats' merrar, du shat aprets'ar".

"Gna´, zruts'e´ haykazarmits' mets vogvuts',
Vor kan aystegh azat u k'aj derr hayer,
Voronk' i byur paterazmats' t'epet khots"
Mej ampropats' i zhayrr kangun en kets'er":

ԹԵՎԱՎՈՐ ԱՂՋԻԿ
T'EVAVOR AGHJIK

Խոսք՝ Սարմենի
Lyrics by Sarmen

Երաժշտ.՝ Մ. Մազմանյանի
Music by M. Mazmanyan

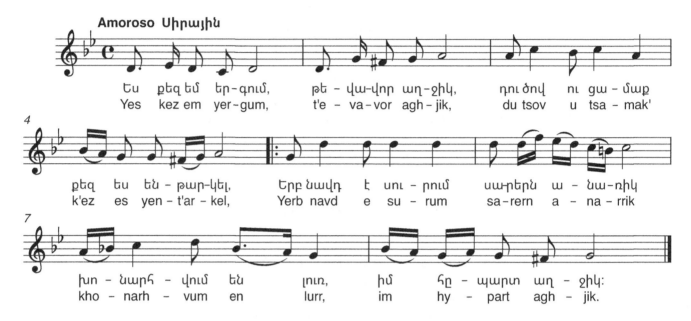

Ես քեզ եմ երգում, թևավոր աղջիկ,
Դու ծով ու ցամաք քեզ ես ենթարկել,
Երբ նավդ է սուրում, սարերն անառիկ
Խոնարհվում են լուռ, իմ հպարտ աղջիկ:

Նման չես դու այն անխոս գեղջկուհուն,
Շրթունքները ծածկած, լաչակը գլխին,
Կնոջ կապանքը տվել ես մահուն,
Խնդուն աչքով ես նայում աշխարհին:

Գնում ես ահա, մի մեծ ճանապարհ,
Մեր հայրենիքն է քեզ թևեր տվել,
Սուրա՛, իմ ընկեր, սուրա՛ քաջաբար,
Ամենից արագ ու ամենից վեր:

Yes k'ez em yergum, t'evavor aghjik,
Du tsov u ts'amak' k'ez es yent'arkel,
Yerb navd e surum, sarern anarrik
Khonarhvum en lurr, im hpart aghjik.

Nman ch'es du ayn ankhos geghjkuhun,
Shrt'unk'nery tsatskats, lach'aky glkhin,
Knoj kapank'y tvel es mahun,
Khndun ach'k'ov es nayum ashkharhin.

Gnum es aha, mi mets chanaparh,
Mer hayrenik'n e k'ez t'ever tvel,
Sura', im ynker, sura' k'ajabar,
Amenits' arag u amenits' ver.

ԻԲՐԵՎ ԱՐԾԻՎ
IBREV ARTSIV

Խոսք և երաժշտ.՝ Շերամի
Lyrics and music by Sheram

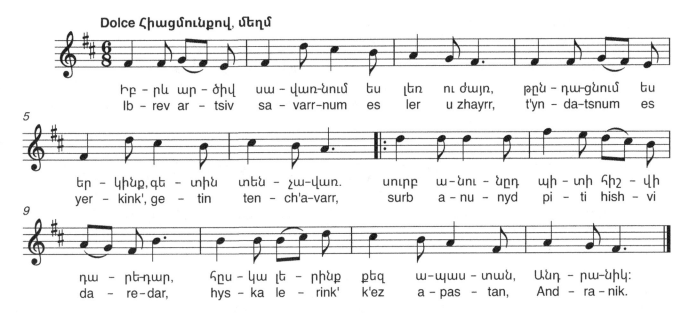

Dolce Հիացմունքով, մեղմ
Իբ - րև ար - ծիվ սա - վառ-նում ես լեռ ու ժայռ, թըն - դա-ցնում ես
Ib - rev ar - tsiv sa - varr-num es ler u zhayrr, t'yn - da-tsnum es
եր - կինք, գե - տին տեն - չա-վառ. սուրբ ա - նու - նըդ պի - տի հիշ - վի
yer - kink', ge - tin ten - ch'a-varr, surb a - nu - nyd pi - ti hish - vi
դա - րե-դար, հըս - կա լե - րինք քեզ ա-պաս - տան, Անդ - րա-նիկ:
da - re-dar, hys - ka le - rink' k'ez a - pas - tan, And - ra - nik.

Իբրև արծիվ սավառնում ես լեռ ու ժայռ,
Թնդացնում ես երկինք, գետինք տենչավառ,
Սուրբ անունդ պետք է հիշվի դարեդար,
Հսկա լերինք քեզ ապաստան, Անդրանիկ:

Թշնամիներ երբ լսեն քո անունը՝
Օձերի պես պիտ սողան իրենց բույնը,
Երակներիդ ազնիվ քաջի արյունը
Չցամաքի մինչ հավիտյան, Անդրանի՛կ:

Հայոց կուսանք դափնեպսակ թող հյուսեն,
Քնքուշ ձեռքով քո ճակատը պսակեն,
Գոհարներով անվախ կուրծքըդ զարդարեն,
Կեցցես հավետ դու, անսասան Անդրանի՛կ:

Հայաստանի սոխակները քեզ համար
Թող դայլայլեն գիշեր - ցերեկ անդադար,
Անհաղթ մընաս դու, քաջության սիրահար,
Հայրենիքին անմահ հերոս, Անդրանի՛կ:

Ibrev artsiv savarrnum yes lerr u zhayrr,
T'ndats'num es yerkink', getink' tench'avarr,
Surb anund petk' e hishvi daredar,
Hska lerink' k'ez apastan, Andrani'k.

T'shnaminer yerb lsen k'o anuny'
Odzeri pes pit soghan irents' buyny,
Yeraknerid azniv k'aji aryuny
Ch'ts'amak'i minch' havityan, Andrani'k.

Hayots' kusank' dap'nepsak t'ogh hyusen,
K'nk'ush dzerrk'ov k'o chakaty psaken,
Goharnerov anvakh kurtsk'yd zardaren,
Kets'ts'es havet du, ansasan Andrani'k.

Hayastani sokhaknery k'ez hamar
T'ogh daylaylen gisher - ts'erek andadar,
Anhaght' mynas du, k'ajut'yan sirahar,
Hayrenik'in anmah heros, Andrani'k.

ԻՆՁ ՊԱՆԴՈՒԽՏԻ
INDZ PANDUKHTI

Խոսք՝ Ս.Ֆելեկյանի
Lyrics by S. Felekyan

Երաժշտ.՝ Ն. Թալչյանի
Music by N. Talchyan

Թե թև ու - նե - ի, ո՛հ, կը-թըռ - չե - ի Ա - զատ Մաս - սյաց
T'e t'ev u - ne - yi, oh, ky-t'yrr - ch'e - yi A - zat Mas - yats
սա-րերն ի վեր ես ուժ - գին, ես ուժ - գին: Ան - կե ձեզ, հա - յեր,
sa-rern i ver yes uzh - gin, yes uzh - gin. An - ke dzez, ha - yer,
կար-դա-յի հրա - վեր, ան - կե ձեզ, հա - յեր, կար-դա-յի հրա - վեր, ե -
kar - da-yi hra - ver, an - ke dzez, ha - yer, kar - da-yi hra - ver, ye -
կեք, հա-յեր, ըլ - լանք մեկ սիրտ, մեկ մար - մին, սի - րենք ըն-կեր,
kek', ha-yer, yl - lank' mek sirt, mek mar - min, si - renk' yn - ker,
զըն - կեր՝ սի - րենք կա - թո - գին: -ե-// սի - րենք կա - թո - գին:

zyn-ker՝ si-renk' ka-t'o-gin. e// si-renk' ka-t'o-gin.

Թե թև ունեի,
Ո՛հ կթռչեի
Ազատ Մասսյաց սարերն ի վեր ես ուժգին,
Անկե ձեզ, հայեր,
Կարդայի հրավեր.
Եկե՛ք, հայեր, ըլլանք մեկ սիրտ, մեկ մարմին,
Սիրենք ընկեր, զընկեր՝ սիրենք կաթոգին:

Թե դեռ հիմ արյուն
Չեր խառնվեր թույն,
Դեռ երակացս մեջ աշխույժ խաղային,
Ո՛հ, քանի հպարտ
Կանչեի ազատ՝
Եկե՛ք, հայեր, ըլլանք մեկ սիրտ, մեկ մարմին,
Սիրենք ընկեր, զընկեր՝ սիրենք կաթոգին:

Թե կյանք ունեի,
Ո՛հ, կլարեի
Լար քնարի բախտին հայոց անկենդան,
Որ նա ձեզ խոսեր,
Ձեզ, պանդուխտ հայհեր՝
Եկե՛ք, հայեր, ըլլանք մեկ սիրտ, մեկ մարմին,
Սիրենք ընկեր, զընկեր՝ սիրենք կաթոգին:

Թե սեր ըլլայի,
Կամ անմաշ հոգի,
Կկապեի հայոց սրտերն անմեկին.
Այն ժամ և նորա
Մի որդիք Հայկյա,
Կըլլան ի մի, անշուշտ մեկ սիրտ, մեկ մարմին,
Սիրենք ընկեր, զընկեր՝ սիրենք կաթոգին:

T'e t'ev unei,
O'h kt'rrch'eyi
Azat Massyats' sarern i ver yes uzhgin,
Anke dzez, hayer,
Kardayi hraver,
Yeke'k', hayer, yllank' mek sirt, mek marmin,
Sirenk' ynker, zynker՝ sirenk' kat'ogin.

T'e derr him aryun
Ch'er kharrnver t'uyn,
Derr yerakats's mej ashkhuyzh khaghayin,
O'h, k'ani hpart
Kanch'eyi azat՝
Yeke'k', hayer, yllank' mek sirt, mek marmin,
Sirenk' ynker, zynker՝ sirenk' kat'ogin.

T'e kyank' uneyi,
O'h, klareyi
Lar k'nari bakhtin hayots' ankendan,
Vor na dzez khoser,
Dzez, pandukht hayher՝
Yeke'k', hayer, yllank' mek sirt, mek marmin,
Sirenk' ynker, zynker՝ sirenk' kat'ogin.

T'e ser yllayi,
Kam anmash hogi,
Kkapeyi hayots' srtern anmekin,
Ayn zham yev nora
Mi vordik' Haykya,
Kyllan i mi, anshusht mek sirt, mek marmin,
Sirenk' ynker, zynker՝ sirenk' kat'ogin.

ԻՄ ԱՆՈՒՇ ՏԱՎԻՂ
IM ANUSH TAVIGH

Խոսք՝ Վ Հարությունյանի
Lyrics by V. Harutyunyan

Երաժշտ.՝ Խ. Ավետիսյանի
Music by Kh. Avetisyan

սըր - տիս տեն-չանքն ու կա - րո - տը պատ - միր աշ-խար - հին:
ո՞ւր է, չի գա - լիս կան-չին իմ, իմ ա - նուշ տա - վիղ:
syr - tis ten-ch'ank'n u ka - ro - ty pat - mir ash-khar - hin.
Իմ ա - նուշ տա - վիղ, իմ տա - վիղ:
Im a - nush ta - vigh, im ta - vigh.

Գիշեր ու զոր դու հնչում ես,
Իմ անուշ տավիղ,
Ասես աղբյուր կարկաչում ես,
Իմ անուշ տավիղ,
Մերթ լալիս ես, մերթ ծիծաղում
Դու անխոս,անբառ,
Սրտիս ձայնով ղողանջում ես,
Իմ անուշ տավիղ:

Ով որ լսում է նվագդ՝
Սեր է երազում,
Նորից գալիս է մեր բակը,
Սիրտը ինձ պարզում,
Բայց ուրիշ է իմ փափագը,
Տենչն իմ սիրասուն,
Շեկ տղին եմ անրջում ես,
Իմ անուշ տավիղ:

Նա սիրո երգը լսեց...
...ու անսեր մնաց...
Սիրտ ուներ, բայց չհուզվեց:
Եվ անցավ գնաց...

Հնչիր, տավիղ, թող այս գիշեր երգդ վարարի,
Սրտիս տենչանքն ու կարոտը պատմիր աշխարհին:

Ուրախ հնչի թող քո լարը
Մարդկանց սրտերում,
Թող որ յարին գտնի յարը,
Եվ լինի գարուն:
Իմ սրտի բաժին աշխարհը
Այս լայն աշխարհում
Ո՞ւր է, չի գալիս կանչին իմ,
Իմ անուշ տավիղ, իմ անուշ տավիղ:

Gisher u zor du hnch'um es,
Im anush tavigh,
Ases aghbyur karkach'um es,
Im anush tavigh,
Mert' lalis es, mert' tsitsaghum
Du ankhos,anbarr,
Srtis dzaynov ghoghanjum es,
Im anush tavigh.

Ov vor lsum e nvagd'
Ser e yerazum,
Norits' galis e mer baky,
Sirty indz parzum,
Bayts' urish e im p'ap'agy,
Tench'n im sirasun,
Shek tghin em anrjum yes,
Im anush tavigh:

Na siro yergy lsets'...
...u anser mnats'...
Sirt uner, bayts' ch'huzvets'.
Yev ants'av gnats'...

Hnch'ir, tavigh, t'ogh ays gisher yergd varari,
Srtis tench'ank'n u karoty patmir ashkharhin.

Urakh hnch'i t'ogh k'o lary
Mardkants' srterum,
T'ogh vor yarin gtni yary,
Yev lini garun.
Im srti bazhin ashkharhy
Ays layn ashkharhum
O˘ur e, ch'i galis kanch'in im,
Im anush tavigh, im anush tavigh.

ԻՄ ԵՂԵԳ
IM YEGHEG

Խոսք՝ Լ. Դուրյանի
Lyrics by L. Duryan

Երաժշտ.՝ Խ. Ավետիսյանի
Music by Kh. Avetisyan

Դու ծաղկած իմ սեր, Շրշում ես նազով, Կարոտն իմ սիրտն է լցրել Գարնան երազով:	Du tsaghkats im ser, Shrshum es nazov, Karotn im sirtn e lts'rel Garnan yerazov.
Դու իմ եղեգ, դալար եղեգ, Ինչքան խոնարհ ես, Դու հովերի քույրն ես եղել՝ Յարիս նման ես:	Du im yegheg, dalar yegheg, Inch'k'an khonarh es, Du hoveri k'uyrn es yeghel՝ Yaris nman es.
Վրադ՝ վառ շող ունես դու, Ուրախ աչքի ցող ունես դու, Կարոտ սրտի դող ունես դու, Յարիս նման ես:	Vrad՝ varr shogh unes du, Urakh ach'k'i ts'ogh unes du, Karot srti dogh unes du, Yaris nman es.
Դու կանաչ հավք ես, Թևերդ բաց են, Կարոտ ես դու քո յարին, Աչքերդ թաց են:	Du kanach' havk' es, T'everd bats' en, Karot es du k'o yarin, Ach'k'erd t'ats' en.
Դու իմ եղեգ, դալար եղեգ, Ինչքան խոնարհ ես, Դու հովերի քույրն ես եղել՝ Յարիս նման ես:	Du im yegheg, dalar yegheg, Inch'k'an khonarh es, Du hoveri k'uyrn es yeghel՝ Yaris nman es.
Քեզ տեսնում՝ հիշում նրան, Քեզ տեսնում եմ, կանչում նրան, Ով է սիրով տանջում նրան, Ինչո՞ւ չի գալիս:	K'ez tesnum՝ hishum nran, K'ez tesnum em, kanch'um nran, Ov e sirov tanjum nran, Inch'o՞u ch'i galis.

ԻՄ ԵՐԳԸ
IM YERGY

Խոսք և երաժշտ.՝ Գր. Հախինյանի
Lyrics and music by Gr. Hakhinyan

Շատ եմ սիրել ու տառապել,
Շատ եմ տանջվել ու արտասվել,
Կարոտել եմ ու այրվել եմ,
Շատ եմ սիրո մասին երգել:

ԿՐԿՆԵՐԳ
Բայց հիմա ես ունեմ մի հևք,
Սիրուց այրված ունեմ մի վերք,
Մի սեր, մի կյանք, մի տառապանք,
Միայն, միայն ունեմ մի երգ:

Շատ են ինձ էլ երգեր ձոնել,
Շատ են ինձ էլ ջերմ համբուրել,
Կարոտել են ու այրվել են,
Շատ են ինձ համար էլ երգել:

Shat em sirel u tarrapel,
Shat em tanjvel u artasvel,
Karotel em u ayrvel em,
Shat em siro masin yergel.

CHORUS
Bayts' hima yes unem mi hevk',
Siruts' ayrvats unem mi verk',
Mi ser, mi kyank', mi tarrapank',
Miayn, miayn unem mi yerg.

Shat en indz el yerger dzonel,
Shat en indz el jerm hamburel,
Karotel en u ayrvel en,
Shat en indz hamar el yergel.

ԻՄ ԵՐԵՎԱՆ
IM YEREVAN

Խոսք՝ Ս. Կապուտիկյանի
Lyrics by S. Kaputikyan

Երաժշտ.՝ Վ. Կոտոյանի
Music by V. Kotoyan

Ես քո գրկում՝ կարոտ եմ քեզ, իմ մա՛յր քաղաք,
Ջուրդ խմում՝ ծարավ եմ ես, իմ վա՛ռ կրակ,
Աղբյուրիդ պաղ-պաղ ջրով, արևիդ անմա՛ր հրով,
Ինձ ես կանչում, իմ կյանք, Երևան:

Ես քո մեջ եմ հասակ առել, կյանք եմ հյուսել,
Քո լույսերի տակ եմ փնտրել, երազ ու սեր,
Մայրիկիս կարոտ ձեռքով, սիրածիս այրող երգով,
Ինձ ես կանչում, իմ կյանք, Երևա՛ն:

Ուր էլ գնամ՝ քեզնով եմ լի, քեզնով եմ տաք,
Քարին բացված քարե ծաղիկ, իմ նոր քաղաք,
Քո անուշ հայոց խոսքով, քո Մասիս սարի տեսքով,
Ինձ ես կանչում, իմ կյանք, Երևա՛ն:

Yes k'o grkum' karot em k'ez, im ma'yr k'aghak',
Jurd khmum' tsarav em yes, im va'rr krak,
Aghbyurid pagh-pagh jrov, arevid anma'r hrov,
Indz es kanch'um, im kyank', Yerevan.

Yes k'o mej em hasak arrel, kyank' em hyusel,
K'o luyseri tak em p'ntrel, yeraz u ser,
Mayrikis karot dzerrk'ov, siratsis ayrogh yergov,
Indz es kanch'um, im kyank', Yereva'n.

Ur el gnam' k'eznov em li, k'eznov em tak',
K'arin bats'vats k'are tsaghik, im nor k'aghak'.
K'o anush hayots' khosk'ov, k'o Masis sari tesk'ov,
Indz es kanch'um, im kyank', Yereva'n.

ԻՄ ԵՐԱԶ
IM YERAZ

Խոսք՝ Ա. Մարաշյանի
Lyrics by A. Marashyan

Երաժշտ.՝ Ա. Լուսինյանի
Music by A. Lusinyan

Molto Moderato Շատ չափավոր
Դու գա - րուն ես, կյան-քի հուր ես նու - կե - շող,
Du ga - run es, kyan-k'i hur es vos - ke - shogh,
քո հը - րով եմ, քո սի - րով եմ ես այր - վում,
k'o hy - rov em, k'o si - rov em yes ayr - vum,
բայց դու ան - գութ սըր-տիդ ան-հաս եր - կըն - քից
bayts du an - gut' syr - tid an - has yer - kyn - k'its
կա-խար - դում ես, կա-խար - դում ես ու փախ - չում:
ka - khar - dum es, ka - khar - dum es u p'akh - ch'um.
Սիր-տըդ լըց-րել մե - նա - վո - րի եր - գով սին,
Sir - tyd lyts - rel me - na - vo - ri yer - gov sin,
չես հա - վա - տում, որ իմ սերն ես, իմ հո - գին,
ch'es ha - va - tum vor im sern es, im ho - gin,
գի - տեմ, ան - գին, դու էլ ինձ ես ե - րա - զում,
gi - tem, an - gin, du el indz es ye - ra - zum,
բայց վա - խե - նում, վա - խե - նում ես ու փախ - չում:
bayts va - khe - num, va - khe - num es u p'akh - ch'um.

Դու գարուն ես,
Կյանքի հուր ես ոսկեշող,
Քո հրով եմ,
Քո սիրով եմ ես այրվում,
Բայց դու անգութ, սրտիդ անհաս երկնքից,
Կախարդում ես,
Կախարդում ես ու փախչում:

ԿՐԿՆԵՐԳ
Սիրտդ լցրել
Մենավորի երգով սին,
Չես հավատում,
Որ իմ սերն ես, իմ հոգին.
Գիտեմ, անգին,
Դու էլ ինձ ես երազում,
Բայց վախենում,
Վախենում ես ու փախչում:

Տես, իմ սիրտը
Կարոտով է քեզ ժպտում,
Չէ՞ որ կյանքս
Քո լույսով է ինձ գտնում.
Մի՞թե իրոք անուշ երազ ես անքուն,
Կախարդում ես,
Կախարդում ես ու փախչում:

Du garun es,
Kyank'i hur es voskeshogh,
K'o hrov em,
K'o sirov em yes ayrvum,
Bayts' du angut', srtid anhas yerknk'its',
Kakhardum es,
Kakhardum es u p'akhch'um.

CHORUS
Sirtd lts'rel
Menavori yergov sin,
Ch'es havatum,
Vor im sern es, im hogin.
Gitem, angin,
Du el indz es yerazum,
Bayts' vakhenum,
Vakhenum es u p'akhch'um.

Tes, im sirty
Karotov e k'ez zhptum,
Ch'e՞ vor kyank's
K'o luysov e indz gtnum.
Mi՞t'e irok' anush yeraz es ank'un,
Kakhardum es,
Kakhardum es u p'akhch'um.

ԻՄ ԼԱՎ, ԻՄ ԼԱՎ
IM LAV, IM LAV

Խոսք՝ Գ. Սարյանի
Lyrics by G. Saryan

Երաժշտ.՝ Խ. Ավետիսյանի
Music by Kh. Avetisyan

Leggiero Թեթև, սրտանց
1.Շըր - ջում եմ ես տըր-տում, քո պատ-կերն իմ սըր-տում,
2.Ծաղ - կուն-քը դաշ - տե-րում քո բույ - րըն են բե-րում,
1.Shyr - jum em yes tyr - tum, k'o pat - kern im syr - tum,
2.Tsagh - kun-k'y dash - te - rum k'o buy - ryn en be - rum,
քո խոս-քերն իմ մըտ-քում, իմ լա՛վ, իմ լա՛վ:
քո համ-բույրն են բե-րում, իմ լա՛վ, իմ լա՛վ:
k'o khos-k'ern im myt-k'um, im lav, im lav.
k'o ham-buyrn en be - rum, im lav, im lav.
Տես, գա-րուն է կըր-կին, ծաղ - կեց դաշտն ու այ-գին,
Հո - վե - րը պար - տե-զում ծաղ - կանց հետ փըս - փը-սում,
Tes, ga-run e kyr - kin tsagh - kets dashtn u ay - gin,
Ho - ve - ry par - te - zum tsagh - kants het p'ys - p'y-sum,
այն - տեղ է քո հո-գին, իմ լա՛վ, իմ լա՛վ: Ա՛խ ո՞ւր ես,
քո մա-սին են խո-սում իմ լա՛վ, իմ լա՛վ: Akh ur es,
ayn - tegh e k'o ho - gin, im lav, im lav.
k'o ma - sin en kho-sum im lav, im lav.
ար - դյոք, ո՞ւր, դար - ձել եմ ես տըխուր, ա՛խ, իմ լա՛վ, իմ լա՛վ:
ar - dyok', ur, dar - dzel em yes ty - khur, akh, im lav, im lav.
Շըր - ջում եմ ես տըր-տում, քո պատ-կերն իմ սըր-տում,
Shyr - jum em yes tyr - tum, k'o pat - kern im syr - tum,

քո_____ խոս – քերն իմ   մըտ – քում,
k'o_____ khos – k'ern im   myt – k'um,

իմ____ լա՛վ, իմ   լա՛վ: Քո____ խոս-քերն իմ   մըտ-քում   իմ____ լա՛վ, իմ
im____ lav, im   lav.   K'o____ khos-k'ern im   myt-k'um   im____ lav, im

լա՛վ: իմ____ լա՛վ, իմ   լա՛վ,   իմ լա՛վ, իմ____   լա՛վ:_____
lav.   im____ lav, im   lav,   im lav,   im____   lav._____

Շրջում եմ ես տրտում
Քո պատկերն իմ սրտում,
Քո խոսքերն իմ մտքում,
Իմ լա՛վ, իմ լա՛վ:

Տես, գարուն է կրկին,
Ծաղկեց դաշտն ու այգին.
Այնտեղ է քո հոգին,
Իմ լավ, իմ լավ:

Ա՛խ, ո՛ւր ես արդյոք, ո՛ւր,
Դարձել եմ ես տխուր.
Իմ լա՛վ, իմ լա՛վ:

Ծաղկունքը դաշտերում
Քո բույրերն են բերում,
Քո համբույրն են բուրում,
Իմ լա՛վ, իմ լա՛վ:

Հովերը պարտեզում
Ծաղկանց հետ փսփսում,
Քո մասին են խոսում,
Իմ լա՛վ, իմ լա՛վ:

Ա՛խ, ո՛ւր ես արդյոք, ո՛ւր,
Դարձել եմ ես տխուր,
Իմ լա՛վ, իմ լա՛վ:

Շրջում եմ ես տրտում,
Քո պատկերն իմ սրտում,
Քո խոսքերն իմ մտքում,
Իմ լա՛վ, իմ լա՛վ:

Shrjum em yes trtum
K'o patkern im srtum,
K'o khosk'ern im mtk'um, Im la´v, im la´v.

Tes, garun e krkin,
Tsaghkets' dashtn u aygin.
Ayntegh e k'o hogin,
Im lav, im lav.

A´kh, o´ur yes ardyok', o´ur,
Dardzel em yes tkhur.
Im la´v, im la´v.

Tsaghkunk'y dashterum
K'o buyrern en berum,
K'o hambuyrn en burum,
Im la´v, im la´v.

Hovery partezum
Tsaghkants' het p'sp'sum,
K'o masin en khosum,
Im la´v, im la´v.

A´kh, o´ur yes ardyok', o´ur,
Dardzel em yes tkhur,
Im la´v, im la´v.

Shrjum em yes trtum,
K'o patkern im srtum,
K'o khosk'ern im mtk'um,
Im la´v, im la´v.

ԻՄ ՍԻՐՏԸ
IM SIRTY

Խոսք՝ Վ. Տերյանի
Lyrics by V. Teryan

Երաժշտ.՝ Վ. Սրվանձտյանի
Music by V. Srvandztyan

Իմ սիրտը միշտ
Մի անանուն
Ցավ է տանջում,
Անանց մի վիշտ
Խորը, թաքուն
Եվ անհնչյուն:

Կա մի մորմոք,
Մի վիշտ անհուն,
Որ չի ննջում:
Կա անամոք
Մի տխրություն
Ամեն ինչում ...

Im sirty misht
Mi ananun
Ts'av e tanjum,
Anants' mi visht
Khory, t'ak'un
Yev anhnch'yun.

Ka mi mormok',
Mi visht anhun,
Vor ch'i nnjum.
Ka anamok'
Mi tkhrut'yun
Amen inch'um...

ԻՄ ՑԱՎԸ
IM TS'AVY

Խոսք՝ Պ. Դուրյանի
Lyrics by P. Duryan

Երաժշտ.՝ Ա. Տեր - Անդրեասյանի
Music by A. Ter-Andreasyan

Սուրբ տենչերով լոկ ծարաված՝
Ցամաք գըտնել աղբերքն համայն,
Ցամքիլ ծաղիկ հասակի մեջ.
Ո՜հ, չէ՛ անչափ ցավ ինձ համար:

Ջերմ համբույրով մը դեռ չայրած՝
Սա ցուրտ ճակատըս դալկահար՝
Հանգչեցունել հողե բարձին,
Ո՜հ, չէ՛ այնչափ ցավ ինձ համար:

Դեռ չը գըրկած էակ փունջ մը՝
Ժըպտե, գեղե, հուրե շաղյալ,
Գըրկել սա ցուրտ հողակույտը,
Ո՜հ, չէ՛ անչափ ցավ ինձ համար:

Հեք մարդկության մեկ ոստը գոս՝
Հայրենիք մը ունիմ թշվառ,
Չօգնած անոր մեռնի՜լ աննշան,
Ո՜հ, ա՛յս է սոսկ ցավ ինձ համար:

Surb tench'erov lok tsaravats'
Ts'amak' gytnel aghberk'n hamayn,
Ts'amk'il tsaghik hasaki mej.
O'h, ch'e' anch'ap' ts'av indz hamar.

Jerm hambuyrov my derr ch'ayrats'
Sa ts'urt chakatys dalkahar'
Hangch'ets'unel hoghe bardzin,
O'h, ch'e' aynch'ap' ts'av indz hamar.

Derr ch'y gyrkats eak p'unj my'
Zhypte, geghe, hure shaghyal,
Gyrkel sa ts'urt hoghakuyty,
O'h, ch'e' anch'ap' ts'av indz hamar.

Hek' mardkut'yan mek vosty gos'
Hayrenik' my unim t'shvarr,
Ch'ognats anor merrni'l annshan,
O'h, a'ys e sosk ts'av indz hamar.

ԻՆՁ ՀԱՄԱՐ ՉԷ
INDZ HAMAR CH'E

Թարգմ.՝ Ռ. Պատկանյանի
Translation by R. Patkanyan

Moderato Չափավոր
Ինձ համար չէ գար - նան գա-լը, ինձ համար չէ ծա - ռի ծաղ-կե - լը,
Indz ha-mar ch'e gar - nan ga - ly, indz ha-mar ch'e tsa - rri tsagh-ke - ly,
ու - րա - խու-թյան սըր-տի գըր - գի - ռը, ո՛չ մի բեր - կրանք չեն ինձ հա -
u - ra - khu-t'yan syr - ti gyr - gi - rry, voch' mi ber - krank' ch'en indz ha -
մար, ո՛չ մի բեր-կրանք չեն ինձ հա-մար:
mar, voch' mi ber - krank' ch'en indz ha - mar.

Ինձ համար չէ գարնան գալը,
Ինձ համար չէ ծառի ծաղկելը,
Ուրախության սրտի գրգիռը,
Ո՛չ մի բերկրանք չեն ինձ համար:

Ինձ համար չէ կենաց բաղդը,
Ինձ համար չէ երջանկությունը,
Եվ մրահոն կուսի աչերը,
Նոցա արցունք չեն ինձ համար:

Ինձ համար չէ փայլուն լուսնի
Անտառ ու դաշտ լուսավորելը,
Գարնան վարդի երգչի տաղերը,
Սոխակ ու վարդ չեն ինձ համար:

Ինձ համար չէ ծնողաց լացը,
Ինձ համար չէ աղջկա տխրիլը,
Գերեզմանիս վրա արտասվիլը՝
Բարեկամաց՝ չէ ինձ համար:

Indz hamar ch'e' garnan galy,
Indz hamar ch'e' tsarri tsaghkely,
Urakhut'yan srti grgirry,
Vo'ch' mi berkrank' ch'e'n indz hamar.

Indz hamar ch'e' kenats' baghdy,
Indz hamar ch'e' yerjankut'yuny,
Yev mrahon kusi ach'ery
Nots'a arts'unk' ch'e'n indz hamar.

Indz hamar ch'e p'aylun lusni
Antarr u dasht lusavorely,
Garnan vardi yergch'i taghery,
Sokhak u vard ch'e'n indz hamar.

Indz hamar ch'e' tsnoghats' lats'y,
Indz hamar ch'e' aghjka tkhrily,
Gerezmanis vra artasvily'
Barekamats'' ch'e' indz hamar.

ԻՆՁ ՄԻ՛ ԽՆԴՐԻՐ
INDZ MI KHNDRIR

Խոսք՝ Հովհ. Թումանյանի
Lyrics by H. Tumanyan

Երաժշտ.՝ Ա. Մայիլյանի
Music by A. Mayilyan

Ինձ մի խըն-դրիր, ես չեմ եր – գի իմ տըխ-րու-թյունն
Indz mi khyn – drir, yes ch'em yer – gi im tykh – ru – t'yunn

ա – հա – գին,_____ ա – ղե – կը – տուր նը-րա ձայ – նից
a – ha – gin,_____ a – ghe – ky – tur ny – ra dzay – nits

կը – խոր – տակ – վի քո հո – գին... Ոչ, քեզ հա–մար՝ այդ–պի–սի
ky – khor – tak – vi k'o ho – gin... Voch, k'ez ha–mar ayd–pi – si

երգ_____ եր – գե – լու չեմ ես եր – բեք:
yerg_____ yer – ge – lu ch'em yes yer – b'ek'.

Ինձ մի՛ խնդրիր, ես չեմ երգի
Իմ տխրությունն ահագին,
Աղեկտուր նրա ձայնից,
Կխորտակվի քո հոգին...
Ո՛չ, քեզ համար այսպիսի երգ
Երգելու չեմ ես երբեք:

Ես երգեցի սարի վրա,
Ու չորացան խոտ ու վարդ,
Անապատ է այնտեղ հիմա,
Սև, ամայի անապատ...
Հառաչանքից այրված սարում
Էլ ծաղիկ չի դալարում:

Բույր ու զեփյուռ ես կուզեի
Եվ արշալույս ոսկեվառ,
Որ մի պայծառ երգ հյուսեի,
Ու երգեի քեզ համար...
Բայց իմ սիրտը բռնած են դեռ
Հուր հառաչանք, սև գիշեր:

Indz mi' khyndrir, yes ch'em yergi
Im tkhrut'yunn ahagin,
Aghekytur nyra dzaynits',
Kykhortakvi k'o hogin...
Vo'ch', k'ez hamar ayspisi yerg
Yergelu ch'em yes yerbek'.

Yes yergets'i sari vyra,
Ou ch'orats'an khot u vard,
Anapat e ayntegh hima,
Sev', amayi anapat...
Harrach'ank'its' ayrvats sarum
El tsaghik ch'i dalarum.

Buyr u zep'yurr yes kuzeyi
Yev arshaluys voskevarr,
Vor mi paytsarr yerg hyuseyi,
Ou yergeyi k'ez hamar...
Bayts' im sirty byrrnats en derr
Hur harrach'ank', sev gisher.

ԻՆՁ ՄԻ ՍԻՐԻՐ
INDZ MI SIRIR

Խոսք՝ Ս. Շահազիզի
Lyrics by S. Shahaziz

Andante Հանդարտ
Ինձ մի սի - րիր, ինձ մի սի - րիր, ես շատ
Indz mi si - rir, indz mi si - rir, yes shat
և շատ փոխ-վել եմ, ա՛ռ թաշ - կի - նակդ, ա - չերդ սըր -
yev shat p'okh-vel em, arr, t'ash - ki - nakd, a - ch'erd syr -
բի՛ր, ես քեզ սի - րել կա - րող չեմ: կա-րող չեմ:
bir, yes k'ez si - rel ka - rogh ch'em. ka-rogh ch'em.

Ինձ մի՛ սիրիր, ինձ մի՛ սիրիր,
Ես շատ և շատ փոխվել եմ,
Ա՛ռ թաշկինակդ, աչերդ սրբի՛ր,
Ես քեզ սիրել կարող չեմ:

Գնացին անդարձ անհոգ օրեր,
Գնաց և վառ մանկություն,
Կուրծքըս ճնշվեց, և մեռավ սեր...
Եվ նա չունի այլ գարուն:

Դու մի՛ ողբար, իմ սիրելի,
Ինձ նոր դու սեր տալու չես,
Կա՛պ է հոգիս կնիքով մահի,
Թեկուզ ողջ քեզ ինձ զոհես:

Խավար եմ ես, որպես գիշեր,
Իմ չորս կողմին փոթորիկ,
Չունի՛մ քեզ սեր, չունի՛մ քեզ սեր,
Ես սիրում եմ հայրենիք:

Indz mi' sirir, indz mi' sirir,
Yes shat yev shat p'vokhvel em,
A'rr t'ashkinakd, ach'erd srbi'r,
Yes k'ez sirel karogh ch'em.

Gnats'in andardz anhog orer,
Gnats' yev varr mankut'yun,
Kurtsk'ys chnshvets', yev merrav ser...
Yev na ch'uni ayl garun.

Du mi' voghbar, im sireli,
Indz nor du ser talu ch'es,
Ka'p e hogis knik'ov mahi,
T'ekuz voghj k'ez indz zohes.

Khavar em yes, vorpes gisher,
Im ch'ors koghmin p'ot'orik,
Ch'uni'm k'ez ser, ch'uni'm k'ez ser,
Yes siru'm em hayrenik'.

Ի ՆԸՆՋՄԱՆԵԴ ԱՐՔԱՅԱԿԱՆ
I NNJMANED ARK'AYAKAN

Պաղտասար Դպիր
Paghtasar Dpir

Ի նընջմանեդ արքայական
Զարթի՛ր, նազելի իմ, զարթի՛ր,
Էհաս նըշույլն արեգական,
Զարթի՛ր, նազելի իմ, զարթի՚ր։

Պատկեր սիրուն, տիպ բոլորակ,
Լըրացելո լուսնույն քատակ,
Ո՛չ գըտանի քեզ օրինակ.
Զարթի՛ր, նազելի իմ, զարթի՛ր։

Այդ քո տեսիլդ զոր դու ունիս,
Արար ծառա քեզ ըզգերիս,
Արևակեզ գուցե լինիս,
Զարթի՛ր, նազելի իմ, զարթի՛ր։

Տապ և խորշակ ժամանեցին,
Զթերթիկ գեղույդ այրել կամին,
Քանզի է անց գիշերն մըթին,
Զարթի՛ր, նազելի իմ, զարթի՛ր։

I nynjmaned ark'ayakan
Zart'i'r, nazeli im, zart'i'r,
Ehas nyshuyln aregakan,
Zart'i'r, nazeli im, zart'i'r.

Patker sirun, tip bolorak,
Lyrats'elo lusnuyn k'atak,
Vo'ch' gytani k'ez orinak,
Zart'i'r, nazeli im, zart'i'r.

Ayd k'o tesild zor du unis,
Arar tsarra k'ez yzgeris,
Arevakez guts'e linis,
Zart'i'r, nazeli im, zart'i'r.

Tap yev khorshak zhamanets'in,
Zt'ert'ik geghuyd ayrel kamin,
K'anzi e ants' gishern myt'in,
Zart'i'r, nazeli im, zart'i'r.

ԻՆՉ ԻՄԱՆԱՅԻ
INCH' IMANAYI

Խոսք՝ Ռոզա Մելիքյանի
Lyrics by Roza Melikyan

Երաժշտ.՝ Ա. Մեջինյանի
Music by A. Mejinyan

Այն օրվանից, որ գնացիր, իմ պարտեզն է ամայի,
Պատճառն էլ ինձ չասացիր, որ իմանայի,
Չէ որ ես միշտ բերում էի քեզ ծաղիկներ,
Անկեղծ սրտով ասում էի սիրո խոսքեր,
Եվ կարոտով շոյում էի քո նուրբ ու գանգուր վարսեր,
Ինչ որ լիներ՝ պատմում էի, ինչ իմանայի...

Այն օրվանից, որ գնացիր, կյանքս շատ է դառնացել,
Իմ ծաղիկներն էլ ինձ հետ տխրել են, լացել
Սիրելիս, թե ետ դառնայիր, քեզ կասեի,
Սիրուս պես նուրբ ու ջերմ խոսքեր, իմ սեր, իմ սեր,
Արշալույսին կբերեի քեզ անթառամ ծաղիկներ,
Սրտիդ խորքում կթողնեի խոր անջինջ հետքեր:

Թե իմանայի... Ի՛նչ իմանայի...

Ayn orvanits', vor gnats'ir, im partezn e amayi,
Patcharrn el indz ch'asats'ir, vor imanayi,
Ch'e vor yes misht berum ei k'ez tsaghikner,
Ankeghts srtov asum ei siro khosk'er,
Yev karotov shoyum ei k'o nurb u gangur varser,
Inch' vor liner՝ patmum ei, inch' imanayi...

Ayn orvanits', vor gnats'ir, kyank's shat e darrnats'el,
Im tsaghiknern el indz het tkhrel en, lats'el
Sirelis, t'e yet darrnayir, k'ez kaseyi,
Sirus pes nurb u jerm khosk'er, im ser, im ser,
Arshaluysin kbereyi k'ez ant'arram tsaghikner,
Srtid khork'um kt'oghneyi khor anjinj hetk'er.

T'e imanayi ... I´nch' imanayi ...

ԻՆՉՈՒ ԻՐԱՐ ՉՀԱՍԿԱՑԱՆՔ
INCH'U IRAR CH'HASKATS'ANK'

Խոսք՝ Ա. Սահակյան
Lyrics by A. Sahakyan

Երաժշտ.՝ Ալ. Հեքիմյան
Music by Al. Hekimyan

147

Ամեն ինչ էլ լավ էր այնպես,
Հասկանալի և անփորձանք,
Ի՞նչ պատահեց մեզ իսկապես,
Ինչո՞ւ իրար չհասկացանք:

Հասկանում ենք այս աշխարհի
Չարն ու բարին ամեն տեսակ,
Հասկանում ենք ուրիշներին,
Բայց մենք իրար չհասկացանք:

Եթե խոսենք պարզ ու անկեղծ,
Երկուսով էլ չունենք հանցանք:
Գուցե սիրո պակասն է հենց,
Որ մենք իրար չհասկացանք:

Նույնիսկ տարբեր ազգի մարդիկ
Հասկանում են իրար շատ լավ,
Բայց մեր լեզուն թեև նույնն է
Ինչո՞ւ իրար չհասկացանք:

Երջանկության համար արդեն
Կարծում էինք ամեն ինչ կար,
Արի գոնե հասկանանք, թե
Ինչո՞ւ իրար չհասկացանք:

Amen inch' el lav er aynpes,
Haskanali yev anp'ordzank',
I˜nch' patahets' mez iskapes,
Inch'u˜ irar ch'haskats'ank'.

Haskanum enk' ays ashkharhi
Ch'arn u barin amen tesak,
Haskanum enk' urishnerin,
Bayts' menk' irar ch'haskats'ank'.

Yet'e khosenk' parz u ankeghts,
Yerkusov el ch'unenk' hants'ank'.
Guts'e siro pakasn e hents',
Vor menk' irar ch'haskats'ank'.

Nuynisk tarber azgi mardik
Haskanum en irar shat lav,
Bayts' mer lezun t'eyev nuynn e
Inch'u˜ irar ch'haskats'ank'.

Yerjankut'yan hamar arden
Kartsum eink' amen inch' kar,
Ari gone haskanank', t'e
Inch'u˜ irar ch'haskats'ank'.

ԻՄ ԳԱՆՁԱՍԱՐ
IM GANDZASAR

Խոսք և երաժշտ.՝ Գ. Գաբրիելյանի
Lyrics and music by G. Gabrielyan

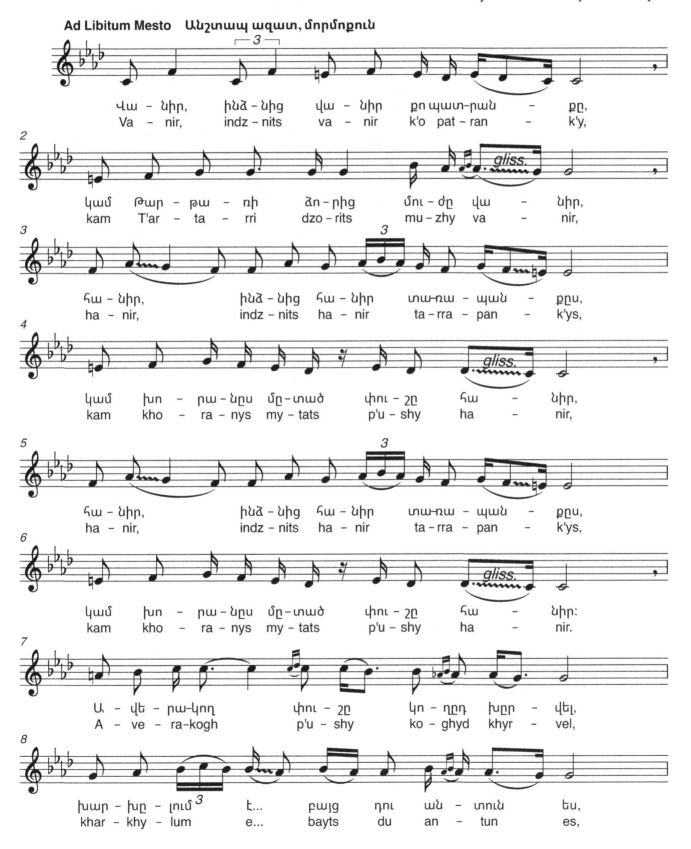

Ad Libitum Mesto Անշտապ ազատ, մորմոքուն
Վա - նիր, ինձ - նից վա - նիր քո պատ-րան - քը,
Va - nir, indz - nits va - nir k'o pat - ran - k'y,
կամ Թար - թա - ռի ձո - րից մու - ժը վա - նիր,
kam T'ar - ta - rri dzo - rits mu - zhy va - nir,
հա - նիր, ինձ - նից հա - նիր տա-ռա - պան - քըս,
ha - nir, indz - nits ha - nir ta - rra - pan - k'ys,
կամ խո - րա - նըս մը - տած փու - շը հա - նիր,
kam kho - ra - nys my - tats p'u - shy ha - nir,
հա - նիր, ինձ - նից հա - նիր տա-ռա - պան - քըս,
ha - nir, indz - nits ha - nir ta - rra - pan - k'ys,
կամ խո - րա - նըս մը - տած փու - շը հա - նիր:
kam kho - ra - nys my - tats p'u - shy ha - nir.
Ա - վե - րա-կող փու - շը կո - ղըդ խըր - վել,
A - ve - ra-kogh p'u - shy ko - ghyd khyr - vel,
խար - խը - լում է... բայց դու ան - տուն ես,
khar - khy - lum e... bayts du an - tun es,

Վանիր ինձնից, վանիր քո պատրանքը,
Կամ Թարթառի ձորից մուժը վանիր,
Հանիր ինձնից, հանիր տառապանքս,
Կամ խորանս մտած փուշը հանիր:

ԿՐԿՆԵՐԳ
Ավերակող փուշը կողդ խրվել,
Խարխլում է ... բայց դու անծպտուն ես,
Օ՛, երկնային, ասա', ինչպե՛ս վարվել,
Ավաղ, ճեղք է տալիս սրբատունս:

Արի՝ սիրով ծածկեմ ճեղքդ վերքոտ,
Եվ թող արմատը հանեմ փուշ – կանաչի,
Թող որ թնդա նորից գմբեթը քո,
Զանգակատան զանգը թող ղողանջի:

Դու լոկ վանք չես եղել բարի հույսի,
Դու մեր Քիրս – Մռովին հավասար ես ...
Դարեր աչքդ հառած լույս Հյուսիսին՝
Հույսի լույս ես հայցել՝ Գանձասարս:

Vanir indznits', vanir k'o patrank'y,
Kam T'art'arri dzorits' muzhy vanir,
Hanir indznits', hanir tarrapank's,
Kam khorans mtats p'ushy hanir.

CHORUS
Averakogh p'ushy koghd khrvel,
Kharkhlum e ... bayts' du antsptun yes,
O', yerknayin, asa', inch'pe's varvel,
Avagh, cheghk' e talis srbatuns.

Ari' sirov tsatskem cheghk'd verk'vot,
Yev t'ogh armaty hanem p'ush – kanach'i,
T'ogh vor t'nda norits' gmbet'y k'o,
Zangakatan zangy t'ogh ghoghanji.

Du lok vank' ch'es yeghel bari huysi,
Du mer K'irs – Mrrovin havasar es...
Darer ach'k'd harrats luys Hyusisin'
Huysi luys yes hayts'el' Gandzasars.

ԻՐԻԿՆԱՅԻՆ ԵՐԵՎԱՆ
IRIKNAYIN YEREVAN

Խոսք՝ Վ. Հարությունյանի
Lyrics by V. Harutyunyan

Երաժշտ.՝ Ա. Աճեմյանի
Music by A. Achemyan

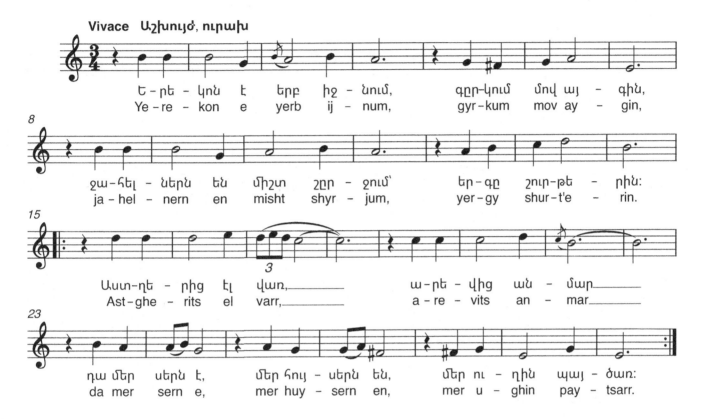

Երեկոն է երբ իջնում,
Գրկում մով այգին.
Ջահելներն են միշտ շրջում
Երգը շուրթերին:

ԿՐԿՆԵՐԳ
Աստղերից էլ վառ,
Արևից անմար,
Դա մեր սերն է,
Մեր հույզերն են,
Մեր ուղին պայծառ:

Ուռիներն են կապտաշոր
Երգը լուռ լսում,
Բարդիներն են մեղմօրոր
Երգի հետ նազում:

Ու թռչում է երգը մեր,
Մտնում բակ ու տուն,
Ծածանում սիրո լույսեր
Ամեն մի սրտում:

Yerekon e yerb ijnum,
Grkum mov aygin,
Jahelnern yen misht shrjum
Yergy shurt'erin.

CHORUS
Astgherits' el varr,
Arevits' anmar,
Da mer sern e,
Mer huyzern yen,
Mer ughin paytsarr.

Urrinern en kaptashor
Yergy lurr lsum,
Bardinern en meghmoror
Yergi het nazum.

Ou t'rrch'um e yergy mer,
Mtnum bak u tun,
Tsatsanum siro luyser
Amen mi srtum.

ԼԱԼՎԱՐԱ ՋՈՒՐԸ ՍԱՌՆ Ա
LALVARA JURY SARRN A

Ըստ՝ Վ. Չաքմիշյանի
Transcribed by V. Chakmishyan

Հայ. ժողովրդական երգ
Armenian folk song

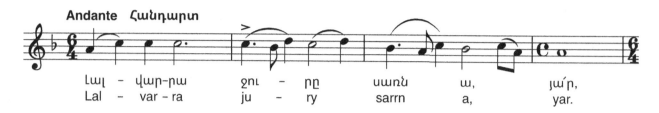

Լալ - վար-րա ջու - րը սառն ա, յա՛ր,
Lal - var - ra ju - ry sarrn a, yar.
սա - րի լան - ջին իմ յարն ա, ջա՛ն,
sa - ri lan - jin im yarn a, jan,
էն չո - բան տը - ղին ես մա - տաղ, ջա՛ն,
en ch'o - ban ty - ghin yes ma - tagh, jan,
գըլ - խի տա - կին չոր քարն ա, վա՛յ:
gyl - khi ta - kin ch'or k'arn a, vay.
Ա - րի՛, ա - րի՛, տո՛ւն ա - րի, տո՛ւն. ա - րի, յա՛ր ջան,
A - ri, a - ri, tun a - ri, tun, a - ri, yar jan,
գի-շերն ա-նուշ քո՛ւն ա - րի, տո՛ւն ա - րի, յա՛ր ջան: յա՛ր ջան:
gi-shern a-nush k'un a - ri, tun a - ri, yar jan. yar jan.

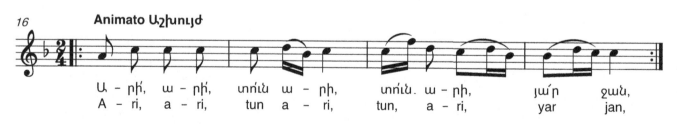

Լալվարա ջուրը սառն ա, յա՛ր,
Սարի լանջին իմ յարն ա, ջա՛ն,
Էն չոբան տղին ես մատաղ, ջա՛ն,
Գլխի տակին չոր քարն ա, վա՛յ ...

ԿՐԿՆԵՐԳ
Արի՛, արի՛, տո՛ւն արի,
Տո՛ւն արի, յա՛ր ջան,
Գիշ՛երն անուշ քո՛ւն արի,
Տո՛ւն արի, յա՛ր ջան:

Ա՛խ, հևա, հևա, սիրտըս, յար,
Ծնճղա թև ա սիրտըս, ջա՛ն,
Համով – հոտով յարից պապագ, ջա՛ն,
Բաց անեմ՝ սև ա սիրտըս, վա՛յ ...

Lalvara jury sarrn a, ya´r,
Sari lanjin im yarn a, ja´n,
En ch'oban tghin yes matagh, ja´n,
Glkhi takin ch'or k'arn a, va´y...

CHORUS
Ari', ari', to'un ari,
To'un ari, ya´r jan,
Gish'ern anush k'o'un ari,
To'un ari, ya´r jan.

A´kh, heva, heva, sirtys, yar,
Chnchgha t'ev a sirtys, ja´n,
Hamov – hotov yarits' papag, ja´n,
Bats' anem` sev a sirtys, va´y ...

ԼԱՆՋԵՐ ՄԱՐՋԱՆ
LANJER MARJAN

Խոսք՝ Վ. Աղասյանի
Lyrics by V. Aghasyan

Երաժշտ.՝ Դ. Ղազարյանի
Music by D. Ghazaryan

Հեյ ջա՛նե ջա՛ն, լանջե՛ր մարջան,
Մատաղ լինի հոգիս ձեզ,
Ինձ էլ տարեք, ձեր գիրկն առեք,
Ծով դարդերս պատմեմ ձեզ:

Հեռու երկրի խոր ձորերի
Մութ ափերին անգյուման,
Իմ արևին, կյանքիս հովին
Հողմն է ծեծում, վա՛խ, ամա՛ն...

Քնքուշ սարեր, զմրուխտ գիշեր
Ճամփա տվեք, թող տուն գա,
Սիրո անհագ, ծարավ, պապակ,
Ջահել – ջիվան յարս գա:

Hey ja′ne ja′n, lanje′r marjan,
Matagh lini hogis dzez,
Indz el tarek’, dzer girkn arrek’,
Tsov darders patmem dzez.

Herru yerkri khor dzoreri
Mut’ ap’erin angyuman,
Im arevin, kyank’is hovin
Hoghmn e tsetsum, va′kh, ama′n…

K’nk’ush sarer, zmrukht gisher
Champ’a tvek’, t’ogh tun ga,
Siro anhag, tsarav, papak,
Jahel – jivan yars ga.

ԼԱՑ, ՄԵՐԻԿ ՋԱՆ
LATS' MERIK JAN

Խոսք՝ Ավ. Իսահակյանի
Lyrics by A. Isahakyan

Երաժշտ.՝ Արմ. Տիգրանյանի
Music by A. Tigranyan

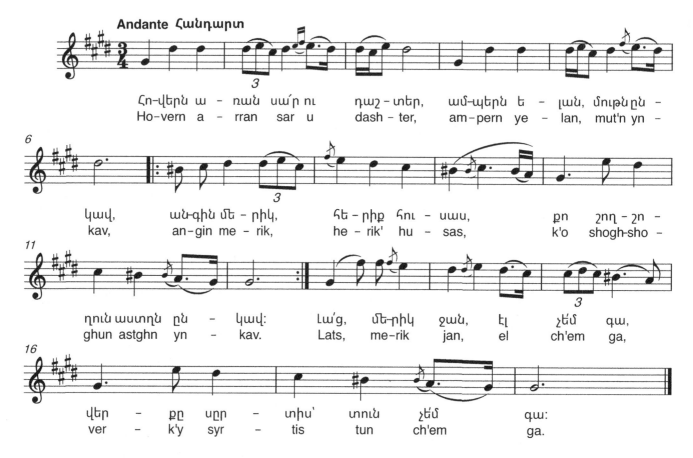

Հովերն առան սար ու դարեր,
Ամպերն ելան, մութն ընկավ:
– Անգի՛ն մերիկ, հերի՛ք հուսաս.
Քո շողշողուն աստղն ընկավ:
Լաց, մերիկ ջան, որ էլ չեմ գա,
Վերքը սրտիս՝ տուն չեմ գա:

Hovern arran sar u darer,
Ampern elan, mut'n ynkav.
– Angi'n merik, heri'k' husas,
K'o shoghshoghun astghn ynkav.
Lats', merik jan, vor el ch'em ga,
Verk'y srtis' tun ch'em ga.

Կաթիլ-կաթիլ ամպն է ցողում
Սև ու պղտոր երկնքեն,
Մաղիկ-մաղիկ վերքս է ծորում
Իմ անգյուման, սև սրտեն:
Լաց, մերիկ ջան, որ էլ չեմ գա,
Վերքս խորն է, ճար չկա...

Kat'il-kat'il ampn e ts'oghum
Sev u pghtor yerknk'en,
Maghik-maghik verk's e tsorum
Im angyuman, sev srten.
Lats', merik jan, vor el ch'em ga,
Verk's khorn e, char ch'ka...

Անգութ կյանքում վերք ստացա
Սրտանց սիրած ընկերես,
Անխիղճ կյանքում վերք ստացա
Անուշ սիրած քուրիկես:
Լա՛ց, մերիկ ջան, որ էլ չեմ գա,
Ազիզ բալեդ էլ չկա...

Angut' kyank'um verk' stats'a
Srtants' sirats ynkeres,
Ankhighch kyank'um verk' stats'a
Anush sirats k'urikes.
La'ts', merik jan, vor el ch'em ga,
Aziz baled el ch'ka...

ԼԵԲԼԵԲԻՋԻՆԵՐԻ ԽՄԲԵՐԳԸ
LEBLEBIJINERI KHMBERGY

Խոսք՝ Թ. Նալյանի
Lyrics by T. Nalyan

Երաժշտ.՝ Տ. Չուխաջյանի
Music by T. Chukhadjian

Allegro Moderato Չափավոր արագ
Հոր-հոր Hor-hor
Մենք քաջ տոհ-մի զա - վակ-ներ ենք, չենք վա - խի,
Menk' k'aj toh - mi za - vak - ner enk', ch'enk' va - khi,
մա - նըր մու-նըր փոր - ձանք-նե - րից չենք փախ-չի.
ma - nyr mu-nyr p'or - dzank'-ne - rits ch'enk' p'akh - chi
մենք դեռ փոք-րուց միշտ սի - րել ենք քա - ջու - թյուն,
menk' derr p'ok'-ruts misht si - rel enk' k'a - ju - t'yun,
ինչ էլ որ լի - նի՝ չենք հան-դուր - ժի պար - տու - թյուն:
inch' el vor li - ni ch'enk' han - dur - zhi par - tu - t'yun
մենք դեռ փոք-րուց միշտ սի - րել ենք քա - ջու - թյուն,
menk' derr p'ok'-ruts misht si - rel enk' k'a - ju - t'yun,
Խումբը Group
ինչ էլ որ լի - նի՝ չենք հան-դուր - ժի պար - տու - թյուն:
inch' el vor li - ni ch'enk' han - dur - zhi par - tu - t'yun.
Հոր - հոր Hor-hor
Ու-րեմն ա - ռաջ, զար - կենք թըմ-բուկ հաղ - թա - կան,
Ou-remn a - rraj, zar - kenk' t'ym - buk hagh - t'a - kan,
տանք թըշ - նա-մուն մենք ծեծ ու ջարդ պատ - վա - կան.
tank' t'ysh - na - mun menk' tsets u jard pat - va - kan.

33

Թող ի - մա-նան, մենք չենք դառ - նա խա - ղա - լիք,
T'ogh i - ma-nan menk' ch'enk' darr - na kha - gha - lik',

37

այն - պես պիտ ծե - ծենք, որ հի-շեն հոր հար - սա - նիք:
ayn - pes pit tse - tsenk', vor hi-shen hor har - sa - nik'.

41

Բոլորը Everyone

թող ի - մա-նան, մենք չենք դառ - նա խա - ղա - լիք,
t'ogh i - ma-nan, menk' ch'enk' darr - na kha - gha - lik',

45

այն - պես պիտ ծե - ծենք, որ հի-շեն հոր հար - սա - նիք:
ayn - pes pit tse - tsenk', vor hi-shen hor har - sa - nik'.

Հոր-հոր

Մենք քաջ տոհմի զավակներն ենք, չենք վախի,
Մանր-մունր փորձանքներից չենք փախչի,
Մենք դեռ փոքրուց միշտ սիրել ենք քաջություն,
Ինչ էլ որ լինի՝ չենք հանդուրժի պարտություն:

Խումբը

Մենք դեռ փոքրուց միշտ սիրել ենք քաջություն,
Ինչ էլ որ լինի՝ չենք հանդուրժի պարտություն:

Հոր-հոր

Ուրեմն՝ առաջ, զարկենք թմբուկ հաղթական,
Տանք թշնամուն մենք ծեծ ու ջարդ պատվական,
Թող իմանան՝ մենք չենք դառնա խաղալիք,
Այնպես պիտ ծեծենք, որ հիշեն հոր հարսանիք:

Խումբը

Թող իմանան՝ մենք չենք դառնա խաղալիք,
Այնպես պիտ ծեծենք, որ հիշեն հոր հարսանիք:

Հոր-հոր

Տոհմը մեր եղել է քաջերից քաջը,
Անարգել է կայծակների շառաչը,
Մենք էլ նրա զավակներն ենք հարազատ,
Էլ ուրիշ ժառանգ չկա, չկա մեզնից զատ:

Խումբը

Մենք էլ նրա զավակներն ենք հարազատ,
Էլ ուրիշ ժառանգ չկա, չկա մեզնից զատ:

Հոր-հոր

Ուրեմն՝ առաջ, զարկենք թմբուկ հաղթական,
Տանք թշնամուն մենք ծեծ ու ջարդ պատվական,
Թող իմանան՝ մենք չենք դառնա խաղալիք,
Այնպես պիտ ծեծենք, որ հիշեն հոր հարսանիք:

Խումբը

Թող իմանան՝ մենք չենք դառնա խաղալիք,
Այնպես պիտ ծեծենք, որ հիշեն հոր հարսանիք:

Hor-hor

Menk' k'aj tohmi zavaknern enk', ch'enk' vakhi,
Manr-munr p'ordzank'nerits' ch'enk' p'akhch'i,
Menk' derr p'ok'ruts' misht sirel enk' k'ajut'yun,
Inch' el vor lini՝ ch'enk' handurzhi partut'yun.

Group

Menk' derr p'ok'ruts' misht sirel enk' k'ajut'yun,
Inch' el vor lini՝ ch'enk' handurzhi partut'yun.

Hor-hor

Uremn՝ arraj, zarkenk' t'mbuk haght'akan,
Tank' t'shnamun menk' tsets u jard patvakan,
T'ogh imanan՝ menk' ch'enk' darrna khaghalik',
Aynpes pit tsetsenk', vor hishen hor harsanik'.

Group

T'ogh imanan՝ menk' ch'enk' darrna khaghalik',
Aynpes pit tsetsenk', vor hishen hor harsanik'.

Hor-hor

Tohmy mer yeghel e k'ajerits' k'ajy,
Anargel e kaytsakneri sharrach'y,
Menk' el nra zavaknern enk' harazat,
El urish zharrang ch'ka, ch'ka meznits' zat.

Group

Menk' el nra zavaknern enk' harazat,
El urish zharrang ch'ka, ch'ka meznits' zat.

Hor-hor

Uremn՝ arraj, zarkenk' t'mbuk haght'akan,
Tank' t'shnamun menk' tsets u jard patvakan,
T'ogh imanan՝ menk' ch'enk' darrna khaghalik',
Aynpes pit tsetsenk', vor hishen hor harsanik'.

Group

T'ogh imanan՝ menk' ch'enk' darrna khaghalik',
Aynpes pit tsetsenk', vor hishen hor harsanik'.

ԼԵՌՆԵՐ ՀԱՅՐԵՆԻ
LERRNER HAYRENI

Խոսք՝ Վ. Արամունու
Lyrics by V. Aramuni

Երաժշտ.՝ Ա. Մերանգուլյանի
Music by A. Merangulyan

Ա՛խ, ինչքա՛ն, ինչքա՛ն կարոտել եմ ձեզ,
Սիգապա՛նծ լեռներ հայոց աշխարհի,
Վազել եմ, հոգնել ձեր լանջերում ես,
Իմ լեռներ, լեռներ, լեռներ հայրենի:

Ձեր գագաթներից ամպերն են սահել՝
Ինչպես ձորն իջնող հոտը գառների,
Կուզեի հիմա ձեր գրկում լինել,
Ձեզ փարվել նորից, լեռներ հայրենի:

Զմրուխտյա լեռներ, սիրտս ձեզ թողի
Ու ինձ հետ տարա բույրը վարդերի,
Իմ երակներում ուժն է մայր հողի,
Իմ լեռներ, լեռներ, լեռներ հայրենի:

A´kh, inch'k'a´n, inch'k'a´n karotel em dzez,
Sigapa´nts lerrner hayots' ashkharhi,
Vazel em, hognel dzer lanjerum yes,
Im lerrne´r, lerrne´r, lerrne´r hayreni.

Dzer gagat'nerits' ampern en sahel'
Inch'pes dzorn ijnogh hoty garrneri,
Kuzeyi hima dzer grkum linel,
Dzez p'arvel norits', lerrne´r hayreni.

Zmrukhtya lerrner, sirts dzez t'oghi
Ou indz het tara buyry varderi,
Im yeraknerum uzhn e mayr hoghi,
Im lerrne´r, lerrne´r, lerrne´r hayreni.

ԼՌԵՑ
LRRETS'

Խոսք՝ Ռ.Պատկանյանի
Lyrics by R. Patkanyan

Երաժշտ.՝ Ն. Շահմալյանի
Music by N. Shahmalyan

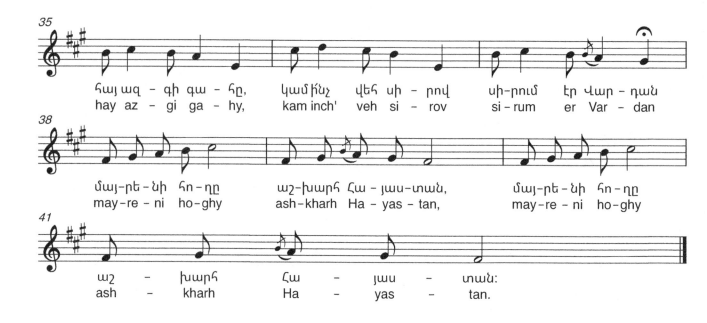

հայ ազ - գի գա - հը, կամ ինչ վեհ սի - րով սի-րում էր Վար - դան
hay az - gi ga - hy, kam inch' veh si - rov si - rum er Var - dan
մայ-րե - նի հո - ղը աշ-խարհ Հա - յաս-տան, մայ-րե - նի հո - ղը
may-re - ni ho-ghy ash-kharh Ha - yas - tan, may-re - ni ho-ghy
աշ - խարհ Հա - յաս - տան:
ash - kharh Ha - yas - tan.

Լռեց: Ամպերը եկան ծածկեցին, երկինքն
Ու լուսինն աչքես խըլեցին, խըլեցին,
Մընացի մենակ՝ հոգիս վրդոված,
Ձեռներըս ծոցիս, գլուխս քարշ արած:

Եվ այնուհետև ամեն իրիկուն
Մընում եմ լուսնի խաղաղ ծագելուն.
Նորա տխրամած դեմքը նայելիս՝
Հիշում եմ թըշվառ վիճակը ազգիս:

Ա՛խ, ցոլա՛, փայլե՛, տըխրադեմ լուսին,
Գուցե, քու փայլից փայլ տաս և հային:

Պատմե՛ շատերուն Վարդանի մահը,
Կամ՝ ինչպես կորա՛վ հայ ազգի գահը,
Կամ՝ ինչ վեհ սիրով սիրում էր Վարդան
Մայրենի հողը - աշխարհ Հայաստան:

Lrrets'. Ampery yekan tsatskets'in, yerkink'n
Ou lusinn ach'k'es khylets'in, khylets'in,
Mynats'i menak' hogis vrdovats,
Dzerrnerys tsots'is, glukhs k'arsh arats.

Yev aynuhetev amen irikun
Mynum em lusni khaghagh tsagelun,
Nora tkhramats demk'y nayelis'
Hishum em t'yshvarr vichaky azgis.

A'kh, ts'ola', p'ayle', tykhradem lusin,
Guts'e, k'u p'aylits' p'ayl tas yev hayin,

Patme' shaterun Vardani mahy,
Kam' i'nch'pes kora'v hay azgi gahy,
Kam' i'nch' veh sirov sirum er Vardan
Mayreni hoghy - ashkharh Hayastan.

ԼՈՒՍՆԱԿ ԳԻՇԵՐ
LUSNAK GISHER

Խոսք՝ Ա. Բրուտյանի
Lyrics by A. Brutyan

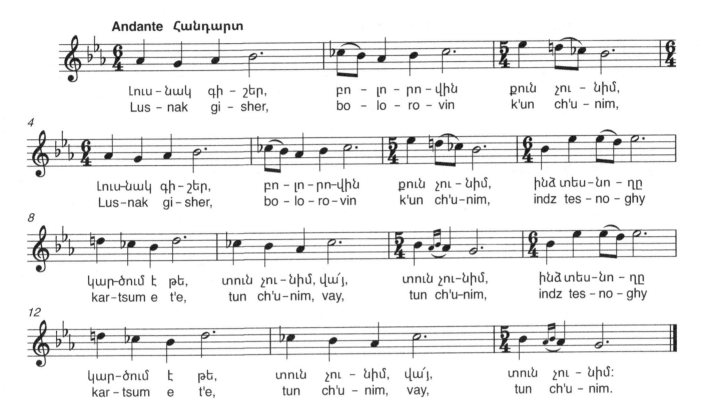

Լուսնակ գիշեր, բոլորովին քուն չունիմ,
Ինձ տեսնողը կարծում է թե տուն չունիմ,
Վա՛յ տուն չունիմ:

Մի՛ լար, մի՛ լար, մեռնիմ կամար ունքերուդ.
Արտասուքը վընաս կուտա աչքերուդ,
Վա՛յ, աչքերուդ:

Ննջարանս սենյակիդ պատի տակն է,
Կյանք, խնդություն պարզ գիշերվա լուսնակն է,
Վա՛յ, լուսնակն է:

Արի՛, գնանք խորհուրդ անենք միասին,
Ամուսնանանք, էլ չսպասենք մեծ պասին,
Վա՛յ, մեծ պասին:

Lusnak gisher, bolorovin k'un ch'unim,
Indz tesnoghy kartsum e t'e tun ch'unim,
Va'y tun ch'unim.

Mi' lar, mi' lar, merrnim kamar unk'erud,
Artasuk'y vynas kuta ach'k'erud,
Va'y, ach'k'erud.

Njarans senyakid pati takn e,
Kyank', khndut'yun parz gisherva lusnakn e,
Va'y, lusnakn e.

Ari', gnank' khorhurd anenk' miasin,
Amusnanank', el ch'spasenk' mets pasin,
Va'y, mets pasin.

ԼՈՒՍՆՅԱԿԸ ՑՈԼԱՑ, ԳՆԱՑ
LUSNYAKY TS'OLATS GNATS'

Երաժշտ.՝ ըստ. Ա. Պատմագրյանի
Transcribed by A. Patmagryan

Հայ. ժողովրդական երգ
Armenian folk song

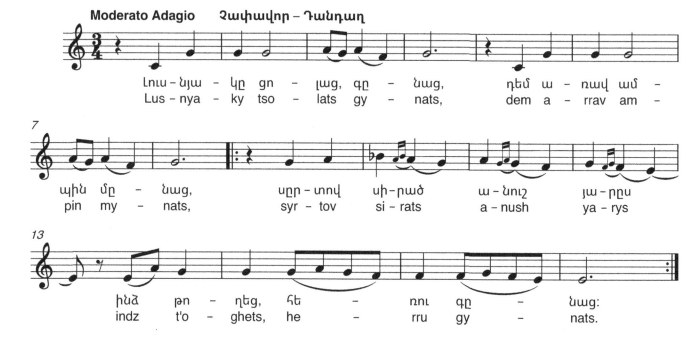

Լուս – նյա – կը ցո – լաց, գը – նաց, դեմ ա – ռավ ամ –
Lus – nya – ky tso – lats gy – nats, dem a – rrav am –
պին մը – նաց, սըր – տով սի – րած ա – նուշ յա – րըս
pin my – nats, syr – tov si – rats a – nush ya – rys
ինձ թո – ղեց, հե – ռու գը – նաց:
indz t'o – ghets, he – rru gy – nats.

Լուսնակը ցոլաց, գնաց,
Դեմ առավ ամպին, մնաց,
Սրտով սիրած անուշ յարս
Ինձ թողեց, հեռու գնաց:

Ձեր բաղի դուռը բաց ա,
Ոտներդ շաղով թաց ա,
Յարիցդ հեռացել ես,
Աչքերդ լիքը լաց ա:

Արտս ցորեն ցանեցի,
Դարդս հետը թաղեցի,
Հազար ու մեկ աղոթքներ
Ցանած վախտը շարեցի:

Վարդը գցի՝ ձեռքով բռնեմ,
Յարալու սրտիդ մեռնեմ,
Տնիցը մի դո՛ւրս արի,
Բալքի հավասս առնեմ:

Lusnaky ts'olats', gnats',
Dem arrav ampin, mnats',
Srtov sirats anush yars
Indz t'oghets', herru gnats'.

Dzer baghi durry bats' a,
Votnerd shaghov t'ats' a,
Yarits'd herrats'el yes,
Ach'k'erd lik'y lats' a.

Arts ts'oren ts'anets'i,
Dards hety t'aghets'i,
Hazar u mek aghot'k'ner
Ts'anats vakhty sharets'i.

Vardy gts'i' dzerrk'ov brrnem,
Yaralu srtid merrnem,
Tnits'y mi do'urs ari,
Balk'i havass arrnem.

ԽԵՉՈՅԻ ԿԻՆԸ ՏՂԱ Է ԲԵՐԵԼ
KHECH'OYI KINY TGHA E BEREL

Խոսք՝ Ա. Գրաշու
Lyrics by A. Grashi

Երաժշտ.՝ Ալ. Հեքիմյանի
Music by Al. Hekimyan

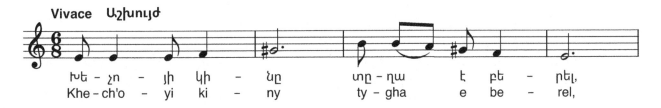

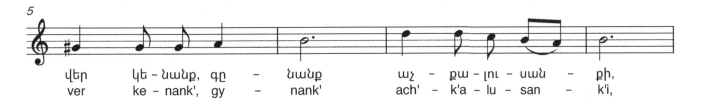

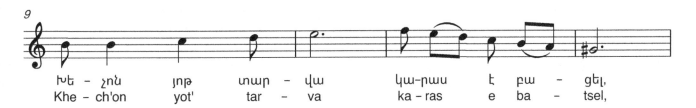

Vivace Աշխույժ
Խե - չո - յի կի - նը տը - ղա է բե - րել,
Khe - ch'o - yi ki - ny ty - gha e be - rel,
վեր կե - նանք, գը - նանք աչ - քա - լու - սան - քի,
ver ke - nank', gy - nank' ach' - k'a - lu - san - k'i,
Խե - չոն յոթ տար - վա կա-րաս է բա - ցել,
Khe - ch'on yot' tar - va ka - ras e ba - tsel,
սե-ղան է սար - քել քեֆ ու խըն - ջույ - քի:
se-ghan e sar - k'el k'ef u khyn - juy - k'i.
քեֆ ու խըն - ջույ - քի:
k'ef u khyn - juyy - k'i.

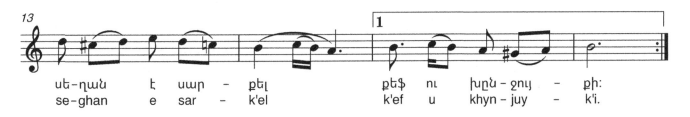

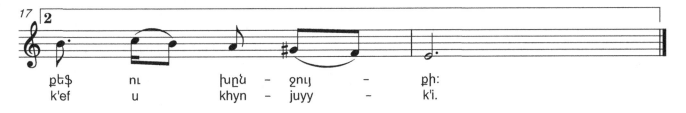

Խեչոյի կինը տղա է բերել,
Վեր կենանք, գնանք աչքալուսանքի,
Խեչոն յոթ տարվա կարաս է բացել,
Սեղան է սարքել քեֆ ու խնջույքի:

Խեչոն սիրունիկ յոթ աղջիկ ունի,
Վերջին աղջկա անունն է Հերիք,
Խեչոն թող անվերջ բախտավոր լինի,
Մեզ հետ ալ գինի խմի երջանիկ:

Խեչոյի կինը տղա է բերել,
Տղա մի ասի, մի առյուծ ասա,
Արծիվ տղա է՝ Խեչոն փափագել,
Վերջապես երազ – մուրազին հասավ:

Խեչոյի կինը տղա է բերել,
Թշերը մի – մի կաս – կարմիր խնձոր,
Յոթ օր, յոթ գիշեր երգել ու պարել,
Դափ ու դհոլից թնդան սար ու ձոր:

Ով չի հավատում, գա աչքով տեսնի,
Խեչոյի կինը տղա է բերել,
Խեչոյի քեֆին էլ քեֆ չի հասնի,
Ոսկի փափախ է նա գլխին դրել:

Գառ ու ոչխար է մեր Խեչոն մորթել,
Կրակ է վառել, արել խորոված.
Բոլորը ուրախ սեղան են նստել,
Չեք գտնի նույնիսկ մի մարդ խռոված:

– Խեչո,կենացդ, ապրես, շատ ապրես,
– Տնով ու տեղով դու դալար մնաս.
Խեչո, շեն կենաս, յոթ աղջիկ ունես,
Յոթ հատ էլ կտրիճ տղա ունենաս :

Khech'oyi kiny tgha e berel,
Ver kenank', gnank' ach'k'alusank'i,
Khech'on yot' tarva karas e bats'el,
Seghan e sark'el k'ef u khnjuyk'i.

Khech'on sirunik yot' aghjik uni,
Verjin aghjka anunn e Herik',
Khech'on t'ogh anverj bakhtavor lini,
Mez het al gini khmi yerjanik.

Khech'oyi kiny tgha e berel,
Tgha mi asi, mi arryuts asa,
Artsiv tgha e՝ Khech'on p'ap'agel,
Verjapes yeraz – murazin hasav.

Khech'oyi kiny tgha e berel,
T'shery mi – mi kas – karmir khndzor,
Yot' or, yot' gisher yergel u parel,
Dap' u dholits' t'ndan sar u dzor.

Ov ch'i havatum, ga ach'k'ov tesni,
Khech'oyi kiny tgha e berel,
Khech'oyi k'efin el k'ef ch'i hasni,
Voski p'ap'akh e na glkhin drel.

Garr u voch'khar e mer Khech'on mort'el,
Krak e varrel, arel khorovats,
Bolory urakh seghan en nstel,
Ch'ek' gtni nuynisk mi mard khrrovats.

– Khech'o, kenats'd, apres, shat apres,
– Tnov u teghov du dalar mnas.
Khech'o, shen kenas, yot' aghjik unes,
Yot' hat el ktrich tgha unenas.

ԽՆՋՈՒՅՔԻ ԵՐԳ
KHNJUYK'I YERG

Խոսք՝ Սարմենի
Lyrics by Sarmen

Երաժշտ.՝ Կ. Զաքարյանի
Music by K. Zakaryan

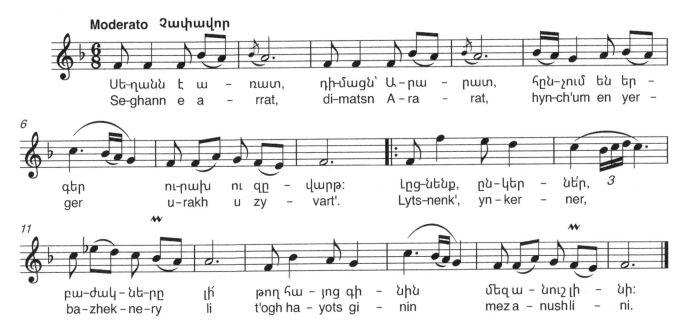

Սեղանն է առատ,
Դիմացն՝ Արարատ,
Հնչում են երգեր,
Ուրախ ու զվարթ:

Seghann e arrat,
Dimats'n' Ararat,
Hnch'um en yerger,
Urakh u zvart'.

ԿՐԿՆԵՐԳ.
Լցնենք ընկերներ,
Բաժակները լի,
Թող հայոց գինին,
Մեզ անուշ լինի:

CHORUS
Lts'nenk' ynkerner,
Bazhaknery li,
T'ogh hayots' ginin,
Mez anush lini.

Փառք տանք մայր հողին,
Արևի շողին,
Գինի պարգևող,
Հայոց խաղողին:

P'arrk' tank' mayr hoghin,
Arevi shoghin,
Gini pargevogh,
Hayots' khaghoghin.

Փառք տանք նոր կյանքին,
Հողի մշակին,
Որ միշտ կանաչեն,
Մեր դաշտն ու այգին:

P'arrk' tank' nor kyank'in,
Hoghi mshakin,
Vor misht kanach'en,
Mer dashtn u aygin.

Գովենք դարեդար
Աշխարքն արդար,
Հայոց աշխարհի,
Արևը պայծառ:

Govenk' daredar
Ashkhark'n ardar,
Hayots' ashkharhi,
Arevy paytsarr.

ԾԱՂԿԱԾ ԲԱԼԵՆԻ
TSAGHKATS BALENI

Խոսք՝ Լ. Դուրյանի
Lyrics by L. Duryan

Երաժշտ.՝ Խ. Ավետիսյանի
Music by Kh. Avetisyan

Moderato Չափավոր
1.Հար-սի նը-ման ճեր-մակ հա-գար, ծաղ-կած բա-լե - նի,
2.Դու ինձ հի - մա շատ ես նը - ման քո բույր ու նա - զով,
1.Har - si ny - man cher-mak ha - gar, tsagh-kats ba - le - ni,
2.Du indz hi - ma shat es ny - man k'o buyr u na - zov,
կար-ծես լույ - սի ճամ-փով ե - կար, իմ հույս բա - լե - նի,
քեզ տես - նե - լիս լըց-վում եմ ես ա - նուշ մու-րա - զով,
kar - tses luy - si cham-p'ov ye - kar, im huys ba - le - ni,
k'ez tes - ne - lis lyts - vum em yes a - nush mu - ra - zov,
ինձ առ ճեր-մակ թե - վե - րիդ մեջ, իմ քույր բա - լե - նի:
քեզ տես - նե - լիս ապ-րում եմ ես բա - րի ե - րա - զով:
indz ar cher-mak t'e - ve - rid mej, im k'uyr ba - le - ni.
k'ez tes - ne - lis ap - rum em yes ba - ri ye - ra - zov.
3.Ա՜խ,ու - զում եմ դո - ղալ քեզ պես հարս-նա - քո - ղի տակ,
3.Akh, u - zum em do - ghal k'ez pes hars - na - k'o - ghi tak,
ինձ առ ճեր-մակ թե - վե - րիդ մեջ, իմ քույր բա - լե - նի:
indz arr cher-mak t'e - ve - rid mej, im k'uyr ba - le - ni.
քեզ տես - նե - լիս լըց-վում եմ ես ա - նուշ մու-րա - զով.
k'ez tes - ne - lis lyts-vum em yes a - nush mu - ra - zov.
քեզ տես - նե - լիս ապ-րում եմ ես բա - րի ե - րա - զով:
k'ez tes - ne - lis ap - rum em yes ba - ri ye - ra - zov.

Հարսի նման ճերմակ հագար,
Ծաղկած բալենի
Կարծես լույսի ճամփով եկար,
Իմ հույս բալենի.
Ինձ առ ճերմակ թևերիդ մեջ,
Իմ քույր բալենի:

Դու ինձ հիմա շատ ես նման
Քո բույր ու նազով,
Քեզ տեսնելիս լցվում եմ ես
Անուշ մուրազով,
Քեզ տեսնելիս ապրում եմ ես
Բարի երազով:

Ա՛խ, ուզում եմ դողալ քեզ պես
Հարսնաքողի տակ,
Ինձ առ ճերմակ թևերիդ մեջ
Իմ քույր բալենի.
Քեզ տեսնելիս լցվում եմ ես
Անուշ մուրազով,
Քեզ տեսնելիս ապրում եմ ես
Բարի երազով:

Harsi nman chermak hagar,
Tsaghkats baleni
Kartses luysi champ'ov yekar,
Im huys baleni.
Indz arr chermak t'everid mej,
Im k'uyr baleni.

Du indz hima shat es nman
K'o buyr u nazov,
K'ez tesnelis lts'vum em yes
Anush murazov,
K'ez tesnelis aprum em yes
Bari yerazov.

A´kh, uzum em doghal k'ez pes
Harsnak'oghi tak,
Indz arr chermak t'everid mej
Im k'uyr baleni.
K'ez tesnelis lts'vum em yes
Anush murazov,
K'ez tesnelis aprum em yes
Bari yerazov.

ԾԻԾԵՌՆԱԿ
TSITSERRNAK

Խոսք՝ Գ. Դոդոխյանի
Lyrics by G. Dodokhoyan

Կոմիտաս
Komitas

Ծի - ծեռ - նակ, ծի - ծեռ - նա՛կ, դու՝ գար - նան սի -
Tsi - tserr - nak, tsi - tserr - nak, du gar - nan si -
րուն թըռչ - նակ, Ծի-ծեռ - նակ, ծի - ծեռ - նա՛կ, դու՝ գար-
run t'yrrch' - nak, Tsi-tserr - nak, tsi - tserr - nak, du gar -
նան սի - րուն թըռչ - նակ, դե - պի ո՞ւր, ինձ ա -
nan si - run t'yrrch' - nak, de - pi ur, indz a -
սա, թըռ - չում ես այդ - պես ա - րագ, դե - պի
sa, t'yrr - ch'um es ayd - pes a - arag, de - pi
ո՞ւր, ինձ ա - սա, թըռ - չում ես այդ - պես ա - րագ:
ur, indz a - sa, t'yrr - ch'um es ayd - pes a - rag.

Ծիծեռնա՛կ, ծիծեռնա՛կ,
Դու՝ գարնան սիրո՛ւն թռչնակ.
Դեպի ո՞ւր, ինձ ասա,
Թռչում ես այդպես արագ:

Ա՛խ, թռի՛ր, ծիծեռնակ,
Ծնած տեղս՝ Աշտարակ,
Անդ շինիր քո բույնը
Հայրենի կտուրի տակ:

Անդ հեռու ալևոր
Հայր ունիմ սգավոր,
Որ միակ իր որդուն
Սպասում է օրեօր:

Դե՜հ, սիրո՛ւն ծիծեռնակ,
Հեռացի՛ր, թռի՛ր արագ
Դեպ հայոց երկիրը՝
Ծնած տեղս՝ Աշտարակ:

Tsitserrna'k, tsitserrna'k,
Du' garnan siro'un t'rrch'nak,
Depi o˜ur, indz asa,
T'rrch'um es aydpes arag.

A'kh, t'rri'r, tsitserrnak,
Tsnats teghs' Ashtarak,
And shinir k'o buyny
Hayreni kturi tak.

And herru alevor
Hayr unim sgavor,
Vor miak ir vordun
Spasum e oreor.

De'h, siro'un tsitserrnak,
Herrats'i'r, t'rri'r arag
Dep hayots' yerkiry'
Tsnats teghs' Ashtarak.

ԾԻՐԱՆԻ ԾԱՌ
TSIRANI TSARR

Երաժշտ.՝ ըստ Կոմիտասի
Music per Komitas

syr – tis khyn – dum tsovn yn – kav.

Ծիրանի ծառ, բար մի՛ տա,
Վա՛յ,
Ճղներդ իրար մի՛ տա,
Վա՛յ,
Ամեն մեջըդ ման գալիս
Ցավերըս իրար մի՛ տա:

Հա՛, տըվե՛ք, ե՛տ տըվեք, սարե՛ր, – հովն ընկավ,
Սըրտիս խընդում ծովն ընկավ.
Գնա, էլ ետ չըգա էս տարվա տարին,
Սև դարդն իմ վզով ընկավ:
Հո՛վ, հո՛վ, հովն ընկավ,
Սըրտիս խընդում ծովն ընկավ:

Մեռա բաղում բանելեն,
Մի կողմեն ջուր անելեն.
Ծառերին թուփ չըմընաց
Դարդիս դարման տանելեն:

Սև ամպը գըցել ա հով.
Մութը տըվել ա իմ քով.
Տեսնո՛ւմ եք՝ ինձ պատել ա
Էս անիրավ արյուն ծով:

Նըստած տեղիս քար չունիմ,
Էրված սըրտիս ճար չունիմ.
Ա՛յ անօրեն, փուչ աշխարհ,
Բաղ ունիմ ու բար չունիմ:

Tsirani tsarr, bar mi′ ta,
Va′y,
Chghnerd irar mi′ ta,
Va′y,
Amen mejyd man galis
Ts'averys irar mi′ ta.

Ha′, tyve′k', ye′t tyvek', sare′r, – hovn ynkav,
Syrtis khyndum tsovn ynkav.
Gna, el yet ch'yga es tarva tarin,
Sev dardn im vzov ynkav.
Ho′v, ho′v, hovn ynkav,
Syrtis khyndum tsovn ynkav.

Merra baghum banelen,
Mi koghmen jur anelen,
Tsarrerin t'up' ch'ymynats'
Dardis darman tanelen.

Sev ampy gyts'el a hov,
Mut'y tyvel a im k'ov,
Tesno′um yek'' indz patel a
Es anirav aryun tsov.

Nystats teghis k'ar ch'unim,
Ervats syrtis char ch'unim.
A′y anoren, p'uch' ashkharh,
Bagh unim u bar ch'unim.

ԾՈՎԱԿ
TSOVAK

Խոսք՝ Րաֆֆու
Lyrics by Raffi

Կոմիտասի
Komitas

Ձայն տուր, ո՛վ ծո - վակ, ին-չո՞ւ լը - ռում ես, ող - բա -
Dzayn tur, ov tso - vak, in-ch'u ly - rrum es, vogh-ba -
կից լի-նել չը-կա - մի՞ս դըժ-բախ - տիս:
kits li-nel ch'y-ka - mis dyzh-bakh - tis.
Շար-ժե - ցեք զե-փյուռք,
Shar-zhe - tsek' ze-p'yurrk',
ա-լի - քը վետ-վետ, խառ-նեք ար - տա - սուքս այս ջը-րե -
a-li - k'y vet - vet, kharr-nek' ar - ta - suk's ays jy-re -
րի հետ, խառ - նեք ար - տա -
ri het, kharr - nek' ar - ta -
սու - քըս այս ջը - րե - րիս հետ:
su - k'ys ays jy - re - ris het.

Ձա՛յն տուր, ո՜վ ծովակ, ինչո՞ւ լռում ես.
Ողբակից լինել չկամի՞ս դժբախտիս:
Շարժեցեք, զեփյուռք, ալիքը վետ-վետ.
Խառնեք արտասուքս այս ջրերի հետ:

Հայաստանի մեջ անցքերին վկա,
Սկզբից մինչ այժմ, խնդրեմ, ինձ ասա՛,
Մի՞ թե միշտ այսպես կմնա Հայաստան
Փշալից անապատ, երբեմն բուրաստան:

Մի՞ թե միշտ այդպես ազգը խղճալի,
Կլինի ծառա օտար իշխանի,
Մի՞ թե Աստծո աթոռի մոտին
Անարժան է հայն և հայի որդին:

Արդյոք գալո՞ւ է մի օր, ժամանակ,
Տեսնել Մասիսի գլխին մի դրոշակ.
Եվ ամեն կողմից պանդուխտ հայազգիք
Դիմել դեպ յուրյանց սիրուն հայրենիք:

Դժվա՛ր այդ, միայն, տեսուչդ վերին,
Կենդանացրո՛ւ հայության հոգին,
Ծագի՛ր նոցա դու քո լույս գիտության,
Որով իբր էակք նոքա բանական
Կճանաչեն մարդուս կյանքի խորհուրդը,
Կլինին գործով քո տիրոջ փառաբան:

Dza′yn tur, o′v tsovak, inch'o˜u lrrum es,
Voghbakits' linel ch'kami˜s dzhbakhtis.
Sharzhets'ek', zep'yurrq, alik'y vet-vet,
Kharrnek' artasuk's ays jreri het.

Hayastani mej ants'k'erin vka,
Skzbits' minch' ayzhm, khndrem, indz asa′,
Mi˜ t'e misht ayspes kmna Hayastan
P'shalits' anapat, yerbemn burastan.

Mi˜ t'e misht aydpes azgy khghchali,
Klini tsarra otar ishkhani,
Mi˜ t'e Asttso at'orri motin
Anarzhan e hayn yev hayi vordin.

Ardyok' galo˜u e mi or, zhamanak,
Tesnel Masisi glkhin mi droshak,
Yev amen koghmits' pandukht hayazgik'
Dimel dep yuryants' sirun hayrenik'.

Dzhva′r ayd, miayn, tesuch'd verin,
Kendanats'ro′u hayut'yan hogin,
Tsagi′r nots'a du k'o luys gitut'yan,
Vorov ibr eakk' nok'a banakan
Kchanach'en mardus kyank'i khorhurdy,
Klinin gortsov k'o tiroj p'arraban.

ԾՈՎ ԱՉԵՐ
TSOV ACH'ER

Խոսք՝ Ավ. Իսահակյանի
Lyrics by Av. Isahakyan

Երաժշտ.՝ Բ. Կանաչյանի
Music by B. Kanachyan

Քնքուշ սրտով ես սիրեցի
Լուռ ու խորունկ սև աչեր,
Վշտով ցողված, արցունքով լի,
Սև ու սիրուն հեզ աչեր ...

Ա՛խ, աչերը սեր խոստացան,
Սիրտըս ցոլաց աստղի պես,
Վա՛խ, աչերը ինձ մոռացան,
Սիրտըս մարավ աստղի պես:

K’nk’ush srtov yes sirets’i
Lurr u khorunk sev ach’er,
Vshtov ts’oghvats, arts’unk’ov li,
Sev u sirun hez ach’er...

A´kh, ach’ery ser khostats’an,
Sirtys ts’olats’ astghi pes,
Va´kh, ach’ery indz morrats’an,
Sirtys marav astghi pes.

ԾԱՂԿԱՍԱՐԻ ԿԱՆԱՉ ԼԱՆՋԻՆ
TSAGHKASARI KANACH' LANJIN

Խոսք՝ Վ. Հարությունյանի
Lyrics by V. Harutyunyan

Մշ. Թ. Ալթունյանի
Arr. by T. Altunyan

Ծաղ-կա - սա - րի կա - նաչ լան - ջին պար են բըռ-նել հարս աղ-ջիկ,
Tsagh-ka - sa - ri ka - nach' lan - jin par en byrr-nel hars agh-jik,
Ծաղ-կա - սա - րի կա - նաչ լան - ջին պար են բըռ-նել հարս աղ-ջիկ,
Tsagh-ka - sa - ri ka - nach' lan - jin par en byrr-nel hars agh-jik,
պար են բըռ-նել, գովք են ա-սում սըր-տի սի-րած կըտ-րի-ճին,
par en byrr-nel, govk' en a - sum syr - ti si - rats kyt - ri-chin
Fine
պար են բըռ-նել, գովք են ա-սում սըր-տի սի - րած կըտ-րի - ճին:
par en byrr-nel, govk' en a - sum syr - ti si - rats kyt - ri - chin.
Նվագ Melody
Dal segno

Ծաղկասարի կանաչ լանջին
Պար են բռնել հարս – աղջիկ,
Պար են բռնել, գովք են ասում
Սրտի սիրած կտրիճին:

Յարըս բաղից թռած մի ղուշ,
Աչքերը նուշ, սերն անուշ,
Հենց որ մեր տուն հյուր է գալիս,
Ոչ շուտ գիտե, ոչ էլ՝ ուշ:

Վարդը քաղեմ, թերթը ծամեմ,
Սիրտս սրտիդ մեջ քամեմ,
Հենց որ սիրո ծարավ լինեմ,
Սրտիցդ կուշտ ջուր խմեմ:

Չոբան տղա, բոյըդ բարձրիկ,
Սիրո կանչըդ միշտ քաղցրիկ,
Արա ինձ յար՝ զով սարը տար,
Թեկուզ քարն անեմ բարձիկ:

Առանց յարի՝ մեղրը դառն է,
Որ սիրել եմ՝ պիտ առնեմ,
Չուզի մերըս, կտա հերըս,
Երգասաց յարիս մեռնեմ:

Tsaghkasari kanach' lanjin
Par en brrnel hars – aghjik,
Par en brrnel, govk' en asum
Srti sirats ktrichin.

Yarys baghits' t'rrats mi ghush,
Ach'k'ery nush, sern anush,
Hents' vor mer tun hyur e galis,
Voch' shut gite, voch' el՝ ush.

Vardy k'aghem, t'ert'y tsamem,
Sirts srtid mej k'amem,
Hents' vor siro tsarav linem,
Srtits'd kusht jur khmem.

Ch'oban tgha, boyyd bardzrik,
Siro kanch'yd misht k'aghts'rik,
Ara indz yar՝ zov sary tar,
T'ekuz k'arn anem bardzik.

Arrants' yari՝ meghry darrn e,
Vor sirel em՝ pit arrnem,
Ch'uzi merys, kta herys,
Yergasats' yaris merrnem.

ԾՈՎԱՓԻՆ
TSOVAP'IN

Խոսք՝ Դևի
Lyrics by Dev

Երաժշտ.՝ Ն. Գալանտերյանի
Music by N. Galanteryan

Largo Շատ դանդաղ
Բար-դի-նե-րը մութ ձըգ-վել են ա-փին, ու մեղմ ծովն ան-վերջ
Bar-di-ne-ry mut' dzyg-vel en a-p'in u meghm tsovn an-verj
խըշ-շում է, խըշ-շում: Հեռ-վում փայ-լում է գի-շեր-վա ար-փին,
khysh-shum e, khysh-shum. Herr-vum p'ay-lum e gi-sher-va ar-p'in,
ու ես, իմ մե-ռած ան-ցյալն եմ հի-շում: Ի-ջել է խո-նավ
u yes, im me-rrats an-tsyaln em hi-shum. I-jel e kho-nav
մութն ու շը-շըն-ջում, ու-շա-գած թըռ-չունն հի-մա կը-թըռ-չի:
mut'n u shy-shyn-jum, u-sha-tsats t'yrr-ch'unn hi-ma ky-t'yrr-ch'i.
Էլ ոչ ոք չը-կա, Էլ ոչ ոք չը-կա: Քա-մին է շըր-ջում
El voch' vok' ch'y-ka, El voch vok' ch'y-ka. K'a-min e shyr-jum
1
ու մի լուռ, լուռ հու-սա-հատ աղ-ջիկ,
u mi lurr, lurr hu-sa-hat agh-jik,
2
ու մի լուռ, հու-սա-հատ աղ-ջիկ:
u mi lurr, hu-sa-hat agh-jik.

Բարդիները մութ ձգվել են ափին,
Ու մեղմ ծովն անվերջ խշշում է, խշշում,
Հեռվում փայլում է գիշերվա արփին,
Ու ես իմ մեռած անցյալն եմ հիշում։

Իջել է խոնավ մութն ու շշնջում,
Ուշացած թռչունն հիմա կթռչի։
Էլ ոչ ոք չկա։ Քամին է շրջում
Ու մի լուռ, մի լուռ հուսահատ աղջիկ։

Ու բարդիներն են կամաց փսփսում.
Ու մեղմ ծովն անվերջ խշշում է, խշշում.
Ես իմ անցյալն եմ ցավով ափսոսում,
Հուսահատ աղջի՛կ, դու ո՞ւմ ես հիշում։

Իջել է խոնավ մութն ու շշնջում,
Ուշացած թռչունն հիմա կթռչի.
Էլ ոչ ոք չկա։ Քամին է շրջում
Ու մի լուռ, մի լուռ հուսահատ աղջիկ։

Bardinery mut' dzgvel en ap'in,
Ou meghm tsovn anverj khshshum e, khshshum,
Herrvum p'aylum e gisherva arp'in,
Ou yes im merrats ants'yaln em hishum.

Ijel e khonav mut'n u shshnjum,
Ushats'ats t'rrch'unn hima kt'rrch'i.
El voch' vok' ch'ka. K'amin e shrjum
Ou mi lurr, mi lurr husahat aghjik.

Ou bardinern en kamats' p'sp'sum,
Ou meghm tsovn anverj khshshum e, khshshum,
Yes im ants'yaln em ts'avov ap'sosum,
Husahat aghji´k, du o՞um es hishum.

Ijel e khonav mut'n u shshnjum,
Ushats'ats t'rrch'unn hima kt'rrch'i.
El voch' vok' ch'ka. K'amin e shrjum
Ou mi lurr, mi lurr husahat aghjik.

ԾՈՎԻ ԵՐԳԸ
TSOVI YERGY

Խոսք՝ Հ. Կոստանյանի
Lyrics by H. Kostanyan

Երաժշտ.՝ Ա. Մայիլյանի
Music by A. Mayilyan

Հար - հանդ, մար-մանդ, շող - շո - ղուն ծո՛վ, ա - լիք - նե-րով ինձ
Har - hand, mar-mand, shogh - sho - ghun tsov, a - lik' - ne-rov indz
գըր - կե... տար, գուր-գու-րե՛, քո թե-վե - րով կըրծ-քիդ վը-րա օ-րո -
gyr - ke... tar, gur - gu-re, k'o t'e-ve - rov kyrts - k'id vy - ra o-ro -
րե՛:
re.
դող-դոջ եր-գը լուռ գի-շե-րին իմ ա-կան-ջին
dogh-dojer yer-gy lurr gi-she-rin im a-kan-jin
դու եր - գե՛:
du yer - ge.
Գեթ մի պա - հիկ, վըշ - տոտ սիր - տըս
Get' mi pa - hik, vysh - tot sir - tys
ա՛խ, հան - գըս-տի կա - րոտ է...
akh, han - gys - ti ka - rot e...

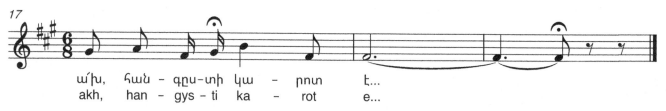

Հարհանդ, մարմանդ,
Շողշողուն ծո՛վ,
Ալիքներով
Ինձ գրկե՛,
Տա՛ր, գուրգուրե՛,
Քո թևերով,
Կրծքիդ վրա
Օրորե՛:
Դողդոջ երգը
Լուռ գիշերին
Իմ ականջին
Դու երգե՛:
Գեթ մի պահիկ.
Վշտոտ սիրտս
Ա՛խ, հանգստի
Կարոտ է...

Հուշեր, հույզեր,
Երազներ վառ
Մեղմ, հեզաբար
Շրշում են.
— Սիրտ, դադարի՛ր,
Իմ անուրջ սիրտ,
Ծովը երգե
Սեղմորեն, –
Շողշող հեռուն՝
Մշուշ և լույս,
Ափերն՝ անհույս,
Երազուն, –
Միտքս թափառ,
Ա՛խ, ոսկեվառ,
Արև ափերն
Երազում...

Harhand, marmand,
Shoghshoghun tso′v,
Alik'nerov Indz grke′,
Ta′r, gurgure′,
K'o t'everov,
Krtsk'id vra
Orore′.
Doghdoj yergy
Lurr gisherin
Im akanjin
Du yerge′.
Get' mi pahik,
Vshtot sirts
A′kh, hangsti
Karot e...

Husher, huyzer,
Yerazner varr
Meghm, hezabar
Shrshum en,
Sirt, dadari′r,
Im anurj sirt,
Tsovy yerge
Seghmoren,
Shoghshogh herrun'
Mshush yev luys,
Ap'ern' anhuys,
Yerazun,
Mitk's t'ap'arr,
A′kh, voskevarr,
Arev ap'ern
Yerazum...

ԿԱՆՉԷ՛ ԿՌՈՒՆԿ
KANCH'E KRRUNK

Կոմիտաս
Komitas

Կանչէ՛, կըռո՛ւնկ, կանչէ՛, քանի գարուն է,
Ղարիբներու սիրտը գունդ – գունդ արուն է։
Կըռո՛ւնկ ջան, կըռո՛ւնկ ջան, գարուն է,
Կըռո՛ւնկ ջան, կըռո՛ւնկ ջան, գարուն է,
Ա՛խ, սիրտս արուն է։

Կանչէ՛, կըռո՛ւնկ, կանչէ՛, քանի արոտ է,
Աշխարհն է արեգակ, սիրտս կարոտ է։
Կըռո՛ւնկ ջան, կըռո՛ւնկ ջան, արոտ է,
Կըռո՛ւնկ ջան, կըռո՛ւնկ ջան, արոտ է,
Ա՛խ, սիրտըս կարոտ է։

Կանչէ՛, կըռո՛ւնկ, կանչէ՛, քանի արև է,
Աշնան կերթաս երկիր, յարիս բարևե։
Կըռո՛ւնկ ջան, կըռո՛ւնկ ջան, արև է,
Կըռո՛ւնկ ջան, կըռո՛ւնկ ջան, արև է,
Ա՛խ, յարիս բարևե։

Kanch'e´, kyrro'unk, kanch'e´, k'ani garun e,
Gharibneru sirty gund – gund arun e,
Kyrro´unk jan, kyrro´unk jan, garun e,
Kyrro´unk jan, kyrro´unk jan, garun e,
A´kh, sirts arun e.

Kanch'e´, kyrro'unk, kanch'e´, k'ani arot e,
Ashkharhn e aregak, sirts karot e,
Kyrro´unk jan, kyrro´unk jan, arot e,
Kyrro´unk jan, kyrro´unk jan, arot e,
A´kh, sirtys karot e.

Kanch'e´, kyrro'unk, kanch'e´, k'ani arev e,
Ashnan kert'as yerkir, yaris bareve.
Kyrro´unk jan, kyrro´unk jan, arev e,
Kyrro´unk jan, kyrro´unk jan, arev e,
A´kh, yaris bareve.

ԿԱՆՉՈՒՄ ԵՄ, ՅԱՐ, ԱՐԻ
KANCH'UM EM YAR, ARI

Հայ. ժողովրդական երգ
Armenian folk song

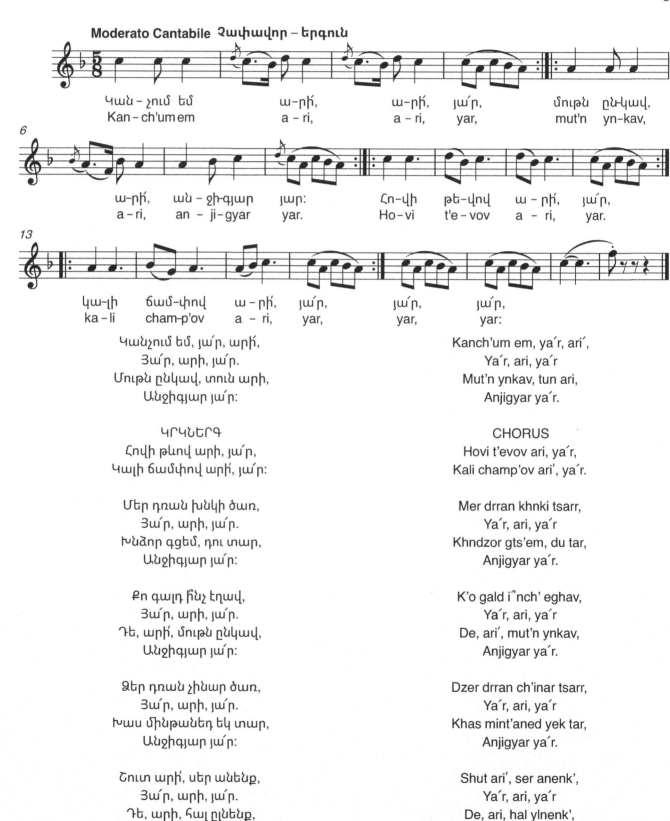

Moderato Cantabile Չափավոր – երգուն

Կան - չում եմ ա-րի՛, ա-րի՛, յա՛ր, մութն ըն-կավ,
Kan - ch'um em a - ri, a - ri, yar, mut'n yn-kav,
ա-րի՛, ան - ջի-գյար յար: Հո-վի թե-վով ա - րի՛, յա՛ր,
a - ri, an - ji - gyar yar. Ho-vi t'e - vov a - ri, yar.
կա-լի ճամ-փով ա - րի՛, յա՛ր, յա՛ր, յա՛ր,
ka - li cham-p'ov a - ri, yar, yar, yar:

Կանչում եմ, յա՛ր, արի՛,
Յա՛ր, արի, յա՛ր.
Մութն ընկավ, տուն արի,
Անջիգյար յա՛ր:

ԿՐԿՆԵՐԳ
Հովի թևով արի, յա՛ր,
Կալի ճամփով արի՛, յա՛ր:

Մեր դռան խնկի ծառ,
Յա՛ր, արի, յա՛ր.
Խնձոր գցեմ, դու տար,
Անջիգյար յա՛ր:

Քո գալդ ի՞նչ էղավ,
Յա՛ր, արի, յա՛ր.
Դե, արի՛, մութն ընկավ,
Անջիգյար յա՛ր:

Ձեր դռան չինար ծառ,
Յա՛ր, արի, յա՛ր.
Խաս մինթանեդ եկ տար,
Անջիգյար յա՛ր:

Շուտ արի՛, սեր անենք,
Յա՛ր, արի, յա՛ր.
Դե, արի, հալ ըլնենք,
Անջիգյար յա՛ր:

Kanch'um em, ya´r, ari´,
Ya´r, ari, ya´r
Mut'n ynkav, tun ari,
Anjigyar ya´r.

CHORUS
Hovi t'evov ari, ya´r,
Kali champ'ov ari', ya´r.

Mer drran khnki tsarr,
Ya´r, ari, ya´r
Khndzor gts'em, du tar,
Anjigyar ya´r.

K'o gald i˚nch' eghav,
Ya´r, ari, ya´r
De, ari', mut'n ynkav,
Anjigyar ya´r.

Dzer drran ch'inar tsarr,
Ya´r, ari, ya´r
Khas mint'aned yek tar,
Anjigyar ya´r.

Shut ari', ser anenk',
Ya´r, ari, ya´r
De, ari, hal ylnenk',
Anjigyar ya´r.

ԿԱՐԱՊԻ ԵՐԳԸ
KARAPI YERGY

Խոսք՝ Մ. Մարտիրոսյանի
Lyrics by M. Martirosyan

Երաժշտ.՝ Ե. Սարդարյանի
Music by E. Sardaryan

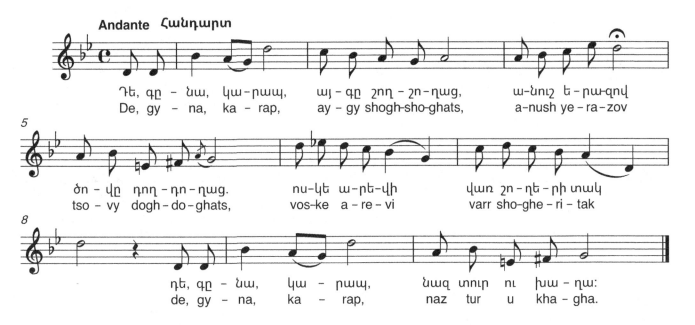

Դե, գնա, կարապ, այգը շողշողաց,
Անուշ երազով ծովը դողդողաց.
Ոսկե արևի վառ շողերի տակ
Դե, գնա, կարապ, նազ տուր ու խաղա:

Սարերի մարմանդ հովերն են հուզվել,
Ձյունափայլ ճակտիդ փունջ են երազել,
Տես, ծովն է խամրել լուռ նազանքներով.
Դե, գնա, կարապ, նազ տուր ու խաղա:

Հավքերը խմբով քեզ օրոր կասեն,
Գողտրիկ տաղերով նազըդ կօրհներգեն.
Հպարտ արծիվը քեզ ողջույն կտա,
Դե, գնա, կարապ, նազ տուր ու խաղա:

De, gna, karap, aygy shoghshoghats',
Anush yerazov tsovy doghdoghats',
Voske arevi varr shogheri tak
De, gna, karap, naz tur u khagha.

Sareri marmand hovern en huzvel,
Dzyunap'ayl chaktid p'unj en yerazel,
Te´s, tsovn e khamrel lurr nazank'nerov,
De, gna, karap, naz tur u khagha.

Havk'ery khmbov k'ez oror kasen,
Goghtrik tagherov nazyd korhnergen,
Hpart artsivy k'ez voghjuyn kta,
De, gna, karap, naz tur u khagha.

ԿԱՐԻՆԵ
KARINE

Խոսք և երաժշտ.՝ Արտ. Այվազյանի
Lyrics and music by A. Ayvazyan

Andante Հանդարտ

Մեր երկրում ազատ, ուրախ,
Ուր գարունն է միշտ բուրում,
Դու ծաղկել ես շողշողուն, Կարինե՛,
Իմ երկրի քնքուշ ծաղիկ:

Քո հայացքը գեղատես,
Քո հասակը բարդու պես,
Եվ խոսքերդ սրտակեզ, Կարինե՛,
Արեվոտ, պայծառ աղջիկ:

Կարինե, Կարինե,
Քեզ համար եմ հորինել
Իմ այս երգը սիրավառ,
Դու իմ Կարինե:

Թե գործի մեջ, թե կյանքում
Դու կրակ ես փոթորկում,
Եվ չունի դադար ու քուն, Կարինե՛.
Ով որ քեզ մի պահ տեսնի:

Սիրտդ մեծ է, սերդ՝ խոր,
Եվ ուղին քո՝ լուսավոր,
Ողջ աշխարհը ամեն օր, Կարինե՛,
Թող ինձ հետ քեզ գովք ասի:

Կարինե, Կարինե,
Քեզ համար եմ հորինել
Իմ այս երգը սիրավառ,
Դու իմ Կարինե:

Mer yerkrum azat, urakh,
Ur garunn e misht burum,
Du tsaghkel es shoghshoghun, Karine´,
Im yerkri k'nk'ush tsaghik.

K'o hayats'k'y geghates,
K'o hasaky bardu pes,
Yev khosk'erd srtakez, Karine´,
Arevot, paytsarr aghjik.

Karine, Karine,
K'ez hamar em horinel
Im ays yergy siravarr,
Du im Karine.

T'e gortsi mej, t'e kyank'um
Du krak es p'ot'orkum,
Yev ch'uni dadar u k'un, Karine´,
Ov vor k'ez mi pah tesni.

Sirtd mets e, serd` khor,
Yev ughin k'o` lusavor,
Voghj ashkharhy amen or, Karine´,
T'ogh indz het k'ez govk' asi.

Karine, Karine,
K'ez hamar em horinel
Im ays yergy siravarr,
Du im Karine.

ԿԱՐՄԻՐ ՎԱՐԴ ԵՎ ՋԱՂՑԻ ԴՌՆՈՎ
KARMIR VARD YEV JAGHTS'I DRRNOV

Երաժշտ.՝ Մ. Մազմանյանի
Music by M. Mazmanyan

ջա,
ja,
նա՛յ,
nay,
նա՛յ,
nay,
նա՛յ,
nay,
նա՛յ:
nay.

Ընկերով կայնած քուչեն
Կարմիր վարդ, կարմիր վարդ,
Աղջի, արի մեր բախչեն,
Մարալ, հեյ, մարալ յար:
Անսիրտ յար:

Ջաղչի դռնով ես անցա,
Նա՛յ, նա՛յ, նա՛յ, նա՛յ ...
Անձրև զարկեց, ես թրջա,
Նա՛յ, նա՛յ, նա՛յ, նա՛յ ...

Ջաղչի դռնով ես անցա,
Նա՛յ, նա՛յ, նա՛յ, նա՛յ ...
Արև զարկեց, ես չորցա
Նա՛յ, նա՛յ, նա՛յ, նա՛յ ...

Ջաղչի դռնով ես անցա,
Նա՛յ, նա՛յ, նա՛յ, նա՛յ ...
Վարդի նման ես բացվա:
Նա՛յ, նա՛յ, նա՛յ, նա՛յ ...

Ynkerov kaynats k'uch'en
Karmir vard, karmir vard,
Aghji, ari mer bakhch'en,
Maral, hey, maral yar.
Ansirt yar.

Jaghch'i drrnov yes ants'a,
Na´y, na´y, na´y, na´y ...
Andzrev zarkets', yes t'rja,
Na´y, na´y, na´y, na´y ...

Jaghch'i drrnov yes ants'a,
Na´y, na´y, na´y, na´y ...
Arev zarkets', yes ch'orts'a
Na´y, na´y, na´y, na´y ...

Jaghch'i drrnov yes ants'a,
Na´y, na´y, na´y, na´y ...
Vardi nman yes bats'va
Na´y, na´y, na´y, na´y ...

ԿԱՔԱՎԻ ԵՐԳԸ
KAK'AVI YERGY

Խոսքի մշ.՝ Հովհ. Թումանյանի
Lyrics adapted by H. Tumanyan

Կոմիտաս
Komitas

Ա — րև բաց—վեց թուխ ամ—պե — րեն, կա—քավ թը — ռավ
A — rev bats—vets t'ukh am — pe — ren, ka — k'av t'y — rrav

կա — նաչ սա — րեն, կա — նաչ սա — րեն՝ սա — րի ծե — րեն,
ka — nach' sa — ren, ka — nach' sa — ren, sa — ri tse — ren,

բա — րև բե — րավ ծա — ղիկ—նե — րեն: Սի — րու — նիկ,
ba — rev be — rav tsa — ghik — ne — ren. Si — ru — nik,

սի — րու — նիկ, սի—րու—նիկ, նախ — շուն կա — քա—վիկ.
si — ru — nik, si — ru—nik, nakh — shun ka — k'a — vik.

192

Արև բացվեց թուխ ամպերեն,
Կաքավ թըռավ կանաչ սարեն,
Կանաչ սարեն՝ սարի ծերեն,
Բարև բերավ ծաղիկներեն:

ԿՐԿՆԵՐԳ
Սիրունի՛կ, սիրունի՛կ,
Սիրունի՛կ, նախշուն կաքավիկ:

Քո բույն հյուսած ծաղիկներով,
Շուշան, նարգիզ, նունուֆարով:
Քո տեղ լըցված ցող ու շաղով,
Քընես – կելնես երգ ու տաղով:

Քո թև փափուկ ու խատուտիկ,
Պըստիկ կտուց, կարմիր տոտիկ,
Կարմիր - կարմիր տոտիկներով
Կըշորորաս ճուտիկներով:

Երբ կըկանգնես մամռոտ քարին,
Սաղմոս կասես ծաղիկներին,
Սարեր – ձորեր զվարթ կանես,
Դարդի ծովեն սիրտ կըհանես:

Arev bats'vets' t'ukh amperen,
Kak'av t'yrrav kanach' saren,
Kanach' saren՝ sari tseren,
Barev berav tsaghikneren.

CHORUS
Siruni՛k, siruni՛k,
Siruni՛k, nakhshun kak'avik.

K'o buyn hyusats tsaghiknerov,
Shushan, nargiz, nunufarov.
K'o tegh lyts'vats ts'ogh u shaghov,
K'ynes – kelnes yerg u taghov.

K'o t'ev p'ap'uk u khatutik,
Pystik ktuts', karmir totik,
Karmir - karmir totiknerov
Kyshororas chutiknerov.

Yerb kykangnes mamrrot k'arin,
Saghmos kases tsaghiknerin,
Sarer – dzorer zvart' kanes,
Dardi tsoven sirt kyhanes.

ԿԻԼԻԿԻԱ
KILIKIA

Խոսք՝ Ն. Ռուսինյանի
Lyrics by N. Rusinyan

Երաժշտ.՝ Գ. Երանյանի
Music by G. Yeranyan

Երբ-որ բաց-վին դըռ-ներն հու-սո, Եվ մեր եր-կրեն
Yerb vor bats-vin dyrr-nern hu-so, Yev mer yer-kren
փախ տա ձը-մեռ, չըք-նաղ եր-կիր մեր Ար-մե-նիո,
p'akh ta dzy-merr, ch'yk'-nagh yer-kir mer Ar-me-nio,
երբ փայ-լե յուր քաղ-ցրիկ օ-րեր, երբ-որ ծի-ծառն
yerb p'ay-le yur k'agh-tsrik o-rer, yerb-vor tsi-tsarrn
իր բույն դառ-նա, երբ-որ ծա-ռերն հագ-նին տե-րև՝
ir buyn darr-na, yerb-vor tsa-rrern hag-nin te-rev,
Ցան-կամ տես-նել, զիմ Կի-լի-կիա, աշ-խարհ՝
Tsan-kam tes-nel, zim Ki-li-kia, ash-kharh,
1 որ ինձ ե-տուր ա-րև:
vor indz ye-tur a-rev.
2 rit. որ ինձ ե-տուր ա-րև:
vor indz ye-tur a-rev.

Երբոր բացվին դռներն հուսո,
Եվ մեր երկրեն փախ տա ձմեռ,
Չքնաղ երկիրն մեր Արմենիո,—
Երբ փայլե յուր քաղցրիկ օրեր.
Երբոր ծիծառն իր բույն դառնա.
Երբոր ծառերն հագնին տերև՝
Ցանկամ տեսնել զիմ Կիլիկիա,
Աշխարհ՝ որ ինձ ետուր արև:

Տեսի դաշտերըն Սուրիո,
Լյառն Լիբանան և յուր մայրեր.
Տեսի զերկիրըն Իտալիո,
Վենետիկ և յուր գոնդոլներ.
Կղզի, նման չիք մեր Կիպրիա,
Եվ ո՛չ մեկ վայրն է արդարև
Գեղեցիկ քան զիմ Կիլիկիա,
Աշխարհ՝ որ ինձ ետուր արև:

Հասակ մը կա մեր կենաց մեջ.
Ուր ամենայն իղձ կավարտի,
Հասակ մը, ուր հոգին ի տենչ՝
Հիշատակաց յուր կարոտի,
Հորժամ քնարս իմ ցրտանա,
Սիրույն տալով վերջին բարև:
Երթամ ննջել զիմ Կիլիկիա,
Աշխարհ՝ որ ինձ ետուր արև:

Yerbor bats'vin drrnern huso,
Yev mer yerkren p'akh ta dzmerr,
Ch'k'nagh yerkirn mer Armenio,—
Yerb p'ayle yur k'aghts'rik orer,
Yerbor tsitsarrn ir buyn darrna,
Yerbor tsarrern hagnin terev'
Ts'ankam tesnel zim Kilikia,
Ashkharh' vor indz yetur arev.

Tesi dashteryn Surio,
Lyarrn Libanan yev yur mayrer,
Tesi zerkiryn Italio, Venetik yev yur gondolner,
Kghzi, nman ch'ik' mer Kipria,
Yev vo'ch' mek vayrn e ardarev
Geghets'ik k'an zim Kilikia,
Ashkharh' vor indz yetur arev.

Hasak my ka mer kenats' mej,
Ur amenayn ighdz kavarti,
Hasak my, ur hogin i tench''
Hishatakats' yur karoti,
Horzham k'nars im ts'rtana,
Siruyn talov verjin barev.
Yert'am nnjel zim Kilikia,
Ashkharh' vor indz yetur arev.

ԿՌՈՒՆԿ
KRROUNK

Կոմիտաս
Komitas

Moderato Չափավոր
Կռո՛ւնկ, ուս-տի՞ կու - գաս, ծա - ռա եմ
Krrounk, us - ti ku - gas, tsa - rra yem
ձայ - - նիդ,
dzay - - nid,
Կռո՛ւնկ, մեր աշ - խարհեն խաբ - րիկ մը չու -
Krrunk, mer ash-khar-hen khab - rik my ch'u -
- նիս, կռո՛ւնկ, մեր աշ - խարհեն
- nis, krrunk, mer ash - khar-hen
խաբ - րիկ մը չու - նի՞ս:
khab - rik my ch'u - nis.

Կռո՛ւնկ, ուստի՞ կուգաս, ծառա եմ ձայնիդ,
Կռո՛ւնկ, մեր աշխարհեն խապրիկ մի չունի՞ս,
Մի՛ վազեր, երամիդ շուտով կըհասնիս,
Կըռունկ, մեր աշխարհեն խապրիկ մը չունի՞ս:

Թողել եմ ու եկել մլքերս ու այգիս,
Քանի որ ա՛խ կանիմ, կըքաղվի հոգիս:
Կռո՛ւնկ, պահ մի կացիր, ձայնիկդ ի հոգիս,
Կռո՛ւնկ, մեր աշխարհն խապրիկ մը չունի՞ս:

Աշուն է մոտեցել, գնալու ես թեպտիր,
Երամ ես ժողովել հազարներ ու բյուր,
Ինձ պատասխան չըտվիր, ելար, գընացիր,
Կռո՛ւնկ, մեր աշխարհեն գնա՛, հեռացի՛ր:

Krro'unk, usti˚ kugas, tsarra yem dzaynid,
Krro'unk, mer ashkharhen khaprik mi ch'uni˚s,
Mi' vazer, yeramid shutov kyhasnis,
Krro'unk, mer ashkharhen khaprik my ch'uni˚s.

T'oghel em u yekel mlk'ers u aygis,
K'ani vor a'kh kanim, kyk'aghvi hogis.
Krro'unk, pah mi kats'ir, dzaynikd i hogis,
Krro'unk, mer ashkharhen khaprik my ch'uni˚s.

Ashun e motets'el, gnalu yes t'eptir,
Yeram es zhoghovel hazarner u byur,
Indz pataskhan ch'ytvir, yelar, gynats'ir,
Krro'unk, mer ashkharhen gna', herrats'i'r.

ԿՌՈՒՆԿՆԵՐ
KRROUNKNER

Խոսք՝ Լ. Դուրյանի
Lyrics by L. Duryan

Երաժշտ.՝ Խ. Ավետիսյանի
Music by Kh. Avetisyan

Moderato Միջին արագությամբ
1.Ձյուն է ի - ջել բար-ձըր սա - րին, ծա-ղիկ - նե - րըս
2.Քո հա - սա - կը կա - նաչ բար - դի, ինձ թող ապ-րեմ
1.Dzyun e i - jel bar - dzyr sa - rin, tsa-ghik - ne - rys
2.K'o ha - sa - ky ka - nach' bar - di, indz t'ogh ap - rem
մըր - սում են, նա - յում եմ քո ճա - նա - պար - հին,
քո շու - քին, ես նը - ման եմ շա - ղոտ վար - դի,
myr - sum en, na - yum em k'o cha - na - par - hin,
k'o shu - k'in, yes ny - man em sha - ghot var - di,
ես ա - ռանց քեզ տըխ - րում եմ: Կը-ռունկ - նե - րը
ինձ խառ - նիր քո շը - շու - կին: Ky - rrunk - ne - ry
yes a - rrants k'ez tykh - rum em.
indz kharr - nir k'o shy - shu - kin.
ե - կան ան - ցան, դու նը - րանց հետ մի գը - նա,
ye - kan an - tsan, du ny - rants het mi gy - na,
ա - րի՛ վա - ռի իմ տան լույ - սը՝ դու մը - նա՛, դու մի՛ գը -
քոնն է սիր-տըս, կա - րոտ սիր-տըս, du my - na, du mi gy -
a - ri va - rri im tan luy - sy,
k'onn e sir - tys, ka - rot sir - tys,
նա: մի՛ գը - նա: Դու մը - նա՛, դու մի՛ գը - նա:
na. mi gy - na. Du my - na, du mi gy - na.

Ձյուն է իջել բարձր սարին,
Ծաղիկներս մրսում են,
Նայում եմ քո ճանապարհին,
Ես առանց քեզ տխրում եմ:

Կռունկները եկան, անցան,
Դու նրանց հետ մի՛ գնա,
Արի ՛, վառի իմ տան լույսը
Դու մընա՛, դու մի՛ գնա:

Քո հասակը կանաչ բարդի,
Ինձ թող ապրեմ քո շուքին,
Ես նման եմ շաղոտ վարդի,
Ինձ խառնիր քո շըշուկին:

Կռունկները եկան, անցան,
Դու նրանց հետ մի՛ գնա,
Արի՛, վառի իմ տան լույսը
Դու մընա՛, դու մի՛ գնա:

Քոնն է սիրտս կարոտ սիրտս
Դու մնա՛, դու մի՛ գնա,
Դու մնա՛, դու մի՛ գնա:

Dzyun e ijel bardzr sarin,
Tsaghikners mrsum en,
Nayum em k’o chanaparhin,
Yes arrants’ k’ez tkhrum yem.

Krrounknery yekan, ants’an,
Du nrants’ het mi′ gna,
Ari ′, varri im tan luysy
Du myna′, du mi′ gna.

K’o hasaky kanach’ bardi,
Indz t’ogh aprem k’o shuk’in,
Yes nman em shaghot vardi,
Indz kharrnir k’o shyshukin.

Krrounknery yekan, ants’an,
Du nrants’ het mi′ gna,
Ari′, varri im tan luysy
Du myna′, du mi′ gna.

K’onn e sirts karot sirts
Du mna′, du mi′ gna,
Du mna′, du mi′ gna.

ԿՈՒԺՆ ԱՌԱ
KUZHN ARRA

Կոմիտաս
Komitas

Կուժն ա-ռա, ե-լա սա-րը, չը-գը-տա
Kuzhn a-rra, ye-la sa-ry, ch'y-gy-ta
ֆի-դան յա-րը, ֆի-դան յա-րը ինձ տը-վեք, չը-քա-շեմ ահ
fi-dan ya-ry, fi-dan ya-ry indz ty-vek', ch'y-k'a-shem ah
ու զա-րը:
u za-ry.

Կուժն առա, ելա սարը,
Չըգըտա ֆիդան յարը:
Ֆիդան յարը ինձ տվեք,
Չըքաշեմ ահ ու զարը:

Kuzhn arra, yela sary,
Ch'ygyta fidan yary.
Fidan yary indz tvek',
Ch'yk'ashem ah u zary.

Մեծ սարի հովին մեռնեմ,
Շեկ տըղի բոյին մեռնեմ,
Մի տարի ա չեմ տեսել,
Տեսնողի աչքին մեռնեմ:

Mets sari hovin merrnem,
Shek tyghi boyin merrnem,
Mi tari a ch'em tesel,
Tesnoghi ach'k'in merrnem.

Բըլբուլը դարի վրա,
Խընձորը ծառի վըրա,
Սիրած սիրածի տային՝
Չոր գետնին՝ քարի վրա:

Bylbuly dari vra,
Khyndzory tsarri vyra,
Sirats siratsi tayin՝
Ch'or getnin՝ k'ari vra.

ՀԱՄԵՍՏ ԱՂՋԻԿ
HAMEST AGHJIK

Երաժշտ.՝ ըստ՝ Մ. Եկմալյանի
Music transcription by M. Yekmalyan

Համեստ աղջիկ, ինձ մի տանջիր չարաչար,
Չարաչար, սիրուն ջան, չարաչար:

Հոգիս հոգուդ մատաղ լինի ամեն ժամ,
Ամեն ժամ, սիրուն ջան, ամեն ժամ:

Ես հայ, դու հայ, մեր մեջ չկա խտրություն,
Խտրություն, սիրուն ջան, խտրություն:

Նազլու, նազլու, ինձ մի գցիր սարեսար,
Սարեսար, սիրուն ջան, սարեսար:

Մատաղ կյանքումս քեզ եմ սիրել, աննման,
Աննման, սիրուն ջան, աննման:

Գիշեր – ցերեկ դադար չունեմ քեզ համար,
Քեզ համար, սիրուն ջան, քեզ համար:

Hamest aghjik, indz mi tanjir ch'arach'ar,
Ch'arach'ar, sirun jan, ch'arach'ar.

Hogis hogud matagh lini amen zham,
Amen zham, sirun jan, amen zham.

Yes hay, du hay, mer mej ch'ka khtrut'yun,
Khtrut'yun, sirun jan, khtrut'yun.

Nazlu, nazlu, indz mi gts'ir saresar,
Saresar, sirun jan, saresar.

Matagh kyank'ums k'ez em sirel, annman,
Annman, sirun jan, annman.

Gisher – ts'erek dadar ch'unem k'ez hamar,
K'ez hamar, sirun jan, k'ez hamar.

ՀԱՅ ԱՂՋԿԱՆ
HAY AGHJKAN

Խոսք՝ Սարմենի
Lyrics by Sarmen

Երաժշտ.՝ Մ. Տարենտելյանի
Music by M. Tarentelyan

Andante Հանդարտ

Նո - ճի հա - սակ, մեջ - քը բա - րակ,
No - chi ha - sak, mej - k'y ba - rak,

աչ - քե - րը սև, աստ - ղոտ գի - շեր, ա-նառիկ բերդ են
ach' - k'e - ry sev, ast - ghot gi - sher, a-na-rrik berd en

բար-ձրա-գահ, ա-մեն մար-դու չեն տա - լիս սեր:
bar-dzra-gah a - men mar-du ch'en ta - lis ser.

Բայց թե Հան - կարծ_____ տի - րա - նասդուն այդ գա - Հե - րից
Bayts t'e han - karts_____ ti - ra - nas dun ayd ga - he - rits

մեկն ու մե - կին, նա կը - տա և իր սե - րը
mekn u me - kin, na ky - ta yev ir se - ry

և Հու - րը, և իր Հո - գին:
yev hu - ry, yev ir ho - gin.

Նոճի Հասակ, մեջքը բարակ,
Աչքերը սև, աստղոտ գիշեր,
Անառիկ բերդ են, բարձրագահ,
Ամեն մարդու չեն տալիս սեր:

Բայց թե Հանկարծ տիրանաս դուն
Այդ գաՀերից մեկնումեկին,
Նա քեզ կտա և իր սերը,
Ե՛վ իր Հուրը և իր Հոգին:

Nochi hasak, mejk'y barak,
Ach'k'ery sev, astghot gisher,
Anarrik berd en, bardzragah,
Amen mardu ch'en talis ser.

Bayts' t'e hankarts tiranas dun
Ayd gaherits' meknumekin,
Na k'ez kta yev' ir sery,
Ye'v ir hury yev' ir hogin.

201

ՀԱՅԱՍՏԱՆԻ ԵՐԵԽԱՆԵՐԻՆ
HAYASTANI YEREKHANERIN

Խոսք՝ Գ. Կարապետյան
Lyrics by G. Karapetyan

Երաժշտ.՝ Կ. Պետրոսյանի
Music by K. Petrosyan

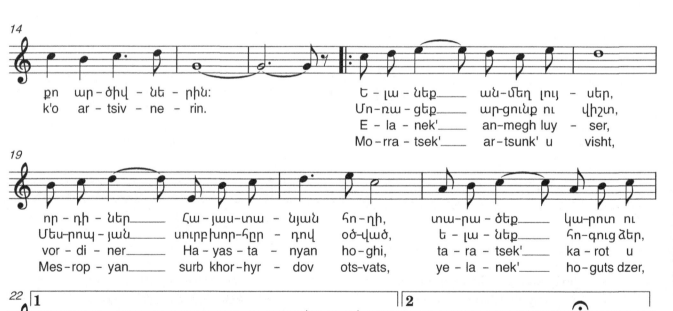

Դու ծըն-վել ես մեծ հա-վատ - քից եր-կիր Հա - յոց
Du tsyn-vel es mets ha - vat - k'its yer - kir Ha - yots
և երկ-նել ես քո պատ-մու - թյամբ ազգ Հայ - կա - զյան,
yev yerk-nel es k'o pat - mu - t'yamb azg Hay - ka - zyan,
չես տըր-վել եր - բեք ա-ղետ-նե - րին դա - ժան, նը-ման-վել ես
ch'es tyr-vel yer - bek' a-ghet-ne - rin da - zhan, ny-man-vel es
քո ար-ծիվ - նե - րին:
k'o ar-tsiv - ne - rin.
Ե - լա - նեք ան-մեղ լույ - սեր,
Մո-ռա - ցեք ար-ցունք ու վիշտ,
E - la - nek' an-megh luy - ser,
Mo-rra - tsek' ar-tsunk' u visht,
որ - դի - ներ Հա-յաս-տա - նյան հո-ղի, տա-րա - ծեք կա-րոտ ու
Մես-րոպ - յան սուրբ խոր-հըր - դով օծ-ված, ե - լա - նեք հո-գուց ձեր,
vor - di - ner Ha - yas - ta - nyan ho-ghi, ta - ra - tsek' ka - rot u
Mes-rop - yan surb khor-hyr - dov ots-vats, ye - la - nek' ho-guts dzer,
1
երգ Հա - յոց եր - կրում,
yerg Ha - yots yer - krum,
2
նոր ե - րազ ու կյանք:
nor ye - raz u kyank'.

Դու ծնվել ես մեծ հավատքից, երկիր Հայոց,
Եվ երկնել ես քո պատմությամբ ասք Հայկազյան,
Չես տրվել երբեք աղետներին դաժան,
Նմանվել ես քո արծիվներին:
Զավակներդ գիր ու մատյան սիրել են միշտ,
Որ դառնան այր և իմաստուն խոհեմ քեզ պես,
Չեն եղել հոգսին գամված անօգ ու խեղճ
Եվ պաշտել են քեզ հոգով անկեղծ:

ԿՐԿՆԵՐԳ
Ելանեք, անմեղ լույսեր, որդիներ Հայաստանյան հողի,
Տարածեք կարոտ ու երգ Հայոց երկրում,
Մոռացեք արցունք ու վիշտ, Մեսրոպյան սուրբ խորհրդով օծված,
Ելանեք հոգուց ձեր, նոր երազ ու կյանք:

Դուք եղել եք, երեխաներ, միշտ երջանիկ
Եվ կրել եք թանկ հուշը ձեր նախնիների:
Մենք ուզում ենք, որ ընդմիշտ ուրախ ժպտաք,
Դուք մեր լույս փարոս ու երազանք:
Երբ թախիծը, մեր զավակներ, ծիծաղ դառնա,
Ձեր աչքերը խենթ երգերով թող հեղեղվեն,
Մայր հողից է հասկը մեր աճում ցորնի.
Նա կանգուն և ողջ պիտի լինի:

Du tsnvel es mets havatk'its', yerkir Hayots',
Yev yerknel yes k'o patmut'yamb ask' Haykazyan,
Ch'es trvel yerbek' aghetnerin dazhan,
Nmanvel es k'o artsivnerin.
Zavaknerd gir u matyan sirel en misht,
Vor darrnan ayr yev imastun khohem k'ez pes,
Ch'en yeghel hogsin gamvats anog u kheghch
Yev pashtel en k'ez hogov ankeghts.

CHORUS
Yelanek', anmegh luyser, vordiner Hayastanyan hoghi,
Taratsek' karot u yerg Hayots' yerkrum,
Morrats'ek' arts'unk' u visht, Mesropyan surb khorhrdov otsvats,
Yelanek' hoguts' dzer, nor yerats u kyank'.

Duk' yeghel ek', yerekhaner, misht yerjanik
Yev krel ek' t'ank hushy dzer nakhnineri.
Menk' uzum enk', vor yndmisht urakh zhptak',
Duk' mer luys p'aros u yerazank'.
Yerb t'akhitsy, mer zavakner, tsitsagh darrna,
Dzer ach'k'ery khent' yergerov t'ogh hegheghven,
Mayr hoghits' e hasky mer achum ts'orni.
Na kangun yev voghj piti lini.

ՀԱՅԱՍՏԱՆ
HAYASTAN

Խոսք՝ Ա.Գրաշու
Lyrics by A. Grashi

Երաժշտ.՝ Արտ. Այվազյանի
Music by A. Ayvazyan

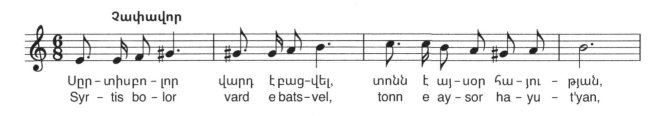

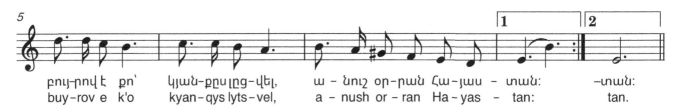

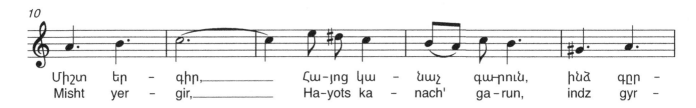

Սըր - տիսբո - լոր վարդ էբաց-վել, տոնն է այ - սոր հա - յու - թյան,
Syr - tis bo - lor vard e bats - vel, tonn e ay - sor ha - yu - t'yan,
բույ-րով է քո՝ կյան-քըս լըց-վել, ա - նուշ օր-րան Հա-յաս - տան: -տան:
buy-rov e k'o kyan-qys lyts-vel, a - nush or - ran Ha - yas - tan: tan.
Միշտ եր - գիր, Հա-յոց կա - նաչ գա-րուն, ինձ գըր -
Misht yer - gir, Ha-yots ka - nach' ga-run, indz gyr -
կիր քո չըք-նաղ աշ - խար-հում, միշտ դա-լա - րիր,
kir k'o ch'yk'-nagh ash - khar-hum, misht da-la - rir,
եր - կիր բա - րի, եր-ջան-կու - թյան իմ չի-նա - րի:
er - kir ba - ri, yer-jan-ku - t'yan im ch'i-na - ri.
Coda
իմ չի - նա - րի:
im ch'i - na - ri.

Սրտիս բոլոր վարդ է բացվել,
Տոնն է այսօր հայության,
Բույրով է քո՝ կյանքս լցվել,
Անուշ օրրան Հայաստան:

ԿՐԿՆԵՐԳ
Միշտ երգիր հայոց կանաչ գարուն,
Ինձ գրկիր քո չքնաղ աշխարհում,
Միշտ դալարիր, երկիր բարի,
Երջանկության իմ չինարի:

Աչքերիս մեջ գարնան օրեր,
Ման եմ գալիս սարեսար,
Կանաչ սարեր, կապույտ ձորեր,
Երկիրն եք իմ լալազար:

Սիրում եմ քեզ լույս հայրենիք,
Ես իմ կյանքից ավելի,
Գնում ես դու քո երջանիկ
Ճամփաներով արևի:

Srtis bolor vard e bats'vel,
Tonn e aysor hayut'yan,
Buyrov e k'o` kyank's lts'vel,
Anush orran Hayastan.

CHORUS
Misht yergir hayots' kanach' garun,
Indz grkir k'o ch'k'nagh ashkharhum,
Misht dalarir, yerkir bari,
Yerjankut'yan im ch'inari.

Ach'k'eris mej garnan orer,
Man em galis saresar,
Kanach' sarer, kapuyt dzorer,
Yerkirn ek' im lalazar.

Sirum em k'ez luys hayrenik',
Yes im kyank'its' aveli,
Gnum es du k'o yerjanik
Champ'anerov arevi.

ՀԱՅԱՍՏԱՆԻ ԱՂՋԻԿՆԵՐԸ
HAYASTANI AGHJIKNERY

Խոսք՝ Հովհ. Շիրազի
Lyrics by H. Shiraz

Երաժշտ.՝ Վ. Չաքմիշյանի
Music by V. Chakmishyan

Հուրն են սիրո սևի սիրուն աղջիկները Հայաստանի,
Սրտիս վրա քայլող գարուն աղջիկները Հայաստանի,
Իմ սիրտն ի՛նչ է, ա՛խ, թե ուզեն՝ բերդեր կառնեն մի հայացքով,
Անառիկ բերդ ու սիրո սյուն՝ աղջիկները Հայաստանի:

Իմ Սևանը չի ցամաքի, երբ սևածով աչքերը կան,
Լույս բամբակի, Մասիս դիզող բամբակի՝ հույս ձեռքերը կան,
Վարդ – շուրթերին բուրմունքի պես Կոմիտասի երգերը կան,
Քարից անգամ լույս են քամում աղջիկները Հայաստանի:

Առանց նրանց՝ երգս պաղ էր, արև բացին իմ երգի մեջ,
Նրանց սիրո ձեռագործը ծիածանն է երկնքի մեջ,
Բայց քաջ կասեմ, մեկին սիրես, լավին սիրես ու լավ սիրես,
Որ քեզ սիրեն բոլոր սիրուն աղջիկները Հայաստանի:

Hurn en siro sevi sirun aghjiknery Hayastani,
Srtis vra k'aylogh garun aghjiknery Hayastani,
Im sirtn i´nch' e, a´kh, t'e uzen` berder karrnen mi hayats'k'ov,
Anarrik berd u siro syun` aghjiknery Hayastani.

Im Sevany ch'i ts'amak'i, yerb sevatsov ach'k'ery kan,
Luys bambaki, Masis dizogh bambaki` huys dzerrk'ery kan,
Vard – shurt'erin burmunk'i pes Komitasi yergery kan,
K'arits' angam luys en k'amum aghjiknery Hayastani.

Arrants' nrants'` yergs pagh er, arev bats'in im yergi mej,
Nrants' siro dzerragortsy tsiatsann e yerknk'i mej,
Bayts' k'aj kasem, mekin sires, lavin sires u lav sires,
Vor k'ez siren bolor sirun aghjiknery Hayastani.

ՀԱՅՈՑ ԱՂՋԻԿՆԵՐ
HAYOTS AGHJIKNER

Խոսք՝ Գ. Միրիմանյանի
Lyrics by G. Mirimanyan

Երաժշտ.՝ Մ. Փրիդոնյանի
Music by M. Pridonyan

Հայոց աղջիկներ, ձեր հոգուն մատաղ,
Երբ միտս եք գալիս, ասում եմ ես, ա՜խ,
Հալվում եմ, հալվում օտարության մեջ,
Ա՜խ, սիրտս խորվում, ցավիս չկա վերջ:

Երբ կարմիր գինին բաժակումսածած
Սեղանիս վրա առաջս է դրած,
Աչքս ակամա վրան եմ գցում,
Ձեր սիրուն պատկերն եմ մեջը տեսնում:

Հայոց աղջիկներ, ձեր հոգուն մեռնեմ,
Ձեր սիրուն աչերն էլ ե՞րբ կտեսնեմ,
Էն սև-սև աչերն, սև ունքով պատած,
Կարծես երկնային ղալամով քաշած:

Էն սև-սև աչերն, որ շատին սպանեց,
Բայց էլի շատին դժոխքից հանեց,
Ես էլ կենդանի տեղովս եմ մեռած,
Առանց կըրակի էրված, խորոված:

Հայոց աղջիկներ, ի՞նչ անուն տամ ձեզ,
Թե հրեշտակ ասեմ՝ հրեշտակ չեմ տեսել,
Թե մարդ անվանեմ՝ բեդամաղ կանեմ,
Ուրեմն՝ ի՞նչ անեմ, մոլորված եմ ես:

Ձեր սերն է միայն սրտումս պահած,
Ձեր սիրով եմ ես միայն կենդանի,
Ձեր սերը միայն էս կյանքս մաշված
Օտարության մեջ դեռ կպահպանի:

Hayots' aghjikner, dzer hogun matagh,
Yerb mits ek' galis, asum em yes, a´kh,
Halvum em, halvum otarut'yan mej,
A´kh, sirts khorvum, ts'avis ch'ka verj.

Yerb karmir ginin bazhakums atsats
Seghanis vra arrajs e drats,
Ach'k's akama vran em gts'um,
Dzer sirun patkern em mejy tesnum.

Hayots' aghjikner, dzer hogun merrnem,
Dzer sirun ach'ern el ye˚rb ktesnem,
En sev-sev ach'ern, sev unk'ov patats,
Kartses yerknayin ghalamov k'ashats.

En sev-sev ach'ern, vor shatin spanets',
Bayts' eli shatin dzhokhk'its' hanets',
Yes el kendani teghovs yem merrats,
Arrants' kyraki ervats, khorovats.

Hayots' aghjikner, i˚nch' anun tam dzez,
T'e hreshtak asem՝ hreshtak ch'em tesel,
T'e mard anvanem՝ bedamagh kanem,
Uremn՝ i˚nch' anem, molorvats em yes.

Dzer sern e miayn srtums pahats,
Dzer sirov em yes miayn kendani,
Dzer sery miayn es kyank's mashvats
Otarut'yan mej derr kpahpani.

ՀԱՅՈՑ ԼԵՌՆԵՐՈՒՄ
HAYOTS' LERRNERUM

Խոսք՝ Հովհ. Թումանյանի
Lyrics by H. Tumanyan

Երաժշտ.՝ Ն. Գալանտերյանի
Music by N. Galanteryan

Moderato Միջին արագությամբ
Մեր ճամ - փեն խա-վար, մեր ճամ-փեն գի-շեր, ու մենք ան-հատ-նում
Mer cham - p'en kha - var, mer cham - p'en gi-sher, u menk' an - hat - num
էն ան - լույս մըթ-նում եր - կար դա - րե-րով գը - նում ենք դեպ վեր
en an - luys myt'-num yer - kar da - re-rov gy - num enk' dep ver
Fine
հա - յոց լեռ - նե-րում, դըժ - վար լեռ - նե-րում: Տա - նում ենք հը-նուց
ha - yots lerr - ne-rum, dyzh - var lerr - ne-rum. Ta - num enk' hy-nuts
մեր գան - ձերն ան-գին, մեր գան - ձե - րը ծով, ինչ որ դա - րե-րով
mer gan - dzern an-gin, mer gan - dze - ry tsov, inch' vor da - re-rov
եր - կնել է, ծը-նել մեր խոր-րունկ հո-գին հա - յոց լեռ - նե-րում,
yer - knel e, tsy-nel mer kho-runk ho-gin ha - yots lerr - ne-rum,
բար - ձըր լեռ - նե-րում, բար - ձըր լեռ - նե-րում:
bar - dzyr lerr - ne - rum, bar - dzyr lerr - ne - rum.

Մեր ճամփեն խավար, մեր ճամփեն գիշեր,
Ու մենք անհատնում
Էն անլույս մթնում
Երկա՛ր դարերով գընում ենք դեպ վեր
Հայոց լեռներում,
Դըժար լեռներում:

Տանում ենք հընուց մեր գանձերն անգին,
Մեր գանձերը ծով,
Ինչ որ դարերով
Երկնել է, ծընել մեր խորունկ հոգին
Հայոց լեռներում,
Բարձըր լեռներում:

Բայց քանի անգամ շեկ անապատի
Օրդուները սև
Իրարու ետև
Եկան զարկեցին մեր քարվանն ազնիվ
Հայոց լեռներում,
Արնոտ լեռներում:

Ու մեր քարավանը շըփոթ, սոսկահար,
Թալանված, ջարդված
Ու հատված – հատված
Տանում է իրեն վերքերն անհամար
Հայոց լեռներում,
Սուգի լեռներում:

Ու մեր աչքերը նայում են կարոտ՝
Հեռու աստղերին,
Երկընքի ծերին,
Թե ե՞րբ կբացվի պայծառ առավոտ
Հայոց լեռներում,
Կանաչ լեռներում:

Mer champ'en khavar, mer champ'en gisher,
Ou menk' anhatnum
En anluys mt'num
Yerka´r darerov gynum enk' dep ver
Hayots' lerrnerum,
Dyzhar lerrnerum.

Tanum enk' hynuts' mer gandzern angin,
Mer gandzery tsov,
Inch' vor darerov
Yerknel e, tsynel mer khorunk hogin
Hayots' lerrnerum,
Bardzyr lerrnerum.

Bayts' k'ani angam shek anapati
Ordunery sev
Iraru yetev
Yekan zarkets'in mer k'arvann azniv
Hayots' lerrnerum,
Arnot lerrnerum.

Ou mer k'aravany shyp'vot', soskahar,
T'alanvats, jardvats
Ou hatvats – hatvats
Tanum e iren verk'ern anhamar
Hayots' lerrnerum,
Sugi lerrnerum.

Ou mer ach'k'ery nayum en karot`
Herru astgherin,
Yerkynk'i tserin,
T'e ye˝rb kbats'vi paytsarr arravot
Hayots' lerrnerum,
Kanach' lerrnerum.

ՀԱՅՐԵՆԻՔԻՍ ՀԵՏ
HAYRENIK'IS HET

Խոսք՝ Հովհ. Թումանյանի
Lyrics by H. Tumanyan

Երաժշտ.՝ Ալ. Հարությունյանի
Music by Al. Harutyunyan

Վաղուց թեև իմ հայացքը անհայտին է ու հեռվում
Ու իմ սիրտը իմ մըտքի հետ անհունններն է թափառում,
Բայց՝ կարոտով ամեն անգամ երբ դառնում եմ դեպի քեզ՝
Մըղկըտում է սիրտըս անվերջ քո թառանչից աղեկեզ,
Ու գաղթական զավակներիդ լուռ շարքերից ուժասպառ,
Ե՛վ գյուղերից, և՛ շեներից տխո՛ւր, դատարկ ու խավար,
Ջարկվա՛ծ հայրենիք,
Ջըրկվա՛ծ հայրենիք:

Խըռնվում են մտքիս հանդեպ բանակները անհամար,
Տրորում են քո երեսը, քո դաշտերը ծաղկավառ,
Ու ջարդարար ոհմակները աղաղակով վայրենի,
Ավարներով, ավերներով, խընջույքներով արյունի,
Որ դարձըրին քեզ մըշտական սև ու սուգի մի հովիտ՝
Խեղճ ու լալկան քո երգերով, հայացքներով անժըպիտ,
Ողբի՛ հայրենիք,
Որբի՛ հայրենիք:

Բայց հին ու նոր քո վերքերով կանգնած ես դու կենդանի,
Կանգնած խոհո՛ւն, խորհըրդավոր ճամփին նորի ու հնի.
Հառաչանքով սըրտի խորքից խոսք ես խոսում աստծու հետ
Ու խորհում ես խորին խորհուրդ տանջանքներում չարաղետ,
Խորհում ես դու էն մեծ խոսքը, որ տի ասես աշխարհքին
Ու պիտ դառնաս էն երկիրը, ուր ձըգտում է մեր հոգին.
Հույսի՛ հայրենիք,
Լույսի՛ հայրենիք:

Ու պիտի գա հանուր կյանքի արշալույսը վառ հագած,
Հազա՛ր - հազար լուսապայծառ հոգիներով ճառագած,
Ու երկնահաս քո բարձունքին, Արարատի սուրբ լանջին,
Կենսաժըպիտ իր շողերը պիտի ժըպտան առաջին,
Ու պոետներ, որ չեն պըղծել իրենց շուրթերն անեծքով,
Պիտի գովեն քո նոր կյանքը նոր երգերով, նոր խոսքով,
Իմ նո՛ր հայրենիք,
Հըզո՛ր հայրենիք...

Vaghuts' t'eyev im hayats'k'y anhaytin e u herrvum
Ou im sirty im mytk'i het anhunnern e t'ap'arrum,
Bayts'' karotov amen angam yerb darrnum em depi k'ez`
Myghkytum e sirtys anverj k'o t'arranch'its' aghekez,
Ou gaght'akan zavaknerid lurr shark'erits' uzhasparr,
Ye'v gyugherits', yev' shenerits' tkho´ur, datark u khavar,
Zarkva´ts hayrenik',
Zyrkva´ts hayrenik'.

Khyrrnvum en mtk'is handep banaknery anhamar,
Trorum en k'o yeresy, k'o dashtery tsaghkavarr,
Ou jardarar vohmaknery aghaghakov vayreni,
Avarnerov, avernerov, khynjuyk'nerov aryuni,
Vor dardzyrin k'ez myshtakan sev u sugi mi hovit`
Kheghch u lalkan k'o yergerov, hayats'k'nerov anzhypit,
Voghbi´ hayrenik',
Vorbi´ hayrenik'.

Bayts' hin u nor k'o verk'erov kangnats es du kendani,
Kangnats khoho´un, khorhyrdavor champ'in nori u hni.
Harrach'ank'ov syrti khork'its' khosk' es khosum asttsu het
Ou khorhum es khorin khorhurd tanjank'nerum ch'araghet,
Khorhum es du en mets khosk'y, vor ti ases ashkharhk'in
Ou pit darrnas en yerkiry, ur dzygtum e mer hogin.
Huysi´ hayrenik',
Luysi´ hayrenik'.

Ou piti ga hanur kyank'i arshaluysy varr hagats,
Haza´r - hazar lusapaytsarr hoginerov charragats,
Ou yerknahas k'o bardzunk'in, Ararati surb lanjin,
Kensazhypit ir shoghery piti zhyptan arrajin,
Ou poetner, vor ch'en pyghtsel irents' shurt'ern anetsk'ov,
Piti goven k'o nor kyank'y nor yergerov, nor khosk'ov,
Im no´r hayrenik',
Hyzo´r hayrenik'…

214

ՀԱՅՈՑ ԿՌՈՒՆԿՆԵՐ
HAYOTS' KRRUNKNER

Խոսք՝ Ա. Գրաշու
Lyrics by A. Grashi

Երաժշտ.՝ Ստ. Ջրբաշյանի
Music by St. Jrbashyan

Բարով եկաք, կռունկներ,
Օտար աշխարհից,
Թողած վշտեր ու վերքեր,
Եկաք դուք հեռվից։
        Արժանացանք ձեր գալուն,
        Հայության կռունկներ։
        Զարդարել է վառ գարուն
        Ձեր ճամփան, կռունկներ։

Հոգով պապագ ու փափագ՝
Եկաք Հայաստան։
Բացվեց կյանքի դուռը փակ,
Ինչպես նոր շուշան։
        Մենք ձեզ կտանք ծաղկաբույր
        Գարուն մի սիրուն։
        Ցայտեց հազար սուրբ աղբյուր
        Մեր հայոց սարերում։

Բարով եկաք, կռունկներ,
Դրեք բույն երկրում,
Հանեք ուրախ ձագուկներ,
Ձեր սերն ենք երազում։
        Հայրենիքից անուշ հող
        Չկա աշխարհում,
        Հայաստանն է լուսաշող
        Ձեզ գրկում, համբուրում։

Barov yekak', krrunkner,
Otar ashkharhits',
T'oghats vshter u verk'er,
Yekak' duk' herrvits'.
        Arzhanats'ank' dzer galun,
        Hayut'yan krrunkner,
        Zardarel e varr garun
        Dzer champ'an, krrunkner.

Hogov papag u p'ap'ag'
Yekak' Hayastan,
Bats'vets' kyank'i durry p'ak,
Inch'pes nor shushan.
        Menk' dzez ktank' tsaghkabuyr
        Garun mi sirun,
        Ts'aytets' hazar surb aghbyur
        Mer hayots' sarerum,

Barov yekak', krrunkner,
Drek' buyn yerkrum,
Hanek' urakh dzagukner,
Dzer sern enk' yerazum.
        Hayrenik'its' anush hogh
        Ch'ka ashkharhum,
        Hayastann e lusashogh
        Dzez grkum, hamburum.

ՀԱՅՐԵՆԱԿԱՆ
HAYRENAKAN

Խոսք՝ Գ. Գրիգորյանի
Lyrics by G. Grigoryan

Երաժշտ.՝ Ա. Շիշյանի
Music by A. Shishyan

Մի բար - ձրիկ Մա - սիս, մի զու - լալ Ա - րազ, ա-
Mi bar - dzrik Ma - sis, mi zu - lal A - raz, a -
կունք ե - րա - զիս, մի Սե - վան ե - րազ: Ուր էլ որ լի - նեմ
kunk' ye - ra - zis, mi Se - van ye - raz. Ur el vor li - nem
հեռ - վից կան - չում են, ա - նուշ
herr - vits kan - ch'um en, a - nush
կա-րո - տով սիր - տըս տան - ջում են: -նեմ:
ka-ro - tov sir - tys tan - jum en. nem.

Մի բարձրիկ Մասիս,
Մի զուլալ Արազ,
Ակունք երազիս,
Մի Սևան երազ.
Ուր էլ որ լինեմ
Հեռվից կանչում են,
Անուշ կարոտով
Սիրտս տանջում են:

Հայրենի մի տուն,
Մի բարդի դալար,
Պատկերս սրտում,
Սիրասուն մի մայր
Ուր էլ որ լինեմ
Հեռվից կանչում են
Անուշ կարոտով
Սիրտս տանջում են:

Իմ բարձրիկ Մասիս,
Իմ Սևան երազ,
Իմ անուշ մայրիկ,
Աղջիկ իմ երազ,
Ուր էլ որ լինեմ,
Թռած թռչուն եմ,
Ձեր գիրկը կգամ,
Ուրիշ բույն չունեմ:

Mi bardzrik Masis,
Mi zulal Araz,
Akunk' yerazis,
Mi Sevan yeraz.
Ur el vor linem
Herrvits' kanch'um en,
Anush karotov
Sirts tanjum en.

Hayreni mi tun,
Mi bardi dalar,
Patkers srtum,
Sirasun mi mayr
Ur el vor linem
Herrvits' kanch'um en
Anush karotov
Sirts tanjum en.

Im bardzrik Masis,
Im Sevan yeraz,
Im anush mayrik,
Aghjik im yeraz,
Ur el vor linem,
T'rrats t'rrch'un em,
Dzer girky kgam,
Urish buyn ch'unem.

ՀԱՅՐԵՆԻ ԳԱՐՈՒՆ
HAYRENI GARUN

Խոսք՝ Հ. Հայրապետյանի
Lyrics by H. Hayrapetyan

Երաժշտ.՝ Վ. Սրվանձտյանի
Music by V. Srvandztyan

Andante Հանդարտ
Ես իմ աշ-խար - հի գա - րու - նը կու - զեմ զը - վարթ ու վը-սեմ:
Yes im ash-khar - hi ga - ru - ny ku - zem zy - vart' u vy-sem.
Գե - տա - կը փըր - փուր, հավ - քե - րը կայ-տառ, ծա - ղի - կը պայ -
Ge - ta - ky p'yr - p'ur, hav - k'e - ry kay - tarr, tsa - ghi - ky pay -
ծառ: Այս օ-տար եր - կրի գա - րունն է մը - ռայլ: Ծա - ղի - կը ան -
tsarr. Ays o - tar yer - kri ga - runn e my - rrayl. Tsa - ghi - ky an -
փայլ, ա - րե - վը կը-րակ, գե-տա-կը տը - խուր թըռ-չուն - նե-րը լուռ:
p'ayl, a - re - vy ky-rak, ge - ta - ky ty - khur t'yrr-ch'un - ne - ry lurr.
Մեր սի-րուն ձո - րի, զե-փյուռն է քըն - քուշ, ա-րե-վը ա - նուշ:
Mer si-run dzo - ri, ze-p'yurrn e k'yn - k'ush, a - re - vy a - nush.
Ախ, իմ աշ-խար - հի գար-նանն եմ կա - րոտ ա-նուշ ու հո - տոտ:
Akh, im ash-khar - hi gar-nann em ka - rot a-nush u ho - tot.

Ես իմ աշխարհի գարունը կուզեմ
Զվարթ ու վսեմ,
Գետակը փրփուր, հավքերը կայտառ,
Ծաղիկը պայծառ:

Այս օտար երկրի գարունն է մռայլ
Ծաղիկը անփայլ,
Արևը կրակ, գետակը տխուր,
Թռչունները լուռ:

Մեր սիրուն ձորի զեփյուռն է քնքուշ,
Արևը անուշ.
Ա՛խ, իմ աշխարհի գարնանն եմ կարոտ,
Անուշ ու հոտոտ:

Yes im ashkharhi garuny kuzem
Zvart' u vsem,
Getaky p'rp'ur, havk'ery kaytarr,
Tsaghiky paytsarr.

Ays otar yerkri garunn e mrrayl
Tsaghiky anp'ayl,
Arevy krak, getaky tkhur,
T'rrch'unnery lurr.

Mer sirun dzori zep'iurrn e k'nk'ush,
Arevy anush,
A´kh, im ashkharhi garnann yem karot,
Anush u hotot.

ՀԱՅՐԵՆԻ ԼԵՌՆԱՇԽԱՐՀ
HAYRENI LERRNASHKHARH

Խոսք՝ Նանս. Միքայելյանի
Lyrics by N. Mikaelyan

Երաժշտ.՝ Ռ. Պետրոսյանի
Music by R. Petrosyan

Դու մոր նման թանկ անուն ես,
Մոր սիրո պես միշտ անմար։
Դու մեր տունն ես մեր խնդումն ես,
Իմ հայրենի լեռնաշխարհ։

Քո դաշտերը միշտ ջահել են,
Քո լեռները՝ ալեհեր։
Քո ջրերը նոր երգեր են,
Քո ձյուները՝ հին վերքեր։

ԿՐԿՆԵՐԳ
Դու մեր հին լեռ, անառիկ ամրոց.
Մեր նոր տունն ես դու հայոց։
Քո դաշտերը միշտ ջահել են,
Քո լեռները՝ ալեհեր։
Քո ջրերը նոր երգեր են,
Քո ձյուները՝ հին վերքեր։

Միշտ երգում է Հրազդանը,
Նա զանգակն է մեր նոր տան.
Եվ ծաղկում է Երևանը,
Նա մեր սիրտն է հայության։
Ով հեռվում է տենչում է քեզ,
Դու փարոսն ես տուն դարձի,
Ինչ կորցրել ես, պիտի գտնես
Լեռների մեջ քո բարձրիկ։

ԿՐԿՆԵՐԳ
Դու մեր հին լեռ, անառիկ ամրոց.
Մեր նոր տունն ես դու հայոց։
Ով հեռվում է տենչում է քեզ,
Դու փարոսն ես տուն դարձի,
Ինչ կորցրել ես, պիտի գտնես
Լեռների մեջ քո բարձրիկ։

Du mor nman t'ank anun es,
Mor siro pes misht anmar,
Du mer tunn es mer khndumn es,
Im hayreni lerrnashkharh:

K'o dashtery misht jahel en,
K'o lerrnery՝ aleher,
K'o jrery nor yerger en,
K'o dzyunery՝ hin verk'er.

CHORUS
Du mer hin lerr, anarrik amrots',
Mer nor tunn yes du hayots',
K'o dashtery misht jahel yen,
K'o lerrnery՝ aleher,
K'o jrery nor yerger en,
K'o dzyunery՝ hin verk'er.

Misht yergum e Hrazdany,
Na zangakn e mer nor tan,
Yev tsaghkum e Yerevany,
Na mer sirtn e hayut'yan.
Ov herrvum e tench'um e k'ez,
Du p'arosn es tun dardzi,
Inch' korts'rel es, piti gtnes
Lerrneri mej k'o bardzrik.

CHORUS
Du mer hin lerr, anarrik amrots',
Mer nor tunn es du hayots'.
Ov herrvum e tench'um e k'ez,
Du p'arosn es tun dardzi,
Inch' korts'rel es, piti gtnes
Lerrneri mej k'o bardzrik.

ՀԱՅՐԵՆԻՔ
HAYRENIK'

Խոսք՝ Ս. Գրիգորյանի
Lyrics by S. Grigoryan

Երաժշտ.՝ Արտ. Այվազյանի
Music by A. Ayvazyan

Ծաղկիր, ազատ իմ Հայրենիք,
Երջանկության դու իմ բևեռ,
Հպարտ ենք մենք ու երջանիկ
Գարնան շնչով քո բարեբեր:

Ինչ ազատ է մարդը շնչում,
Քո էդ խաղաղ երկնքի տակ,
Որքան հուզանք և ներշնչում
Եվ խնդության ծովեր անտակ:

Դու արև ես ճամփին խավար,
Ես՝ զինվորը քո խանդավառ,
Քեզ կը հսկեմ քեզնով արբած՝
Լուսաբացից մինչ լուսաբաց:

Ծաղկի՛ր, ազատ իմ Հայրենիք,
Երջանկության դու իմ բևեռ,
Հպարտ ենք մենք ու երջանիկ
Գարնան շնչով քո բարեբեր:

Tsaghkir, azat im Hayrenik',
Yerjankut'yan du im beverr,
Hpart enk' menk' u yerjanik
Garnan shnch'ov k'o bareber.

Inch' azat e mardy shnch'um,
K'o ed khaghagh yerknk'i tak,
Vork'an huzank' yev nershnch'um
Yev khndut'yan tsover antak.

Du arev es champ'in khavar,
Yes՝ zinvory k'o khandavarr,
K'ez ky hskem k'eznov arbats՝
Lusabats'its' minch' lusabats'.

Tsaghki'r, azat im Hayrenik',
Yerjankut'yan du im beverr,
Hpart enk' menk' u yerjanik
Garnan shnch'ov k'o bareber.

ՀԱՅՐԵՆԻՔԻՍ
HAYRENIK'IS

Խոսք՝ Ավ. Իսահակյանի
Lyrics by Av. Isahakyan

Երաժշտ.՝ Հ. Ստեփանյանի
Music by H. Stepanyan

Moderato Չափավոր
Պի-տի փար-վիմ չըք - նաղ լան-ջիդ՝ գար-նան վար-դով ցըն -
pi - ti p'ar - vim ch'yk' - nagh lan - jid gar - nan var - dov tsyn -
ծուն, և մայ-րա-կան ան - հուն շըն-չիդ՝
tsun, yev may - ra - kan an - hun shyn-ch'id,
ցո-րեն ար-տով ծը - փուն: Կան-չում ես ինձ
tso - re ar - ton tsy - p'un. Kan-ch'um es indz
լու-սա-բար-բառ քո սի-րա-գեղ կո - չով՝ դեմքդ եմ, տես - նում
lu - sa - bar - bar k'o si - ra - gegh ko - ch'ov demk'd em, tes - num
նոր ու պայ-ծառ, քո հը - նա-գեղ ո - ճով:
nor u pay - tsarr, k'o hy - na-gegh vo - chov.
Վա՛ռ ու հը-զո՛ր քո ա - պա-գան կայ - ծա - կում է իմ դեմ,
Varr u hy - zor k'o a - pa - gan kay - tsa - kum e im dem,
դո՛ւ, հա - վեր - ժող իմ Հա - յաս - տան,
du, ha - ver - zhogh im Ha - yas - tan,
ա - նուն քա՛ղ - ցըր ու վը - սեմ:
a - nun k'agh - tsyr u vy - sem.

Պիտի փարվիմ չքնաղ լանջիդ՝
Գարնան վարդով ցնծո՛ւն,
Եվ մայրական անհուն շնչիդ՝
Ցորեն արտով ծփո՛ւն:

Կանչում ես ինձ լուսաբարբառ
Քո սիրազեղ կոչով՝
Դեմքդ եմ տեսնում՝ նոր ու պայծառ,
Քո հնագեղ ոճով:

Վա՛ռ ու հզո՛ր քո ապագան
Կայծակում է իմ դեմ.
Դո՛ւ, հավերժող իմ Հայաստան,
Անուն քա՛ղցր ու վսե՛մ:

Piti p’arvim ch’k’nagh lanjid՝
Garnan vardov ts’ntso՛un,
Yev mayrakan anhun shnch’id՝
Ts’oren artov tsp’o՛un.

Kanch’um es indz lusabarbarr
K’o sirazegh koch’ov՝
Demk’d em tesnum՝ nor u paytsarr,
K’o hnagegh vochov.

Va՛rr u hzo՛r k’o apagan
Kaytsakum e im dem.
Do՛u, haverzhogh im Hayastan,
Anun k’a՛ghts’r u vse՛m.

ՀԱՅՐԵՆԻՔ ԵՎ ՍԵՐ
HAYRENIK' YEV SER

Խոսք՝ Հ. Շիրազի
Lyrics by H. Shiraz

Երաժշտ.՝ Մ. Միրզոյանի
Music by M. Mirzoyan

Moderato Չափավոր
Եր-կրիս վը - րա մարդ ու ծա - ղիկ ա - րե - գա - կան
Yer - kris vy - ra mard u tsa - ghik a - re - ga - kan
շողն են ըն - կել, սեր են առ - նում սեր են տա - լիս,
shoghn en yn - kel, ser en arr - num ser en ta - lis,
ու - րա - խու - թյան լողն են ըն - կել, լու - սինն ան - գամ
u - ra - khu - t'yan loghn en yn - kel, lu - sinn an - gam
շուտ է ծա - գում, աստ-ղերն ու - սին օղ են ըն - կել.
shut e tsa - gum, ast - ghern u - sin ogh en yn - kel.
ա - րի ծաղ - կենք, իմ սի - րա - կան,
a - ri tsagh - kenk', im si - ra - kan,
մենք էլ սի - րո դողն ենք ըն - կել:
menk' el si - ro doghn enk' yn - kel.

Երկրիս վրա մարդ ու ծաղիկ
Արեգական շողն են ընկել,
Սեր են առնում, սեր են տալիս,
Ուրախության լողն են ընկել,
Լուսինն անգամ շուտ է ծագում,
Աստղերն ուսին օղ են ընկել:
Արի, ծաղկենք, իմ սիրական,
Մենք էլ սիրո դողն ենք ընկել:

Սիրտս առա ու ման եկա
Հազար երկիր, հազար մի գեղ,
Բայց չտեսա Հայրենիքես
Անուշ մի հող, անուշ մի տեղ,
Ուր բացվում է ձմեռ, գարուն
Հզոր սիրո վարդը շքեղ:
Արի ծաղկենք, իմ սիրական,
Սիրո ազատ հողն ենք ընկել:

Թե խեթ նայես Հայրենիքիս,
Սերդ փուշ է, զուր ես գալու,
Ինչքան ժպտաս դու նրա հետ,
Այնքան սրտիս դուր ես գալու.
Ինչպես ցողը կոկոն վարդին՝
Ծարավ սրտիս ջուր ես տալու:
Արի, սիրենք, իմ սիրական,
Սիրողների բովն ենք ընկել:

Yerkris vra mard u tsaghik
Aregakan shoghn en ynkel,
Ser en arrnum, ser en talis,
Urakhut'yan loghn en ynkel,
Lusinn angam shut e tsagum,
Astghern usin ogh en ynkel.
Ari, tsaghkenk', im sirakan,
Menk' el siro doghn enk' ynkel.

Sirts arra u man yeka
Hazar yerkir, hazar mi gegh,
Bayts' ch'tesa Hayrenik'es
Anush mi hogh, anush mi tegh,
Ur bats'vum e dzmerr, garun
Hzor siro vardy shk'egh.
Ari tsaghkenk', im sirakan,
Siro azat hoghn enk' ynkel.

T'e khet' nayes Hayrenik'is,
Serd p'ush e, zur es galu,
Inch'k'an zhptas du nra het,
Aynk'an srtis dur es galu.
Inch'pes ts'oghy kokon vardin՝
Tsarav srtis jur es talu.
Ari, sirenk', im sirakan,
Siroghneri bovn enk' ynkel.

ՀԱՅՐԻԿ, ՀԱՅՐԻԿ
HAYRIK, HAYRIK

Խոսք՝ Ն. Սալախյանի
Lyrics by N. Salakhyan

Երաժշտ.՝ Հ. Ջանիկյանի
Music by H. Janikyan

Հայ - րիկ, հայ - րիկ, քո հայ - րե - նիք Վաս - պու - րա - կան
Hay - rik, hay - rik, k'o hay - re - nik' Vas - pu - ra - kan
մեր աշ-խարհ, վար - դի փո - խան քեզ փուշ
mer ash-kharh, var - di p'o - khan k'ez p'ush
բե - րավ, ցա - վերդ դա - ռան բյուր հա-զար:
be - rav, tsa - verd da - rran byur ha - zar.

Հայրիկ, իայրիկ, քո հայրենիք,
Վասպուրական մեր աշխարհ,
Վարդի փոխան քեզ փուշ բերավ,
Ցավերդ դառան բյուր հազար:

Մայիսն եկավ սոխակներով,
Վարդի թփիկ որոնեց,
Փոխան թփի փշեր գտավ,
Լալահառաչ ձայն հանեց:

Հայրիկն ասաց. — Իմ հայրենյաց
Փուշն անուշ է, քան զվարդ,
Եվ այն փշոց մէջը դարձյալ
Պիտ որոնեմ ես սիրուն վարդ:

Այն սայրասուր փշերն ամեն
Փունջ կապեցեք շար ի շար,
Թողե՛ք ճակտիս պսակ կապեն,
Որին ճակատս է հոժար:

Հայրիկ, հայրիկ, քո սուրբ ճակատ,
Արյուն, արցունք են, — ո՛հ, միշտ.
Փթթյալ վարդից կարմիր թերթեր
Կպսակեն փառոք զարդ:

Որքան ստոր դավեր լարեն
Սևակռիչ ագռավներ,
Չէ կարելի արծիվն յուր բարձր
Դիրքիցն երկիր վար բերել:

Hayrik, hayrik, k'o hayrenik',
Vaspurakan mer ashkharh,
Vardi p'okhan k'ez p'ush berav,
Ts'averd darran byur hazar.

Mayisn ekav sokhaknerov,
Vardi t'p'ik voronets',
P'okhan t'p'i p'sher gtav,
Lalaharrach' dzayn hanets'.

Hayrikn asats'. — Im hayrenyats'
P'ushn anush e, k'an zvard,
Yev ayn p'shots' mejy dardzyal
Pit voronem yes sirun vard.

Ayn sayrasur p'shern amen
P'unj kapets'ek' shar i shar,
T'oghe'k' chaktis psak kapen,
Vorin chakats e hozhar.

Hayrik, hayrik, k'o surb chakat,
Aryun, arts'unk' en, — o'h, misht.
P't't'yal vardits' karmir t'ert'er
Kpsaken p'arrok' zard.

Vork'an stor daver laren
Sevakrrich' agrravner,
Ch'e kareli artsivn yur bardzr
Dirk'its'n yerkir var berel.

ՀԱՅ ԴՅՈՒՑԱԶՈՒՆ
HAY DZYUTS'AZUN

Խոսք՝ Ս. Մուրադյանի
Lyrics by S. Muradyan

Երաժշտ.՝ Գ. Չթչյանի
Music by G. Chtchyan

Animato Ոգևորությամբ
Դու հանգ-չում ես հո - ղում օ-տար, Հայ-րե-նի-քից հե - ռու, հե - ռու,
Du hang-ch'um es ho - ghum o - tar, Hay-re - ni-k'its he - rru, he - rru,
բայց ա-նու - նը քո լե - գեն-դար ապ-րում է միշտ մեր սըր-տե - րում:
bayts a-nu - ny k'o le - gen-dar ap-rum e mishtmer syr - te - rum.
Փառք քեզ Ան-դրա-նիկ, փառք, փառք քո սը-րին ար - դար:
P'arrk k'ez An - dra - nik, p'arrk', p'arrk' k'o sy-rin ar - dar.
Փառք քեզ Ան-դրա-նիկ, փառք, ա - նու - նըդ կապ-րի դա - րե -
P'arrk' k'ez An - dra - nik, p'arrkk', a - nu - nyd kap - ri da - re -
դար: Փառք քեզ Ան-դրա-նիկ, փառք, փառք քո սը-րին ար -
dar. P'arrk' k'ez An - dra - nik, p'arrk', p'arrk' k'o sy-rin ar -
դար: Փառք քեզ, Ան-դրա-նիկ, փառք քեզ, փառք, ա -
dar. P'arrk' k'ez, An - dra - nik, p'arrk' k'ez, p'arrk', a -
նու - նըդ կապ - րի դա - րե - դար:
nu - nyd kap - ri da - re - dar.

Դու հանգչում ես հողում օտար,
Հայրենիքից հեռու, հեռու,
Բայց անունը քո լեգենդար
Ապրում է միշտ մեր սրտերում:

ԿՐԿՆԵՐԳ
Փա՛ռք քեզ, Անդրանիկ, փա՛ռք,
Փա՛ռք քո սրին արդար,
Փա՛ռք քեզ, Անդրանիկ, փա՛ռք,
Անունդ կապրի դարեդար:

Հուրն է Սասնա Դավթի քո մեջ,
Դու՝ Վարդանի պես քաջազուն,
Սուրբ հավատով ազատատենչ
Սխրանք ես գործել դու բազում:

Դու հայ մարդու հզոր պաշտպան,
Դարձել ես լեգենդ դու անմար,
Հայոց հողում բարձրագագաթ
Ճախրում է ոգին քո արդար:

Du hangch'um es hoghum otar,
Hayrenik'its' herru, herru,
Bayts' anuny k'o legendar
Aprum e misht mer srterum.

CHORUS
P'a'rrk' k'ez, Andranik, p'a'rrk',
P'a'rrk' k'o srin ardar,
P'a'rrk' k'ez, Andranik, p'a'rrk',
Anund kapri daredar.

Hurn e Sasna Davt'i k'o mej,
Du' Vardani pes k'ajazun,
Surb havatov azatatench'
Skhrank' es gortsel du bazum.

Du hay mardu hzor pashtpan,
Dardzel es legend du anmar,
Hayots' hoghum bardzragagat'
Chakhrum e vogin k'o ardar.

ՀԵ՜Յ, ՄԱՐՄԱՆԴ ՀՈՎ
HEY, MARMAND HOV

Խոսք՝ Վ. Հարությունյանի
Lyrics by V. Harutyunyan

Երաժշտ.՝ Վ. Բալյանի
Music by V. Balyan

1.Հեյ, մար - մանդ հով, հեյ, գար-նան հով, սա-րեն ե-կար, ծաղ - կա -
1.Hey, mar - mand hov, hey, gar - nan hov, sa - ren ye - kar, tsagh - ka -
զարդ, ե - կար ան - ցար 6 դաշտ ու ար -
zard, ye - kar an - tsar dasht u ar -
տով, շընկ - շըն - կա-լով եր - գըդ մար - մանդ,
tov, shynk - shyn - ka - lov yer - gyd mar - mand,
ե - կար ան - ցար 6 դաշտ ու ար -
ye - kar an - tsar dasht u ar -
Fine
տով, շընկ - շըն - կա-լով եր - գըդ մար - մանդ, 2.Ես յար
tov, shynk - shyn - ka - lov yer - gyd mar - mand, 2.Yes yar

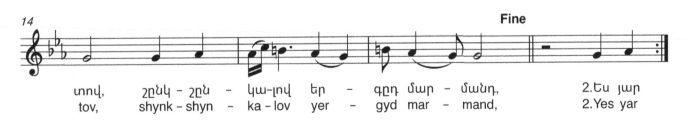

Հե՜յ, մարմանդ հով, հե՜յ, գարնան հով,
Սարեն եկար ծաղկազարդ.
Եկար անցար արտ ու այգով,
Շնկշնկալով երգդ մարմանդ:

Ես յար ունեմ էն սեգ սարում,
Ա՜խ, նրան ես դու փարվել,
Կարծես թե քո նվագներում
Յարիս սիրո երգն ես բերել:

Դու լանջերին բուրումնավետ
Ծաղիկներն ես համբուրել,
Կարծես ծաղկանց բույրերի հետ
Յարիս անուշ բույրն ես բերել:

Հե՜յ, մարմանդ հով իմ սիրավետ,
Ինձ քո երգով օրորե,
Հեռու սարից քո շնչի հետ
Յարիս սրտի հևքն ես բերել:

He´y, marmand hov, he´y, garnan hov,
Saren yekar tsaghkazard,
Yekar ants'ar art u aygov,
Shnkshnkalov yergd marmand.

Yes yar unem en seg sarum,
A´kh, nran es du p'arvel,
Kartses t'e k'o nvagnerum
Yaris siro yergn yes berel.

Du lanjerin burumnavet
Tsaghiknern es hamburel,
Kartses tsaghkants' buyreri het
Yaris anush buyrn es berel.

He´y, marmand hov im siravet,
Indz k'o yergov orore,
Herru sarits' k'o shnch'i het
Yaris srti hevk'n es berel.

ՀԻՄԻ Է՞Լ ԼՌԵՆՔ
HIMI EL LRRENK'

Խոսք՝ Ռ. Պատկանյանի
Lyrics by R. Patkanyan

Կոմիտաս
Komitas

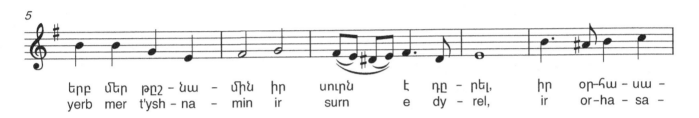

Marciale Sustenuto Քայլերգանման. զուսպ
Հի - մի է՞լ լը - ռենք, եղ - բարք, հի - մի է՞լ,
Hi - mi el ly - rrenk', yegh - bark', hi - mi el,
երբ մեր թըշ - նա - մին իր սուրն է դը - րել, իր օր-հա - սա -
yerb mer t'ysh - na - min ir surn e dy - rel, ir or-ha - sa -
կան սու-րը մեր կըրծ - քին, ա - կանջ չի դը - նում մեր լացու կո -
kan su - ry mer kyrts - k'in, a - kanj ch'i dy - num mer lats u ko -
ծին, ա - սա-ցեք, եղ - բարք Հա - յեր, ինչ ա - նենք,
tsin, a - sa-tsek', egh - bark' Ha - yer, inch' a - nenk',
հի - մի է՞լ լը - ռենք, ա - սա-ցեք, եղ-բարք Հա - յեր՝ ի՞նչ ա -
hi - mi el ly - rrenk', a - sa - tsek', yegh - bark' Ha - yer, inch' a -
1,2
3
նենք, հի - մի է՞լ լը - ռենք: պես լը - ռենք:
nenk' hi - mi el ly - rrenk'. pes ly - rrenk'.

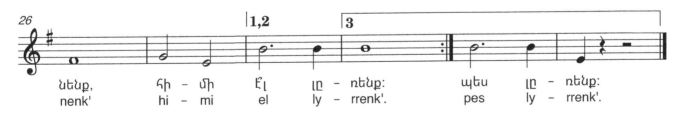

Հիմի է՛լ լռենք, եղբարք, հիմի է՛լ,
Երբ մեր թշնամին իր սուրն է դրել,
Իր օրհասական սուրը՝ մեր կրծքին,
Ականջ չի դնում մեր լացուկոծին:
Ասացեք, եղբարք Հայեր՝ ի՞նչ անենք,
Հիմի է՛լ լռենք:

Հիմի է՛լ լռենք, մարդիկ ի՞նչ կասեն.
Երբ մեր տեղ քարինք, ապառժք խոսեն,
Չէ՞ն ասիլ, որ Հայք արժանի էին
Այդ ըստրկական անարգ վիճակին:
Մեր սուրբ քաջ նախնյաց գործերը գիտենք,
Մինչև ե՞րբ լռենք:

Թո՛ղ լռե մունջը, անդամալույծը,
Կամ՝ որոնց քաղցր է թշնամու լուծը,
Բայց մենք որ ունինք հոգի ու սիրտ քաջ,
Ե՛կ, անվախ ելնենք թշնամու առաջ:
Գոնե մեր փառքը մահով հետ խլենք.
Ու այնպես լռենք:

Himi e՛l lrrenk', yeghbark', himi e՛l,
Yerb mer t'shnamin ir surn e drel,
Ir orhasakan sury' mer krtsk'in,
Akanj ch'i dnum mer lats'ukotsin.
Asats'ek', yeghbark' Hayer' i՞nch' anenk',
Himi e՛l lrrenk'.

Himi e՛l lrrenk', mardik i՞nch' kasen,
Yerb mer tegh k'arink', aparrzhk' khosen,
Ch'e՞n asil, vor Hayk' arzhani ein
Ayd ystrkakan anarg vichakin.
Mer surb k'aj nakhnyats' gortsery gitenk',
Minch'ev ye՞rb lrrenk'.

T'o'gh lrre munjy, andamaluytsy,
Kam' voronts' k'aghts'r e t'shnamu lutsy,
Bayts' menk' vor unink' hogi u sirt k'aj,
Ye'k, anvakh yelnenk' t'shnamu arraj.
Gone mer p'arrk'y mahov het khlenk',
Ou aynpes lrrenk'.

ՀԻՆ ԳԱԼԼԱ
HIN GALLA

Երաժշտ.՝ ըստ Ք. Կարա – Մուրզայի
Music per K. Kara-Murza

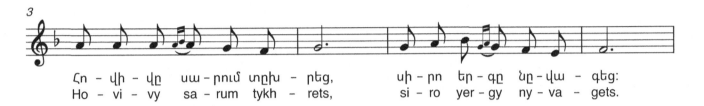

Հին գալ – լա, հին գալ – լա, հին գալ – լա, հին գալ – լա:
Hin gal – la, hin gal – la, hin gal – la, hin gal – la.
Հո – վի – վը սա – րում տըխ – րեց, սի – րո եր – գը նը – վա – գեց:
Ho – vi – vy sa – rum tykh – rets, si – ro yer – gy ny – va – gets.
Եր – գը վառ այ – տե – րին, եր – գը բոց ա – չե – րին, եր-գըվարդ օ – րե – րին: Ա՜յ,
Yer – gy varr ay – te – rin, yer – gy bots a – ch'e – rin, yer-gy vard o – re – rin. Ay,
խեղճ հո – վիվ, քեզ բա – ժին խոր ձո – րեր մը – նա – ցին: Եր – գը վառ այ – տե – րին,
kheghch ho – viv, k'ez ba – zhin khor dzo – rer my – na – tsin. Yer – gy varr ay – te – rin,
եր – գը բոց ա – չե – րին, եր – գը վարդ օ – րե – րին:
yer – gy bots a – ch'e – rin, yer – gy vard o – re – rin.

Հովիվը սարում տխրեց,
Սիրո երգը նվագեց:
Երգը վառ այտերին,
Երգը բոց աչքերին,
Երգը վարդ օրերին:

ԿՐԿՆԵՐԳ
Ա՛յ, խեղճ հովիվ, քեզ բաժին
Խոր ձորեր մնացին,
Երգը վառ այտերին,
Երգը բոց աչքերին,
Երգը վարդ օրերին:

Ահա եկավ նոր գարուն՝
Ծաղիկներով զարդարուն,
Գույն-գույն ծաղիկները
Սիրում եմ, հա՛, հա՛, հա՛,
Գույն-գույն ծաղիկները:

Hovivy sarum tkhrets',
Siro yergy nvagets',
Yergy varr ayterin,
Yergy bots' ach'k'erin,
Yergy vard orerin.

CHORUS
A'y, khe'ghch hoviv, k'ez bazhin
Khor dzorer mnats'in,
Yergy varr ayterin,
Yergy bots' ach'k'erin,
Yergy vard orerin.

Aha yekav nor garun'
Tsaghiknerov zardarun,
Guyn-guyn tsaghiknery
Sirum em, ha', ha', ha',
Guyn-guyn tsaghiknery.

ՀՈՎ ԱՐԵՔ
HOV AREK'

Կոմիտաս
Komitas

Գեշ մար - դու օր ա - րե - վը
Gesh mar - du or a - re - vy
Սև հո - ղի տա - կով ա - րեք:
Sev ho - ghi ta - kov a - rek'.

Հո՛վ արեք, սարե՛ր ջան, հո՛վ արեք,
Իմ դարդին դարման արեք:
Սարերը հով չե՛ն անում,
Իմ դարդին դարման անում:

Ամպե՛ր, ամպե՛ր, մի քիչ զո՛վ արեք,
Վարար անձրև թափեք, ծո՛վ արեք,
Գեշ մարդու օր-արևը
Սև հողի տակով արեք:

Հո՛վ արեք, ամպե՛ր ջան, հո՛վ արեք,
Իմ դարդին դարմա՛ն արեք:
Ամպերը հով չե՛ն անում,
Իմ դարդին դարման անում:

Սարե՛ր, ձորե՛ր, դաշտե՛ր ու ջրե՛ր,
Մարմանդ-մարմանդ վազող աղբյուրնե՛ր,
Մի վե՛ր կացե՛ք, իմացե՛ք,
Տեսեք իմ սրտի ցավեր:

Ho´v arek', sare´r jan, ho´v arek',
Im dardin darman arek',
Sarery hov ch'e´n anum,
Im dardin darman anum.

Ampe´r, ampe´r, mi k'ich' zo´v arek',
Varar andzrev t'ap'ek', tso´v arek',
Gesh mardu or-arevy
Sev hoghi takov arek'.

Ho´v arek', ampe´r jan, ho´v arek',
Im dardin darma´n arek'.
Ampery hov ch'e´n anum,
Im dardin darman anum.

Sare´r, dzore´r, dashte´r u jyre´r,
Marmand-marmand vazogh aghbyurne´r,
Mi ve´r kats'e´k', imats'e´k',
Tesek' im syrti ts'aver.

ՀՈՎՎԻ ԵՐԳԸ
HOVVI YERGY

Խոսք՝ Լ. Դուրյան
Lyrics by L. Duryan

Երաժշտ.՝ Խ. Ավետիսյան
Music by Kh. Avetisyan

Գի-շեր - նե - րը դուրս եկ, նա-յիր սա-րում վառ-վող կը - րա - կին,
Gi-sher - ne - ry durs yek, na - yir sa-rum varr-vogh ky - ra - kin,

այդ կը - րակն իմ վառ-վող սիրտն է, քեզ է կան-չում, իմ ան-գին,
ayd ky - rakn im varr-vogh sirtn e, k'ez e kan-ch'um, im an - gin,

քեզ է կան - չում, իմ_____ ան - գին:
k'ez e kan - ch'um, im_____ an - gin.

Ես հովիվ եմ զով սարերում,
Դու դաշտի կակաչ.
Քո պատկերն է գիշեր-ցերեկ
Աչքերիս առաջ:

Yes hoviv em zov sarerum,
Du dashti kakach',
K'o patkern e gisher-ts'erek
Ach'k'eris arraj.

Գիշերները դուրս եկ, նայիր
Սարում վառվող կրակին,
Կրակն իմ վառվող սիրտն է,
Քեզ է կանչում, իմ անգին:

Gishernery durs yek, nayir
Sarum varrvogh krakin,
Krakn im varrvogh sirtn e,
K'ez e kanch'um, im angin.

Քեզ համար եմ փչում շվին
Զով արշալույսին,
Որ դու լսես ու մոտս գաս,
Շրջենք միասին:

K'ez hamar em p'ch'um shvin
Zov arshaluysin,
Vor du lses u mots gas,
Shrjenk' miasin.

Դու այսօր էլ մոտս չեկար
Դու իմ հեռու, իմ կարոտ.
Արի, ճամփիդ քարեր չկան,
Ճամփեդ կանաչ ու շողոտ:

Du aysor el mots ch'ekar
Du im herru, im karot,
Ari, champ'id k'arer ch'kan,
Champ'ed kanach' u shoghot.

Հովերն եկան, հովերն անցան
Քայլերիդ ձայնն առա.
Ջրեր եկան, ջրեր անցան,
Աչքերիդ փայլն առա:

Hovern yekan, hovern ants'an
K'aylerid dzaynn arra,
Jrer yekan, jrer ants'an,
Ach'k'erid p'ayln arra.

Գիշերները դուրս եկ, նայիր
Սարում վառվող կրակին,
Կրակն իմ վառվող սիրտն է
Քեզ է կանչում, իմ անգին:

Gishernery durs yek, nayir
Sarum varrvogh krakin,
Krakn im varrvogh sirtn e
K'ez e kanch'um, im angin.

ՀՈՒՅՍ
HUYS

Խոսք՝ Ռ. Պատկանյան
Lyrics by R. Patkanyan

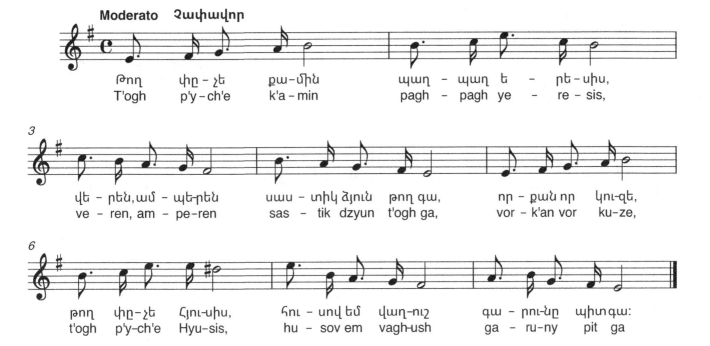

Moderato Չափավոր
Թող փը - չե քա - մին պաղ - պաղ ե - րե - սիս,
T'ogh p'y - ch'e k'a - min pagh - pagh ye - re - sis,
վե - րեն, ամ - պե-րեն սաս - տիկ ձյուն թող գա, որ - քան որ կու-զե,
ve - ren, am - pe-ren sas - tik dzyun t'ogh ga, vor - k'an vor ku-ze,
թող փը - չե Հյու-սիս, հու - սով եմ վաղ-ուշ գա - րու-նը պիտ գա:
t'ogh p'y-ch'e Hyu-sis, hu - sov em vagh-ush ga - ru-ny pit ga

Թող փչե քամին պաղ-պաղ երեսիս,
Վերեն, ամպերեն սաստիկ ձյուն թող գա.
Որքան որ կուզե, թող փչե Հյուսիս,
Հուսով եմ, վաղ-ուշ գարունը պիտ գա:

Թուխպը թող պատե երկինքը պայծառ,
Թանձր մառախուղ երկիր թող փակե,
Տարերք աշխարհիս խառնվին իրար,
Հուսով եմ վաղ-ուշ արև պիտ ծագե:

Թող գա փորձություն, թող գա հալածանք,
Խավար թող դառնա անաղոտ լույսը,
Սարսափելի չեն հային տառապանք,
Միայն... չի հատներ խղճուկի հույսը:

T’ogh p’ch’e k’amin pagh-pagh yeresis,
Veren, amperen sastik dzyun t’ogh ga.
Vork’an vor kuze, t’ogh p’ch’e Hyusis,
Husov em, vagh-ush garuny pit ga.

T’ukhpy t’ogh pate yerkink’y paytsarr,
T’andzr marrakhugh yerkir t’ogh p’ake,
Tarerk’ ashkharhis kharrnvin irar,
Husov em vagh-ush arev pit tsage.

T’ogh ga p’ordzut’yun, t’ogh ga halatsank’,
Khavar t’ogh darrna anaghot luysy,
Sarsap’eli ch’en hayin tarrapank’,
Miayn... ch’i hatner khghchuki huysy.

ՂԱՐԱԲԱՂԻ ԵՂՆԻԿ
GHARABAGHI YEGHNIK

Խոսք՝ Ա. Գրաշու
Lyrics by A. Grashi

Երաժշտ.՝ Ալ. Հեքիմյան
Music by Al. Hekimyan

Ղարաբաղի սիրուն եղնիկ,
Ջուր ես խմում աղբյուրից,
Հիանում ես, լիանում ես
Կոհակների համբույրից:

ԿՐԿՆԵՐԳ
Ո՞ւր ես, ո՞ւր ես, քնքուշ եղնիկ,
Արի՛ գիրկը իմ կարոտ,
Մանկության իմ երկիր, երկինք,
Սիրո անուշ առավոտ:

Քո աչքերում կանաչ գարուն,
Սարոտ աշխարհ անառիկ.
Կյանքն է ցոլում քո աչքերում,
Հե՜յ, իմ երազ, իմ եղնիկ:

Սիրտս հիմա ման է գալիս
Վարդածիծաղ քո ճամփով,
Ամպոտ բաշով որոտալից
Վայրի գետի քարափով:

Երանի քեզ, ծաղիկների
Քաղցր բույրն ես դու շնչում.
Բարձր սարի, խորունկ ձորի
Զեփյուռների հետ շրջում:

Gharabaghi sirun yeghnik,
Jur es khmum aghbyurits',
Hianum es, lianum es
Kohakneri hambuyrits'.

CHORUS
O˘ur yes, o˘ur es, k'nk'ush yeghnik,
Ari′ girky im karot,
Mankut'yan im yerkir, yerkink',
Siro anush arravot.

K'o ach'k'erum kanach' garun,
Sarot ashkharh anarrik,
Kyank'n e ts'olum k'o ach'k'erum,
He′y, im yeraz, im yeghnik.

Sirts hima man e galis
Vardatsitsagh k'o champ'ov,
Ampot bashov vorotalits'
Vayri geti k'arap'ov.

Yerani k'ez, tsaghikneri
K'aghts'r buyrn es du shnch'um,
Bardzr sari, khorunk dzori
Zep'yurrneri het shrjum.

ՂԱՐԱԲԱՂԻ ՀՈՐՈՎԵԼ
GHARABAGHI HOROVEL

Խոսք և երաժշտ.՝ Գ. Գաբրիելյանի
Lyrics and music by G. Gabrielyan

Իրիքյնակը տյուս ա եկալ,
Տանըս յըրա լուսա եկալ,
Սոր մին կորե վեր վար անինքյ,
Գյիդա՝ սըրտես հույս ա եկալ:

Կրկներգ. - Հո՛ ըրա, հո՛, ապան մատաղ,
Ապուն դալու կուճուր հոտաղ,
Հո՛ ըրա, հո՛, հո՛, հո՛,
Հո՛, հո՛, հո՛:

Irik'ynaky tyus a yekal,
Tanys yyra lusa yekal,
Sor min kore ver var anink'y,
Gyida' syrtes huys a yekal.

CHORUS
Ho´ yra, ho´, apan matagh,
Apun dalu kuchur hotagh,
Ho´ yra, ho´, ho´, ho´,
Ho´, ho´, ho´:

Քըշըրավի պեն չընք կերալ,
Չընթում մին ճոթ հաց ընք պերալ,
Թաթախ կանինքյ ճիրին մաչին,
Փուրթուշ կոտինքյ ախպըրվաչի:

Էն հենգյ խուխեն մեծը տուվըս,
Կըլխըտակես պերցը տուվըս,
Էսքան զուլում դարդին մաչին
Դըլվես կաղնած քերծը տուվըս:

Դարդը սըրտես փոշ ա տըվալ,
Բըլես բոյը շոշ ա տըվալ,
Պա վեր չինար բոյիտ շոշը,
Հու տյուս կոնար սըրտես փոշը:

Հըռնե ապան մինակ ա իլալ,
Դարդը սըրտեն տենակ ա իլալ,
Էտ հունց բյուրդան բոյ քըշեցեր,
Դյարդը սըրտաս տեն քըշեցեր:

Ճուվարան կանե հեսա ապան,
Կախ կըտա էն լըծեն կապան,
Վեր իմ բալան նըստե մաչին,
Ասե՝ հո՛, հո՛, Խումար, Լաչին:

Դարդ մեր անել, ապուն բալա,
Ըսօր - էքյուց հեսա կալա,
Տեն տար օնքետ էտ թուխպերը,
Մըհենգյ դարդն ա մեր ախպերը:

Ծերքետ ճըպատը ճապկե ա,
Պեն չի թխիս եզանը,
Մաշկեն բուրդան ցավ կըտա,
Էտ ա պահըմ խեզանը:

Էս նեղ օրեն լեն օր կըկյա,
Մեր արտըն էլ ըլոր կըկյա,
Արտը հիշքան էլ կարճ ինի,
Կեմը խուրթնավ հըլոր կըկյա:

Իրիքյնակը մար կըփըռնե,
Սարեն քամեն պար կըփըռնե,
Տոն կըքյընանք ժըզնըխառնը,
Հանդին թողած օրեն տառնը:

ԿՐԿՆԵՐԳ

Հո՛ ըրա, հո՛, ապան մատաղ,
Ապուն դալու կուճուր հոտաղ,
Հո՛ ըրա, հո՛, հո՛, հո՛,
Հո՛, հո՛, հո՛:

K'yshyravi pen ch'ynk' keral,
Ch'ynt'um min chot' hats' ynk' peral,
T'at'akh kanink'y chirin mach'in,
P'urt'ush kotink'y akhpyrvach'i.

En hengy khukhen metsy tuvys,
Kylkhytakes perts'y tuvys,
Esk'an zulum dardin mach'in
Dylves kaghnats k'ertsy tuvys.

Dardy syrtes p'osh a tyval,
Byles boyy shosh a tyval,
Pa ver ch'inar boyit shoshy,
Hu tyus konar syrtes p'oshy.

Hyrrne apan minak a ilal,
Dardy syrten tenak a ilal,
Et hunts' byurdan boy k'yshets'er,
Dyardy syrtas ten k'yshets'er.

Chuvaran kane hesa apan,
Kakh kyta en lytsen kapan,
Ver im balan nyste mach'in,
Ase՝ ho՛, ho՛, Khumar, Lach'in.

Dard mer anel, apun bala,
Ysor - ek'yuts' hesa kala,
Ten tar onk'et et t'ukhpery,
Myhengy dardn a mer akhpery.

Tserk'et chypaty chapke a,
Pen ch'i t'khis yezany,
Mashken burdan ts'av kyta,
Et a pahym khezany.

Es negh oren len or kykya,
Mer artyn el ylor kykya,
Arty hishk'an el karch ini,
Kemy khurt'nav hylor kykya.

Irik'ynaky mar kyp'yrrne,
Saren k'amen par kyp'yrrne,
Ton kyk'yynank' zhyznykharrny,
Handin t'voghats oren tarrny.

CHORUS

Ho՛ yra, ho՛, apan matagh,
Apun dalu kuchur hotagh,
Ho՛ yra, ho՛, ho՛, ho՛,
Ho՛, ho՛, ho՛:

ՃԱԽԱՐԱԿ
CHAKHARAK

Խոսք՝ Ղ. Աղայանի
Lyrics by Gh. Aghayan

Երաժշտ.՝ Ա. Տեր - Ղևոնդյանի
Music by A. Ter-Ghevondyan

Մանիր, մանիր, իմ ճախարակ,
Մանիր սպիտակ մալանչներ.
Մանիր թելեր հաստ ու բարակ,
Որ ես հոգամ իմ ցավեր:

Տիգրանիկըս գուլպա չունի,
Հանդ է գնում ոտաբաց.
Գաբրիելս չուխա չունի,
Միշտ անում է սուգ ու լաց:

Մանիր, մանիր, իմ ճախարակ,
Որ ես հոգամ իմ ցավեր:

Mani'r, manir, i'm chakharak,
Manir spitak malanch'ner,
Manir t'eler hast u barak,
Vor yes hogam im ts'aver.

Tigranikys gulpa ch'uni,
Hand e gnum votabats',
Gabriyels ch'ukha ch'uni,
Misht anum e sug u lats'.

Mani'r, mani'r, im chakharak,
Vor yes hogam im ts'aver.

ՄԱԽՄՈՒՐ ԱՂՋԻԿ
MAKHMUR AGHJIK

Խոսք՝ Ս. Կապուտիկյան
Lyrics by S. Kaputikyan

Երաժշտ.՝ Խ. Ավետիսյանի
Music by Kh. Avetisyan

Մախմուր աղջիկ,
Քիչ տխուր աղջիկ,
Աչքերդ հազարախոս,
Շուրթդ լուռ աղջիկ:

Երնեկ նրան,
Ով որ կանգնի քո դռան,
Ջուրդ խմի,
Կաթնաղբյուր աղջիկ:

Նազով աղջիկ,
Թուխ մազերով աղջիկ,
Ծաղիկ ես, չթառամես,
Մուրազով աղջիկ:

Մնա քնքուշ,
Բուրիր բույրով քո անուշ,
Աշխարհ լցրու,
Երազով աղջիկ:

Makhmur aghjik,
K'ich' tkhur aghjik,
Ach'k'erd hazarakhos,
Shurt'd lurr aghjik.

Yernek nran,
Ov vor kangni k'o drran,
Jurd khmi,
Kat'naghbyur aghjik.

Nazov aghjik,
T'ukh mazerov aghjik,
Tsaghik es, ch't'arrames,
Murazov aghjik.

Mna k'nk'ush,
Burir buyrov k'o anush,
Ashkharh lts'ru,
Yerazov aghjik.

ՄԱՃԿԱԼ
MACHKAL

Խոսք՝ Ավ. Իսահակյան
Lyrics by Av. Isahakyan

Երաժշտ.՝ Ե. Առստամյան
Music by Ye. Arstamyan

Մաճ-կալ ես, բե - զա-րած ես, ա - ռը
Mach-kal es, be - za - rats es, a - rry
շուռ տո՛ւր, շո՛ւտ ա - րի ծո - վի պես քըր - տը - նած
shurr tur, shut a - ri tso - vi pes k'yr - ty - nats
ես, եզ - ներն ար - ձկի՛,
es, yez - nern ar - dzki,
տուն ա - րի՛: տուն ա - րի՛:
tun a - ri. tun a - ri.

Մաճկալ ես, բեզարած ես,
Առը շուռ տո՛ւր, շո՛ւտ արի.
Ծովի պես քրտնած ես,
Եզներն արձկի՛, տուն արի՛:

Կաթի սերը քաշել եմ,
Դրել եմ հովին՝ սառի.
Ալ գոգնոցս կապել եմ,
Արի թառլան, թը՜ռռ, արի:

Տեղ եմ գցել շվաքում,
Քամին կուգա, զով կանի.
Լուսնի շողքն է մեր ծոցում,
Չափ տո՛ւր, չափ ա՛ռ - շուտ արի՛:

Դադրած, բեզարած յա՛ր ջան.
Ամպերն ելան, դե՛հ արի.
Բեզարած ջանիդ ղուրբան,
Ծըտից թև առ, թեզ արի ...

Machkal es, bezarats es,
Arry shurr to'ur, sho'ut ari.
Tsovi pes k'rtnats es,
Yeznern ardzki', tun ari'.

Kat'i sery k'ashel em,
Drel em hovin` sarri.
Al gognots's kapel em,
Ari t'arrlan, t'y´rrrr, ari.

Tegh em gyts'el shvak'um,
K'amin kuga, zov kani.
Lusni shoghk'n e mer tsots'um,
Ch'ap' to'ur, ch'ap' a'rr - shut ari'.

Dadrats, bezarats ya'r jan.
Ampern yelan, de'h ari.
Bezarats janid ghurban,
Tsytits' t'ev arr, t'e'z ari ...

ՄԱՅՐԻԿԻՍ
MAYRIKIS

Խոսք՝ Ավ. Իսահակյանի
Lyrics by Av. Isahakyan

Երաժշտ.՝ Ե. Սահառունու
Music by E. Saharrunu

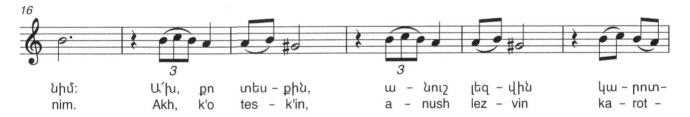

Հայ - րե - նի - քես հե - ռա - ցել եմ, խեղճ պան-դուխտ եմ,
Hay - re - ni - k'es he - rra - tsel em, kheghch pan - dukht em,
տուն չու - նիմ, ա - զիզ մո - րես 5 բա -
tun ch'u - nim, a - ziz mo - res ba -
ժան - վել եմ, 6 տը - խուր տըր - տում քուն չու -
zhan - vel em, ty - khur tyr - tum k'un ch'u -
նիմ: Ա՜խ, քո տես - քին, ա - նուշ լեզ - վին կա - րոտ -
nim. Akh, k'o tes - k'in, a - nush lez - vin ka - rot -
ցել եմ, մայ - րի՛կ ջան. եր - նե՛կ, եր - նե՛կ
tsel em, may - rik jan, yer - nek, yer - nek
ե - րազ լի - նիմ, թըռ-նիմ մո - տըդ, մայ-րի՛կ ջան:
ye - raz li - nim, t'yrr-nim mo - tyd, may - rik jan.

Հայրենիքես հեռացել եմ,
Խեղճ պանդուխտ եմ , տուն չունիմ,
Ազիզ մորես բաժանվել եմ,
Տըխուր-տըրտում, քուն չունիմ:

Ա՛խ, քո տեսքին, անուշ լեզվին
Կարոտցել եմ, մայրի՛կ ջան.
Երնե՛կ, երնե՛կ, երազ լինիմ,
Թըռնիմ մոտըդ, մայրի՛կ ջան:

Սարեն կուգաք, նախշուն հավքե՛ր,
Ա՛խ, իմ մորս տեսել չե՞ք.
Ծովեն կուգաք, մարմանդ հովե՛ր,
Ախըր բարև բերել չե՞ք:

Հավ ք ու հովեր եկան կըշտիս,
Անձեն դիպան ու անցան.
Պապակ-սըրտիս, փափագ-սըրտիս
Անխոս դիպան ու անցա՛ն:

Երբ քունըդ գա, լուռ գիշերով
Հոգիդ գըրկեմ, համբույր տամ.
Սըրտիդ կըպնիմ վառ կարոտով,
Լա՛մ ու խընդա՛մ, մայրի՛կ ջան:

Hayrenik'es herrats'el em,
Kheghch pandukht em, tun ch'unim,
Aziz mores bazhanvel em,
Tykhur-tyrtum, k'un ch'unim.

A´kh, k'o tesk'in, anush lezvin
Karotts'el em, mayri´k jan.
Yerne´k, yerne´k, yeraz linim,
T'yrrnim motyd, mayri´k jan.

Saren kugak', nakhshun havk'e'r,
A´kh, im mors tesel ch'eˆk'.
Tsoven kugak', marmand hove´r,
Akhyr barev berel ch'eˆk'.

Havk' u hover yekan kyshtis,
Andzen dipan u ants'an.
Papak-syrtis, p'ap'ag-syrtis
Ankhos dipan u ants'a´n.

Yerb k'unyd ga, lurr gisherov
Hogid gyrkem, hambuyr tam.
Syrtid kypnim varr karotov,
La´m u khynda´m, mayri´k jan.

ՄԱՆՈՒՇԱԿ
MANUSHAK

Խոսք՝ Ղ. Աղայանի
Lyrics by Gh. Aghayan

Երաժշտ.՝ Ա. Տեր - Հովսեփյանի
Music by A. Ter-Hovsepyan

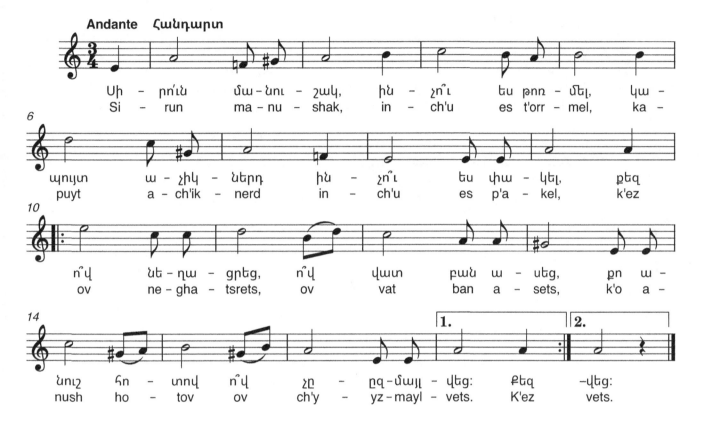

Սիրուն մանուշակ, ինչո՞ւ ես թոռմել,
Կապույտ աչիկներդ ինչո՞ւ ես փակել,
Քեզ ո՞վ նեղացրեց, ո՞վ վատ բան ասեց,
Քո անուշ հոտովդ ո՞վ չի զմայլեց:

Սիրուն մանուկներ, դուք ինձ սիրեցիք,
Իմ ծաղիկներից փնջեր կապեցիք,
Բայց կոշտ ձեռներից, կոպիտ ճանկերից
Ինձ չազատեցիք, չըպահպանեցիք:

Ծաղիկ ես ծաղկած, սիրուն մանուշակ,
Բա՛ց քո գեղանի աչերդ կապուտակ,
Անխիղճ են մարդիկ, բայց մենք կպահենք,
Որ չընկնես երբեք նրանց ոտքի տակ:

Siro'un manushak, inch'o՞u yes t'orrmel,
Kapuyt ach'iknerd inch'o՞u yes p'akel,
K'ez o՞v neghats'rets', o՞v vat ban asets',
K'o anush hotovd o՞v ch'i zmaylets'.

Siro'un manukner, duk' indz sirets'ik',
Im tsaghiknerits' p'njer kapets'ik',
Bayts' kosht dzerrnerits', kopit chankerits'
Indz ch'azatets'ik', ch'ypahpanets'ik'.

Tsaghik es tsaghkats, siro'un manushak,
Ba'ts' k'o geghani ach'erd kaputak,
Ankhighch en mardik, bayts' menk' kpahenk',
Vor ch'ynknes yerbek' nrants' votk'i tak.

ՄԱՐՏԻԿԻ ԵՐԳԸ
MARTIKI YERGY

Խոսք՝ Գ. Սարյանի
Lyrics by G. Saryan

Երաժշտ.՝ Աշ. Սաթյանի
Music by A. Satyan

Թռչեի մտքով տուն,
Ուր իմ մայրն է արթուն,
Տեսնեի այն առուն,
Կարոտով ես անհուն,
Ուր ամեն մի գարուն
Ջրերով վարարուն
Կարկաչում են սարերում:

Թեքվեի աղբյուրին,
Կարոտած պաղ ջրին,
Լինեի հանդերում,
Մեր կանաչ մարգերում,
Ուր ծաղկունքն են բուրում,
Ուր մանուկ օրերում
Հովն էր ինձ միշտ համբուրում:

Հայրենիքն իմ սրտում՝
Թե չընկնեմ ես մարտում,
Ա՛խ, իմ մայր թանկագին,
Տուն կգամ ես կրկին,
Կսփոփեմ քո հոգին
Համբույրով սրտագին,
Կսեղմեմ քեզ իմ կրծքին:

T'rrch'eyi mtk'ov tun,
Ur im mayrn e art'un,
Tesneyi ayn arrun,
Karotov yes anhun,
Ur amen mi garun
Jrerov vararun
Karkach'um en sarerum.

T'ek'veyi aghbyurin,
Karotats pagh jrin,
Lineyi handerum,
Mer kanach' margerum,
Ur tsaghkunk'n en burum,
Ur manuk orerum
Hovn er indz misht hamburum.

Hayrenik'n im srtum`
T'e ch'ynknem yes martum,
A՛kh, im mayr t'ankagin,
Tun kgam yes krkin,
Ksp'op'em k'o hogin
Hambuyrov srtagin,
Kseghmem k'ez im krtsk'in.

ՄԵՐ ՀԱՅՐԵՆԻՔ
MER HAYRENIK'

Խոսք՝ Միք. Նալբանդյանի
Lyrics by M. Nalbandyan

Երաժշտ.՝ Բ. Կանաչյանի
Music by B. Kanachyan

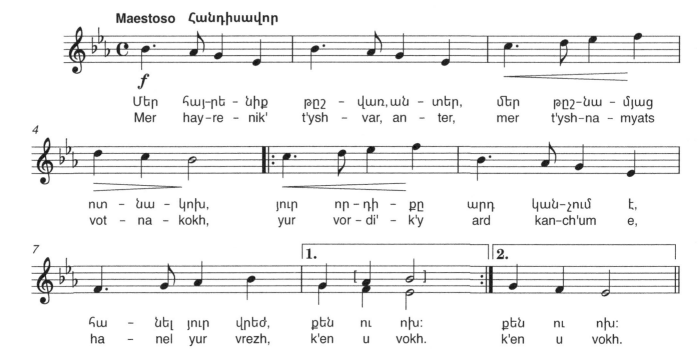

Maestoso Հանդիսավոր
Մեր հայ-րե - նիք թըշ - վառ, ան - տեր, մեր թըշ-նա - մյաց
Mer hay-re - nik' t'ysh - var, an - ter, mer t'ysh-na - myats
ոտ - նա - կոխ, յուր որ - դի - քը արդ կան-չում է,
vot - na - kokh, yur vor - di' - k'y ard kan-ch'um e,
հա - նել յուր վրեժ, քեն ու ոխ: քեն ու ոխ:
ha - nel yur vrezh, k'en u vokh. k'en u vokh.

Մեր հայրենիք, թշվառ, անտեր,
Մեր թշնամյաց ոտնակոխ,
Յուր որդիքը արդ կանչում է
Հանել յուր վրեժ, քեն ու ոխ:

Մեր հայրենիք շղթաներով
Այսքան տարի կապկապված,
Յուր քաջ որդվոց սուրբ արյունով
Պիտի լինի ազատված:

Ահա՛, եղբայր, քեզ մի դրոշ,
Որ իմ ձեռքով գործեցի,
Գիշերները ես քուն չեղա,
Արտասուքով լվացի:

Նայիր նորան՝ երեք գույնով
Նվիրական մեր նշան,
Թող փողփողի թշնամու դեմ,
Թող միշտ պանծա Հայաստան:

Ամենայն տեղ մահը մի է,
Մարդ մի անգամ պիտ մեռնի,
Բայց, երանի՝ որ յուր ազգի
Ազատության կը զոհվի:

Mer hayrenik', t'shvarr, anter,
Mer t'shnamyats' votnakokh,
Yur vordik'y ard kanch'um e
Hanel yur vrezh, k'en u vokh.

Mer hayrenik' shght'anerov
Aysk'an tari kapkapvats,
Yur k'aj vordvots' surb aryunov
Piti lini azatvats.

Aha', yeghbayr, k'ez mi drosh,
Vor im dzerrk'ov gortsets'i,
Gishernery yes k'un ch'egha,
Artasuk'ov lvats'i.

Nayir noran՝ yerek' guynov
Nvirakan mer nshan,
T'ogh p'oghp'oghi t'shnamu dem,
T'ogh misht pantsa Hayastan.

Amenayn tegh mahy mi e,
Mard mi angam pit merrni,
Bayts', yerani՝ vor yur azgi
Azatut'yan ky zohvi.

ՄԻ ԼԱՐ
MI LAR

Խոսք՝ Դ. Դեմիրճյանի
Lyrics by D. Demirchyan

Երաժշտ. Ռ. Մելիքյանի
Music by R. Melikyan

Մի՛ լար, մի՛ թացիր աչերդ,
Աչքիդ լույսն ափսոս է, կանցնի...
Մի՛ տխրիր, վարդ, գարուն հասակդ
Մի օր է, վառ մայիս, կանցնի:

Ի՞նչ ես, ջա՛ն, էդ դարդին գերվել,
Դա էլ մի գիշեր է. կանցնի.
Էս կյանքն էլ հեքիաթ է էսպես,
Մի՛ շտապիր, մի՛ տանջվիր...... կանցնի...

Mi՛ lar, mi՛ t'ats'ir ach'erd,
Ach'k'id luysn ap'sos e, kants'ni...
Mi՛ tkhrir, vard, garun hasakd
Mi or e, varr mayis, kants'ni.

I՞nch' es, ja՛n, ed dardin gervel,
Da el mi gisher e, kants'ni.
Es kyank'n el hek'iat' e espes,
Mi՛ shtapir, mi՛ tanjvir...... kants'ni...

ՄԻ ԼԱՐ, ԲԼԲՈՒԼ
MI LAR, BLBUL

Խոսք՝ Ալ. Ծատուրյանի
Lyrics by Al. Tsaturyan

Երաժշտ.՝ Եղ. Բաղդասարյանի
Music by Egh. Baghdasaryan

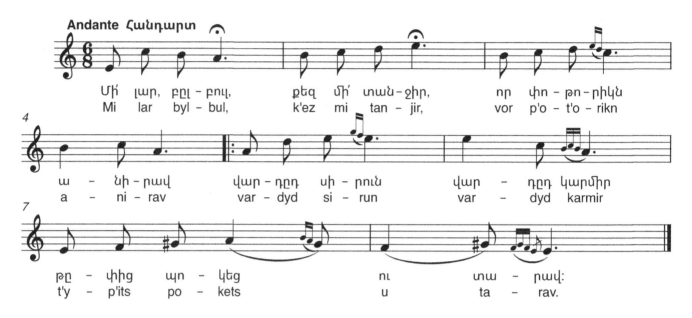

Մի՛ լար, բլբուլ, քեզ մի՛ տանջիր,
Որ փոթորիկն անիրավ
Վարդդ սիրուն, վարդդ կարմիր
Թփից պոկեց ու տարավ...

Կանցնեն օրեր....... Կգա կրկին
Մի նոր գարուն վարդաբեր,
Եվ մոռացած քո վիշտը հին՝
Նորից կերգես վարդին սեր:

Բայց վա՜յ կյանքի այն խեղճ երգչին,
Որ վաղաժամ որբացած,
Յուր սիրելի, խոսուն վարդին
Ցուրտ հողին է նա հանձնած:

Երգչի համար գարուն չի գա,
Ո՛չ նա նոր վարդ կսիրե,
Նա պետք է լա, պետք է սգա,
Մինչ հավիտյան կլռե......

Mi' lar, blbul, k'ez mi' tanjir,
Vor p'ot'orikn anirav
Vardd sirun, vardd karmir
T'p'its' pokets' u tarav...

Kants'nen orer....... Kga krkin
Mi nor garun vardaber,
Yev morrats'ats k'o vishty hin'
Norits' kerges vardin ser.

Bayts' va´y kyank'i ayn kheghch yergch'in,
Vor vaghazham vorbats'ats,
Yur sireli, khosun vardin
Ts'urt hoghin e na handznats.

Yergch'i hamar garun ch'i ga,
Vo'ch' na nor vard ksire,
Na petk' e la, petk' e sga,
Minch' havityan klrre......

ՄԻ ՍԻՐՏ ՈՒՆԵՄ
MI SIRT UNEM

Խոսք՝ Տ. Տերունու
Lyrics by T. Teruni

Երաժշտ.՝ Դ. Ղազարյանի
Music by D. Ghazaryan

Մի սիրտ ունեմ քնքուշ, բարի.
Մի սիրտ ունեմ վառ սիրով լի,
Երնե՜կ նրան, ով կսիրի,
Երնեկ նրան, ով կտիրի:

Հոգիս կարծես մի նուրբ թիթեռ,
Թռչում է վեր՝ դեպի եթեր.
Երնե՜կ նրան, ով կհասնի,
Երնե՜կ նրան, ով կտեսնի:

Ես սիրում եմ թռչել վերև.
Միշտ դեպի վեր, դեպի արև.
Երնե՜կ նրան, ում կտանեմ
Ինձ հետ դեպի փայլուն արև...

Այն արևի բոցերի մեջ
Կուզեմ այրել սիրտս անշեջ.
Երնե՜կ նրան, ով որ ինձ պես
Գիտե տանջվել սիրով այսպես:

Mi sirt unem k'nk'ush, bari,
Mi sirt unem varr sirov li,
Yerne´k nran, ov ksiri,
Yernek nran, ov ktiri.

Hogis kartses mi nurb t'it'err,
T'rrch'um e ver՝ depi yet'er,
Yerne´k nran, ov khasni,
Yerne´k nran, ov ktesni.

Yes sirum em t'rrch'el verev,
Misht depi ver, depi arev.
Yerne´k nran, um ktanem
Indz het depi p'aylun arev…

Ayn arevi bots'eri mej
Kuzem ayrel sirts anshej.
Yerne´k nran, ov vor indz pes
Gite tanjvel sirov ayspes.

ՄՈԿԱՑ ՄԻՐԶԱ
MOKATS' MIRZA

Կոմիտաս
Komitas

Andante Raccontare Խոսելով, պատմելով, հանդարտ

Օրն էր Ուրբաթ,
Լուս ի շաբաթ,
Գեաշտ էրիր ենք Մալաքյավեն.
Թղթիկ մ՛եկավ Ջըզիրու քաղաքեն,
Առին, բերին Մալաքյավեն,
Տվին ի ձեռ Մոկաց Միրզեն:
— Հազար ափսո՛ս, Մոկաց Միրզեն:

Առեց կարդաց,
Քաղցրիկ լեզվեն,
Էրավ մազդեն,
Շըլեց աչքեր, կախեց չանեն,
Քաղվավ կարմիր գույն էրեսեն.
— Հազար ափսո՛ս, Մոկաց Միրզեն:

Կանչեց, ասաց յուր մշակին.—
— Դո՛ւս քաշի Բոզ-Բեդավին,
Վըրա դրեք թամքը սադաֆին,
Սաֆար կերթամ չուր Ջըզիրեն
— Հազար ափսո՛ս, Մոկաց Միրզեն:

Orn er ourbat',
Lus i shabat',
Geasht erir enk' Malak'yaven.
T'ght'ik m'yekav Jyziru k'aghak'en,
Arrin, berin Malak'yaven,
Tvin i dzerr Mokats' Mirzen.
— Hazar ap'so´s, Mokats' Mirzen.

Arrets' kardats',
K'aghts'rik lezven,
Erav mazden,
Shylets' ach'k'er, kakhets' ch'anen,
K'aghvav karmir guyn eresen.
— Hazar ap'so´s, Mokats' Mirzen.

Kanch'ets', asats' yur mshakin.
— Du's k'ashi Boz-Bedavin,
Vyra drek' t'amk'y sadafin,
Safar kert'am ch'ur Jyziren
— Hazar ap'so´s, Mokats' Mirzen:

ՄՈՌԱՆԱԼ
MORRANAL

Խոսք՝ Վ. Տերյանի
Lyrics by V. Teryan

Երաժշտ.՝ Ն. Գալանտերյանի
Music by N. Galanteryan

Մոռանա՛լ, մոռանա՛լ ամեն ինչ,
Ամենին մոռանալ.
Չըսիրել, չըխորհել, չափսոսալ –
Հեռանա՛լ...
Այս տանջող, այս ճնշող ցավի մեջ,
Գիշերում այս անշող
Արդյոք կա՞ իրիկվա մոռացման,
Մոռացման ոսկե շող...

Մի վայրկյան ամենից հեռանալ,
Ամենին մոռանալ.
Խավարում, ցավերում քարանալ
Մեն-միայն...
Մոռանալ, մոռանալ ամեն ինչ,
Ամենին մոռանալ...
Չսիրել, չտենչալ, չկանչել,
Հեռանա՛լ...

Morrana΄l, morrana΄l amen inch',
Amenin morranal,
Ch'ysirel, ch'ykhorhel, ch'ap'sosal
Herrana΄l...
Ays tanjogh, ays chnshogh ts'avi mej,
Gisherum ays anshogh
Ardyok' ka՞ irikva morrats'man,
Morrats'man voske shogh...

Mi vayrkyan amenits' herranal,
Amenin morranal,
Khavarum, ts'averum k'aranal
Men-miayn...
Morranal, morranal amen inch',
Amenin morranal...
Ch'sirel, ch'tench'al, ch'kanch'el,
Herrana΄l...

ՄԱՀԵՐԳ ՆԱՀԱՏԱԿԱՑ
MAHERG NAHATAKATS'

Խոսք՝ Վ. Թեքեյան
Lyrics by V. Tekeyan

Երաժշտ.՝ Գ. Կառվարենցի
Music by G. Karvarents

Անոնց համար, որ ինկան,
Զմեզ ազատ ուզելով՝
Սրտեր մեր քովեքով
Կ'ըլլան այսօր մեկ խորան:

Anonts' hamar, vor inkan,
Zmez azat uzelov'
Srter mer k'ovek'ov
K'yllan aysor mek khoran.

Անոնց հոգվույն պաշտամունք
Մեր մեն մի խոհն է հիմա,
Դեպի անոնց կամբառնա
Մեր հույսն ու սերն՝ իբրև խունկ:

Anonts' hogvuyn pashtamunk'
Mer men mi khohn e hima,
Depi anonts' kambarrna
Mer huysn u sern' ibrev khunk.

Եվ մեր ցավի սկիհեն
Անոնց մարմինն ու արյունն
Իբր անսահման սրբություն
Մենք կընդունինք սրբորեն:

Yev mer ts'avi skihen
Anonts' marminn u aryunn
Ibr ansahman srbut'yun
Menk' kyndunink' srboren.

ՅԱՍԱՄԱՆԻ ԾԱՌԻ ՏԱԿ
YASAMANI TSARRI TAK

Խոսք՝ Ա. Գրաշու
Lyrics by A. Grashu

Երաժշտ.՝ Ալ. Հեքիմյանի
Music by Al. Hekimyan

Յա - սա-մա-նի ծա-ռի տակ եկ նըս-տենք սի - րով,
Ya - sa-ma-ni tsa-rri tak yek nys-tenk' si - rov,
քըն - քուշ եր-գեր եր-գիր ինձ քաղ - ցըր խոս - քե - րով:
k'yn - k'ush yer-ger yer-gir indz k'agh - tsyr khos - k'e - rov.
ջա-հել հո-գուս համար դու կա-պիր բախտի կա-մար դու,
ja-hel ho-gus ha-mar du ka-pir bakh-ti ka-mar du,
ե-ղիր եր-կինք ինձ աստ - ղոտ, շո - ղոտ - շա - ղոտ,
ye-ghir yer-kink' indz ast - ghot, sho - ghot - sha - ghot,
շո - ղոտ - շա - ղոտ, շո - ղոտ - շա - ղոտ, շո - ղոտ - շա - ղոտ,
sho - ghot - sha - ghot, sho - ghot - sha - ghot, sho - ghot - sha - ghot,
շո-ղոտ-շա - ղոտ, շո-ղոտ-շա - ղոտ, շո-ղոտ-շա - ղոտ:
sho-ghot-sha - ghot, sho-ghot-sha - ghot, sho-ghot-sha - ghot.

Յասամանի ծառի տակ
Եկ նստենք սիրով,
Քնքուշ երգեր երգիր ինձ
Քաղցր խոսքերով:

ԿՐԿՆԵՐԳ
Ջահել հոգուս համար դու
Կապիր բախտի կամար դու,
Եղիր երկինք ինձ աստղոտ`
Շողոտ – շաղոտ:

Կյանքի գարնան այգու մեջ
Մենք շրջենք խնդուն,
Աչքի լույսի պես պահենք
Սերը մեր սրտում:

Ուրիշ սիրած ես չունեմ
Այս արևի տակ,
Քեզ օջախս կտանեմ
Որպես տան ճրագ:

Yasamani tsarri tak
Yek nstenk' sirov,
K'nk'ush yerger yergir indz
K'aghts'r khosk'erov.

CHORUS
Jahel hogus hamar du
Kapir bakhti kamar du,
Yeghir yerkink' indz astghot`
Shoghot – shaghot.

Kyank'i garnan aygu mej
Menk' shrjenk' khndun,
Ach'k'i luysi pes pahenk'
Sery mer srtum.

Urish sirats yes ch'unem
Ays arevi tak,
K'ez ojakhs ktanem
Vorpes tan chrag.

ՅԱՐ ՆԱԶԱՆԻ
YAR NAZANI

Խոսք՝ Համաստեղի
Lyrics by Hamastegh

Երաժշտ.՝ Ալան Հովհաննեսի
Music by Alan Hovhannes

sa - zy, kot - rets sa - zy, kot - rets sa - zy gy - nats
D.C. al Coda
sa - zy, my - nats na - zy, yar.

Էծը առի, պազար տարի,
Էն պազարեն սազ մը առի.
Սազ մը առի, սազ մը առի,
Սազով յարիս նազը արի:
Յա՛ր, նազանի, նազանի,
Յա՛ր, նազանի, նազանի,
Սազով, նազով նազանի,
Սազով, նազով նազանի, յա՛ր...

Հերըս առտուն գոմը մըտավ,
Գոմին մեջը էծ չի գըտավ.
Էծ չի գըտավ, էծ չի գըտավ,
Պատեն կախված սազը գըտավ:
Յա՛ր, նազանի, նազանի,
Յա՛ր, նազանի, նազանի,
Սազով, նազով նազանի,
Սազով, նազով նազանի, յա՛ր.

Հերըս հերսեն առավ սազը.
Զարկավ քարին, կոտրեց սազը.
Կոտրավ սազը, կոտրավ սազը,
Գընաց սազը, մընաց նազը:
Յա՛ր, նազանի, նազանի,
Յա՛ր, նազանի, նազանի,
Հազար նազով նազանի,
Հազար նազով նազանի, յա՛ր...

Etsy arri, pazar tari,
En pazaren saz my arri,
Saz my arri, saz my arri,
Sazov yaris nazy ari.
Ya′r, nazani, nazani,
Ya′r, nazani, nazani,
Sazov, nazov nazani,
Sazov, nazov nazani, ya′r...

Herys arrtun gomy mytav,
Gomin mejy ets ch'i gytav.
Ets ch'i gytav, ets ch'i gytav,
Paten kakhvats sazy gytav.
Ya′r, nazani, nazani,
Ya′r, nazani, nazani,
Sazov, nazov nazani,
Sazov, nazov nazani, ya′r.

Herys hersen arrav sazy,
Zarkav k'arin, kotrets' sazy.
Kotrav sazy, kotrav sazy,
Gynats' sazy, mynats' nazy.
Ya′r, nazani, nazani,
Ya′r, nazani, nazani,
Hazar nazov nazani,
Hazar nazov nazani, ya′r...

ՆՈՒԲԱՐ-ՆՈՒԲԱՐ
NOUBAR-NOUBAR

Հայ. ժողովրդական երգ
Armenian folk song

Moderato Չափավոր
Նու-բա - րի բո - յը չի - նար է, աչ-քե - րը նուշ
Ե-րեք օր - վա լուս - նի նը - ման ուն-քե - րը կեռ
Nu-ba - ri bo - ye ch'i - nar e, ach'-k'e - ry nush
Ye-rek' or - va lus - ni ny - man un-k'e - ry nush
ու խու - մար է, Նու-բա - րի բո - յը չի - նար է,
ու կա - մար է: Nu-ba - ru bo - ye ch'i - nar e,
u khu - mar e.
u khu - mar e.
աչ-քե - րը նուշ ու խու-մար է, ե-րեք օր - վա
ach'-k'e - ry nush u khu - mar e, ye-rek' or - va
լուս - նի նը - ման ուն - քե - րը կեռ ու կա - մար է:
lus - ni ny - man un - k'e - ry kerr u ka - mar e.

Նուբարի բոյը չինար է,
Աչքերը նուշ ու խումար է,
Երեք օրվա լուսնի նման
Ունքերը կեռ ու կամար է:

Արև ցոլաց սարին, քարին,
Նուբար կերթա հանդը վերին:
Ով որ տեսնի իմ Նուբարին,
Չի մոռանա ամբողջ տարին:

Նուբար կերթա օրոր-շորոր,
Նուբարի յար կայնե մոլոր,
«Ա՛խ» կքաշե գիշեր ու զօր,
Ու ման կուգա գյուղի բոլոր:

Նուբարի բոյը չինար է.
Աչքերը նուշ ու խումար է,
Երեք օրվա լուսնի նման
Ունքերը կեռ ու կամար է:

Nubari boyy ch'inar e,
Ach'k'ery nush u khumar e,
Yerek' orva lusni nman
Unk'ery kerr u kamar e.

Arev ts'olats' sarin, k'arin,
Nubar kert'a handy verin.
Ov vor tesni im Nubarin,
Ch'i morrana amboghj tarin.

Nubar kert'a oror-shoror,
Nubari yar kayne molor,
«A΄kh» kk'ashe gisher u zor,
Ou man kuga gyughi bolor.

Nubari boyy ch'inar e.
Ach'k'ery nush u khumar e,
Yerek' orva lusni nman
Unk'ery kerr u kamar e.

ՇԱԽՈՎ-ՇՈՒԽՈՎ
SHAKHOV-SHUKHOV

Հայ. ժողովրդական երգ
Armenian folk song

Ա - րե - վը նոր ծա - գել ա, սի - րած յա - րըս
A - re - vy nor tsa - gel a, si - rats ya - rys
ե - կել ա: Շա - խով - շու - խով իմ յա - րը
ye - kel a. Sha - khov - shu - khov im ya - ry
բո - յով, բու - սով իմ յա - րը: իմ յա - րը:
bo - yov, bu - sov im ya - ry. im ya - ry.

Արևը նոր ծագել ա,
Սիրած յարըս եկել ա:
Շախով - շուխով իմ յարը,
Բոյով, բուսով իմ յարը:

Գարնան արև եմ ուզում,
Յարիս տեսնել եմ ուզում:
Շախով - շուխով...

Աչերին եմ կարոտել,
Նըրա տեսքին մընացել:
Շախով - շուխով...

Հազար տըղա ինձ ուզի.
Ես ուրիշին չեմ ուզի:
Շախով - շուխով...

Ասին՝ յարըդ եկել ա,
Գըժի նման դուրս թըռա:
Շախով - շուխով...

Դարդը սըրտից չեմ հանում,
Քեզ մըտահան չեմ անում:
Շախով - շուխով իմ յարը,
Բոյով, բուսով իմ յարը:

Arevy nor tsagel a,
Sirats yarys yekel a.
Shakhov - shukhov im yary,
Boyov, busov im yary.

Garnan arev em uzum,
Yaris tesnel yem uzum.
Shakhov - shukhov...

Ach’erin em karotel,
Nyra tesk’in mynats’el.
Shakhov - shukhov...

Hazar tygha indz uzi,
Yes urishin ch’em uzi.
Shakhov - shukhov...

Asin՝ yaryd yekel a,
Gyzhi nman durs t’yrra.
Shakhov - shukhov...

Dardy syrtits’ ch’em hanum,
K’ez mytahan ch’em anum.
Shakhov - shukhov im yary,
Boyov, busov im yary.

ՇՈՂԵՐ ՋԱՆ
SHOGHER JAN

Կոմիտաս
Komitas

Vivace Grazioso Աշխույժ և նազանքով
Ամ - պել ա, ձուն չի՛ գա - լի, Շո-ղեր ջան,
Սա - րի - ցը տուն չի՛ գա - լի, Շո-ղեր ջան,
Am - pel a, dzun ch'i ga - li, Sho-gher jan,
Sa - ri - tsy tun ch'i ga - li, Sho-gher jan,
Դուն շո - րո - րա՛, դուն օ - րո - րա՛, Շո - ղեր ջան,
Dun sho - ro - ra, dun o - ro - ra, Sho-gher jan,
ամ - պի տա-կին ձուն կե - րե - վա, Շո-ղեր ջան:
am - pi ta - kin dzun ke - re - va, Sho-gher jan.

Ամպել ա, ձուն չի՛ գալի,
Շողե՛ր ջան,
Սարիցը տուն չի՛ գալի,
Շողե՛ր ջան,
Դու շորորա՛, դուն օրորա՛,
Շողե՛ր ջան,
Ամպի տակին ձուն կերևա,
Շողե՛ր ջան:

Սիրտըս կրակով լըցված,
Շողե՛ր ջան,
Աչքերիս քուն չի գալի,
Շողե՛ր ջան,
Դու շորորա՛, դուն օրորա՛
Շողե՛ր ջան,
Ամպի տակին ձուն կերևա,
Շողե՛ր ջան:

Հուրք ա թափում վերիցը,
Ես վառա քո սերիցը.
Վարդավառին ինձ համար
Ջուն բեր դու սարերիցը:

Սարի գլխին ձուն եկավ,
Շողե՛ր ջան,
Շեկլիկ յարըս տուն եկավ,
Շողե՛ր ջան.

Ուն կերևա, ձուն կերևա,
Շողե՛ր ջան,
Բերդի տակին տուն կերևա,
Շողե՛ր ջան:
Դեռ մուրազիս չըհասած,
Շողե՛ր ջան,
Վըրես խորունկ քուն եկավ,
Շողե՛ր ջան:
Ուն կերևա, ձուն կերևա,
Շողե՛ր ջան,
Բերդի տակին տուն կերևա,
Շողե՛ր ջան:

Աշունն եկավ սարիցը,
Տերև թափեց ծառիցը.
Շողոն դարդով լըցվել ա.—
Հեռացել ա յարիցը:

Ampel a, dzun ch'i' gali,
Shoghe´r jan,
Sarits'y tun ch'i' gali,
Shoghe´r jan,
Du shorora´, dun orora',
Shoghe´r jan,
Ampi takin dzun kereva,
Shoghe´r jan.

Sirtys krakov lyts'vats,
Shoghe´r jan,
Ach'k'eris k'un ch'i gali,
Shoghe´r jan,
Du shorora', dun orora'
Shoghe´r jan,
Ampi takin dzun kereva,
Shoghe´r jan.

Hurk' a t'ap'um verits'y,
Yes varra k'o serits'y.
Vardavarrin indz hamar
Dzun ber du sarerits'y.

Sari glkhin dzun yekav,
Shoghe´r jan,
Sheklik yarys tun yekav,
Shoghe´r jan.

Un kereva, dzun kereva,
Shoghe´r jan,
Berdi takin tun kereva,
Shoghe´r jan.
Derr murazis ch'yhasats,
Shoghe´r jan,
Vyres khorunk k'un yekav,
Shoghe´r jan,
Un kereva, dzun kereva,
Shoghe´r jan,
Berdi takin tun kereva,
Shoghe´r jan.

Ashunn yekav sarits'y,
Terev t'ap'ets' tsarrits'y,
Shoghon dardov lyts'vel a.—
Herrats'el a yarits'y.

ՇՈՒՇՈՆ ԵԼԱՎ
SHUSHON YELAV

Կոմիտաս
Komitas

Շուշոն ելավ կերթեր էգին,
Ինքն է յուր շուշտակ տգեր կին.
Քաղեց զխաղող, լեցուց գոգին,
Մարալ Շուշո, ջեյրան Շուշո:

Շուշոն ելավ կերգեր մուրազ,
Ուր ուտելիք մեղր ու կարագ,
Աչքերը դեզած, ունքեր բարակ
Մարալ Շուշո, ջեյրան Շուշո:

Shushon yelav kert'er egin,
Ink'n e yur shushtak tger kin.
K'aghets' zkhaghogh, lets'uts' gogin,
Maral Shusho, jeyran Shusho.

Shushon yelav kerger murag,
Ur utelik' meghr u karag,
Ach'k'ery dezats, unk'er barak
Maral Shusho, jeyran Shusho.

ՈԼՈՐ-ՄՈԼՈՐ
VOLOR-MOLOR

(Արտաշես և Սաթենիկ)
(Artashes & Sat'enik)

Խոսք՝ Ս. Գյուլզադյանցի
Lyrics by S. Gyulzadyants

Երաժշտ.՝ ըստ Մ. Եկմալյանի
Music per M. Yekmalyan

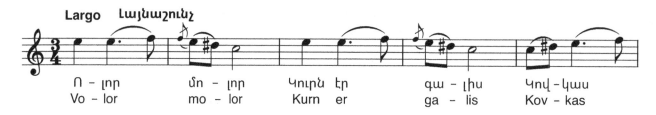

Ո - լոր մո - լոր Կուրն էր գա - լիս Կով - կաս
Vo - lor mo - lor Kurn er ga - lis Kov - kas
սա - րե - րեն,
sa - re - ren,
մի ան - նը - ման ձայն էր
mi an - ny - man dzayn er
գա - լիս էն մյուս ա - փե - րեն:
ga - lis en myus a - p'e - ren.

Ոլոր - մոլոր Կուրն էր գալիս Կովկաս սարերեն,
Մի աննման ձայն էր գալիս էն մյուս ափերեն.
— Փախեք աստղեր, արև ծագեց Կովկաս սարերեն՝
Սաթենիկն եմ՝ սիրուն եմ ես երկնից լուսնյակեն:

Հայո՛ց քաջեր, քաշ դրեք զենքեր շուտ ձեր ձեռքերեն,
Սաթենիկն եմ՝ կհաղթվիք դուք իմ սիրո սրեն:
Քե՛զ եմ ասում, քաջ Արտաշես, դուրս եկ վրանեն,
Սաթենիկն եմ՝ կհաղթվիս իմ սև - սև աչերեն:

Տաք - տաք արյուն զուր մի թափեք անմեղ սարերեն,
Սաթենիկն եմ՝ կհաղթվիս իմ կարմիր թշերեն:
Մի պարծենար քո զորքերի պես - պես գունդերեն,
Սաթենիկն եմ՝ կհաղթվիս իմ սիրուն ունքերեն:

Ալան - ալան հաղթությունը առիր իմ ձեռքեն,
Ո՞նց դիմանամ, հալվում է թուրս քո կրակներեն.
Ալան - ալան փառք ու պսակս առիր իմ գլխեն,
Ո՞նց դիամանամ, սիրուն ես դու էն սիրուններեն:

Ա՜յ դու անգութ, այրվում է սիրտս քո չոր ծարավեն,
Ո՞նց դիմանամ, չեմ զովանում Կուրի ջրերեն:
Տուր ինձ թրերդ՝ քո մոտ թռչեմ Կուրի վրայեն,
Մի թիթեռնիկ դարձրել ես քո ճրագի լույսեն:

Ասա՛վ հանեց իր կարմիր թոկ օղակն ոսկեղեն,
Գցեց՝ ընկավ Սաթենիկի մեջքի մեջտեղեն:
— Թռի՛ր, փախի՛ր, իմ գեղեցիկ սյավ ձի հրեղեն,
Մեջքիդ մարալն որս եմ բռնել Կովկաս սարերեն:

Թռիր, սուրա, մեծ է սա իմ բոլոր որսերեն,
Թևիս վրայի կույսն եմ խլել քաջ ալաններեն:

Volor - molor Kurn er galis Kovkas sareren,
Mi annman dzayn er galis en myus ap'eren.
— P'akhek' astgher, arev tsagets' Kovkas sareren'
Sat'enikn em' sirun em yes yerknits' lusnyaken.

Hayo'ts' k'ajer, k'ash drek' zenk'er shut dzer dzerrk'eren,
Sat'enikn em' khaght'vik' duk' im siro sren.
K'e'z em asum, k'aj Artashes, durs ek vranen,
Sat'enikn em' khaght'vis im sev - sev ach'eren.

Tak' - tak' aryun zur mi t'ap'ek' anmegh sareren,
Sat'enikn em' khaght'vis im karmir t'sheren,
Mi partsenar k'o zork'eri pes - pes gunderen,
Sat'enikn em' khaght'vis im sirun unk'eren.

Alan - alan haght'ut'yuny arrir im dzerrk'en,
Vo^nts' dimanam, halvum e t'urs k'o krakneren.
Alan - alan p'arrk' u psaks arrir im glkhen,
Vo^nts' diamanam, sirun es du en sirunneren.

A'y du angut', ayrvum e sirts k'o ch'or tsaraven,
Vo^nts' dimanam, ch'em zovanum Kuri jreren,
Tur indz t'rerd' k'o mot t'rrch'em Kuri vrayen,
Mi t'it'errnik dardzrel yes k'o chragi luysen,

Asa'v hanets' ir karmir t'ok oghakn voskeghen,
Gts'ets'' ynkav Sat'eniki mejk'i mejteghen.
— T'rri'r, p'akhi'r, im geghets'ik syav dzi hreghen,
Mejk'id maraln vors em brrnel Kovkas sareren.

T'rrir, sura, mets e sa im bolor vorseren,
T'evis vrayi kuysn em khlel k'aj alanneren.

ՈՎ ՀԱՅՈՑ ԱՇԽԱՐՀ
OV HAYOTS' ASHKHARH

Խոսքի վերամշակումը՝ Ս. Տարոնցու
Lyrics adapted by S. Tarontsi

Երաժշտ.՝ Մ. Եկմալյանի
Music by M. Yekmalyan

Ո՛վ Հայոց աշխարհ,
Հարազատ պայծառ,
Զավակներիդ օթևան,
Հավերժական հանգրվան:

Քո հպարտ երգը,
Քո ազատ կյանքը,
Թող հնչի հավետ,
Թող ծաղկի հավետ:

Ո՛վ Հայոց մեր աշխարհ,
Դու ցնծա՛ դարեդար:

O´v Hayots' ashkharh,
Harazat paytsarr,
Zavaknerid ot'evan,
Haverzhakan hangrvan.

K'o hpart yergy,
K'o azat kyank'y,
T'ogh hnch'i havet,
T'ogh tsaghki havet.

O´v Hayots' mer ashkharh,
Du ts'ntsa' daredar.

ՈՎ ՄԵԾԱՍՔԱՆՉ ԴՈՒ ԼԵԶՈՒ
OV METSASK'ANCH' DOU LEZU

Խոսք՝ Ն. Մեզպուրյանի
Lyrics by N. Mezpuryan

Կոմիտաս
Komitas

Ո՜վ մե - ծա-սքանչ դու լե-զու, ո՜վ հեշտ բար-բառ մայ - րա-կան,
Ov me - tsa-sk'anch' du le-zu, ov hesht bar - barr may - ra - kan,
քաղ - ցրա - հըն - չյուն բա - ռե-րուդ նը - ման, ար - դյոք այլ տեղ կան։
k'agh - tsra - hyn - ch'yun ba - rre - rud ny - man, ar - dyok' ayl tegh kan.
Դու, որ նախ ինձ հըն - չե - ցիր, նախ սի - րով, ո՜հ, հեշտ խոս-քեր,
Du, vor nakh indz hyn - ch'e - tsir, nakh si - rov, oh, hesht khos-k'er,
այն՝ նախ ըզ-քեզ թո - թո - վես, դեռ իմ մըտ-քեն չէ ե-լեր։
ayn nakh yz-k'ez t'o - t'o - ves, derr im myt - k'en ch'e ye-ler.
Իմ մայ - րե-նի քաղ - ցըր լե-զու, կյա՛ց ան - սա-սան, կյա՛ց հա - վետ,
Im may - re-ni k'agh - tsyr le-zu, kyats an - sa-san, kyats ha - vet,
կյա՛ց միշտ լե-զուդ հայ-կար-ժան, կյա՛ց ծաղ - կա-լից, ծաղ-կա-վետ։
kyats misht le-zud hay - kar - zhan, kyats tsagh - ka-lits, tsagh-ka - vet.

Ո՛վ մեծասքանչ դու լեզու,
Ո՛վ հեշտ բարբառ մայրական.
Քաղցրահնչյուն բառերուդ
Նման, արդյոք, այլ տեղ կա՞ն:

Դու, որ նախ ինձ հնչեցիր,
Նախ սիրով, ո՛հ, հեշտ խոսքեր,
Այն նախ զ քեզ թոթովելս
Դեռ իմ մտքեն չէ ելեր:

Իմ մայրենի քաղցր լեզու,
Կյա՛ց անսասան, կյա՛ց հավետ,
Կյա՛ց միշտ լեզուդ իմ հայկարժան,
Կյա՛ց ծաղկալից, ծաղկավետ:

Ինչ դառն վիշտ է սրտիս,
Երբ օտար տեղ ու լեզու
Բռնի իրեն զիս քաշե,
Սրտես արյուն կ'հեղու:

Ո՛հ, զայն օտարն ես սիրել
Բնավ չեմ կարող ի սրտե,
Չէ այն, չէ քաղցր իմ լեզու,
Որ սիրով զիս կ'ողջունե:

Իմ մայրենի քաղցր լեզու,
Կյա՛ց անսասան, կյա՛ց հավետ,
Կյա՛ց միշտ լեզուդ իմ հայկարժան,
Կյա՛ց ծաղկալից, ծաղկավետ:

O´v metsask'anch' du lezu,
O´v hesht barbarr mayrakan,
K'aghts'rahnch'yun barerud
Nman, ardyok', ayl tegh ka˜n.

Du, vor nakh indz hnch'ets'ir,
Nakh sirov, o´h, hesht khosk'er,
Ayn nakh zk'ez t'ot'ovels
Derr im mtk'en ch'e yeler.

Im mayreni k'aghts'r lezu,
Kya´ts' ansasan, kya´ts' havet,
Kya´ts' misht lezud im haykarzhan,
Kya´ts' tsaghkalits', tsaghkavet.

Inch' darrn visht e srtis,
Yerb otar tegh u lezu
Brrni iren zis k'ashe,
Srtes aryun k'heghu.

O´h, zayn otarn es sirel
Bnav ch'em karogh i srte,
Ch'e ayn, ch'e k'aghts'r im lezu,
Vor sirov zis k'voghjune,

Im mayreni k'aghts'r lezu,
Kya´ts' ansasan, kya´ts' havet,
Kya´ts' misht lezud im haykarzhan,
Kya´ts' tsaghkalits', tsaghkavet.

ՈՎ ՍԻՐՈՒՆ, ՍԻՐՈՒՆ
OV SIRUN, SIRUN

Խոսքի մշակումը՝ Լ. Միրիջանյանի
Lyrics adapted by L. Mirijanyan

Ո՛վ սիրո՜ւն, սիրո՜ւն, երբ որ ես կրկին
Հանդիպում եմ քեզ իմ ճանապարհին,
Նորից այրում են հուշերս անմար,
Նորից կորչում են և քուն, և դադար:

Ո՛վ սիրո՜ւն, սիրո՜ւն, ինչո՞ւ մոտեցար,
Սրտիս գաղտնիքը ինչո՞ւ իմացար.
Մի անմեղ սիրով ես քեզ սիրեցի,
Բայց դու՝ անիրավ, ինչո՞ւ լքեցիր:

Ա՜խ, եթե տեսնեմ օրերից մի օր.
Դու ման ես գալիս տխուր ու մոլոր,
Ընկեր կդառնամ ես քո վշտերին,
Մենակ չեմ թողնի իմ կարոտ յարին:

O′v siro′un, siro′un, yerb vor yes krkin
Handipum em k’ez im chanaparhin,
Norits’ ayrum en hushers anmar,
Norits’ korch’um en yev′ k’un, yev′ dadar.

O′v siro′un, siro′un, inch’oˆu motets’ar,
Srtis gaghtnik’y inch’oˆu imats’ar,
Mi anmegh sirov yes k’ez sirets’i,
Bayts’ du` anirav, inch’oˆu lk’ets’ir.

A′kh, yet’e tesnem orerits’ mi or,
Du man es galis tkhur u molor,
Ynker kdarrnam yes k’o vshterin,
Menak ch’em t’oghni im karot yarin.

ՈՐՍԿԱՆ ԱԽՊԵՐ
VORSKAN AKHPER

Խոսք՝ Ավ. Իսահակյանի
Lyrics by A. Isahakyan

Երաժշտ.՝ Ե. Առստամյանի
Music by E. Arstamyan

Որս – կանախ – պեր, սա – րենկու – գաս,
Vors – kan akh – per, sa – ren ku – gas,

սա – րիմա – րալ կը – փրնտ – րես, ա – սա՛, յա – րաբ
sa – ri ma – ral ky – p'ynt – res, a – sa, ya – rab

դուն չը – տե – սա՞ր իմ մարա – լըս, իմ բայես:
dun ch'y – te – sar im ma – ra – lys, im ba – les.

— "Որսկան ախպեր, սարեն կուգաս,
Սարի մարալ կըփնտրես,
Ասա՛, յարաբ դուն չտեսա՞ր
Իմ մարալըս, իմ բալես:

Դարդի ձեռքեն սարերն ընկավ,
Իմ արևս, իմ բալես,
Գըլուխն առավ, քարերն ընկավ
Իմ ծաղիկս, իմ լալես...".

— "Տեսա, քուրի՛կ, նըխշուն բալեդ
Կարմիր-կանաչ է կապեր,
Սիրած յարի համբուրի տեղ
Սրտին վարդեր են ծըլեր":

— "Որսկան ախպեր, ասա, յարաբ
Ո՞վ է հարսը իմ բալիս,
Ո՞վ է գրկում չոր գլուխը
Իմ մարալիս, իմ լալիս":

— Տեսա, քուրի՛կ, դարդոտ բալեդ
Քարն է դըրեր բարձի տեղ.
Անուշ քնով տաք գնդակն է
Կըրծքում գըրկեր յարի տեղ:

Սարի մարմանդ հովն է շոյում
Ճակտի փունջը մարալիդ,
Ծաղիկներն են վըրան սգում,
Ազիզ բալիդ, խեղճ լալիդ..."

— "Vorskan akhper, saren kugas,
Sari maral kyp'ntres,
Asa', yarab dun ch'tesa˘r
Im maralys, im bales.

Dardi dzerrk'en sarern ynkav,
Im arevs, im bales,
Gylukhn arrav, k'arern ynkav
Im tsaghiks, im lales...".

— "Tesa, k'uri'k, nykhshun baled
Karmir-kanach' e kaper,
Sirats yari hamburi tegh
Srtin varder en tsyler".

— "Orskan akhper, asa, yarab
O˘v e harsy im balis,
O˘v e grkum ch'or glukhy
Im maralis, im lalis".

— Tesa, k'uri'k, dardot baled
K'arn e dyrer bardzi tegh.
Anush k'nov tak' gndakn e
Kyrtsk'um gyrker yari tegh.

Sari marmand hovn e shoyum
Chakti p'unjy maralid,
Tsaghiknern en vyran sgum,
Aziz balid, kheghch lalid..."

ՈՐՔԱՆ ՑԱՆԿԱՑԱ
VORK'AN TS'ANKATS'A

Խոսք՝ Ա. Ղարիբյանի
Lyrics by A. Gharibyan

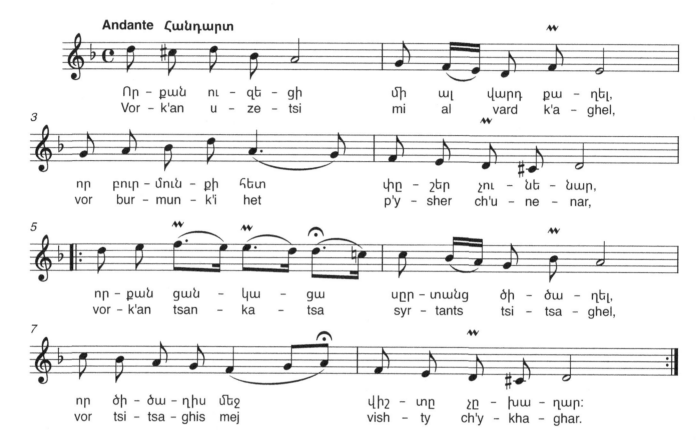

Andante Հանդարտ
Որ - քան ու - զե - ցի մի ալ վարդ քա - ղել,
Vor - k'an u - ze - tsi mi al vard k'a - ghel,
որ բուր - մուն - քի հետ փը - շեր չու - նե - նար,
vor bur - mun - k'i het p'y - sher ch'u - ne - nar,
որ - քան ցան - կա - ցա սըր - տանց ծի - ծա - ղել,
vor - k'an tsan - ka - tsa syr - tants tsi - tsa - ghel,
որ ծի - ծա - ղիս մեջ վիշ - տը չը - խա - ղար:
vor tsi - tsa - ghis mej vish - ty ch'y - kha - ghar.

Որքան ուզեցի մի ալվարդ քաղել,
Որ բուրմունքի հետ փշեր չունենար.
Որքան ցանկացա սրտանց ծիծաղել,
Որ ծիծաղիս մեջ վիշտը չխաղար:

Որքան ուզեցի մի երգ հորինել,
Որ կրծքես ուրախ ու զվարթ թռչեր.
Որքան ցանկացա մի կույսի սիրել,
Որ իր կրծքի տակ օձեր չունենա:

Վարդն առանց փշի ինձ չհանդիպեց,
Որքան մոտեցա, ձեռքերս ծակեց.
Ծիծաղից հետո միշտ դառը լացի,
Ծիծաղն առանց վիշտ երբեք չզգացի:

Երգս մրմուռի հեծեծանք դառավ,
Ու այրված սրտես այնպես դուրս թռավ.
Կույսն էլ ինձ սիրեց, հետո ուրացավ.
Երբ ինձնից հարուստ փեսա ունեցավ...

Vork'an uzets'i mi alvard k'aghel,
Vor burmunk'i het p'sher ch'unenar.
Vork'an ts'ankats'a srtants' tsitsaghel,
Vor tsitsaghis mej vishty ch'khaghar.

Vork'an uzets'i mi yerg horinel,
Vor krtsk'es urakh u zvart' t'rrch'er.
Vork'an ts'ankats'a mi kuysi sirel,
Vor ir krtsk'i tak odzer ch'unena.

Vardn arrants' p'shi indz ch'handipets',
Vork'an motets'a, dzerrk'ers tsakets',
Tsitsaghits' heto misht darry lats'i,
Tsitsaghn arrants' visht yerbek' ch'zgats'i.

Yergs mrmurri hetsetsank' darrav,
Ou ayrvats srtes aynpes durs t'rrav.
Kuysn el indz sirets', heto urats'av.
Yerb indznits' harust p'esa unets'av...

ՉԳԻՏԵՄ, ԹԵ ՈՒՐ
CH'GITEM T'E UR

Խոսք՝ Ավ. Իսահակյանի
Lyrics by Av. Isahakyan

Երաժշտ.՝ Էդ. Հակոբյանի
Music by Ed. Hakobyan

Չը - գի-տեմ, թե ո՞ւր անհայտ, հե-ռա-վոր մի սիրտ կա տը - խուր, մե - նակ, մե - նա - վոր:
Ch'y-gi-tem, t'e ur an - hayt, he-rra-vor mi sirt ka ty - khur, me - nak, me - na - vor.
Չը - գի - տեմ, թե ո՞ւր, ան - հայտ հե-ռա-վոր մի սիրտ կա տը - խուր, մե - նակ, մե-նա - վոր:
Ch'y - gi - tem, t'e ur, an - hayt he-rra-vor mi sirt ka ty - khur, me - nak, me - na - vor.

Չգիտեմ, թե ուր
Անհայտ, հեռավոր
Մի սիրտ կա տխուր,
Մենակ, մենավոր.

Նա է՝ ուշ գիշեր
Իմ դուռը ծեծում,
Նա է՝ միշտ անտես,
Կրծքիս հեծեծում...

Չգիտեմ, թե ուր
Անհայտ, հեռավոր
Մի սիրտ կա տխուր,
Մենակ, մենավոր.

Ch'gitem, t'e ur
Anhayt, herravor
Mi sirt ka tkhur,
Menak, menavor.

Na e` ush gisher
Im durry tsetsum,
Na e` misht antes,
Krtsk'is hetsetsum...

Ch'gitem, t'e ur
Anhayt, herravor
Mi sirt ka tkhur,
Menak, menavor.

ՉԻՆԱՐ ԵՍ
CH'INAR ES

Կոմիտաս
Komitas

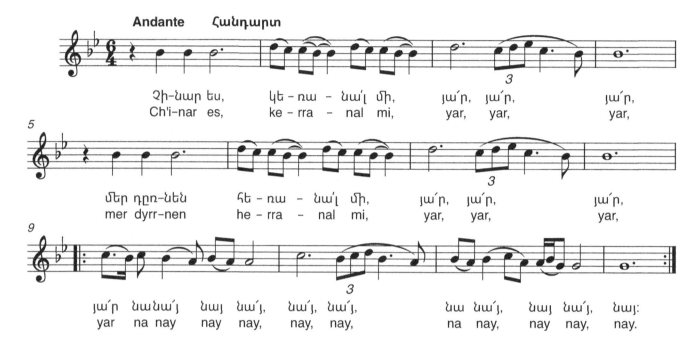

Չի-նար ես, կե - ռա - նա՛լ մի, յա՛ր, յա՛ր, յա՛ր,
Ch'i-nar es, ke - rra - nal mi, yar, yar, yar,
մեր դըռ-նեն հե - ռա - նա՛լ մի, յա՛ր, յա՛ր, յա՛ր,
mer dyrr-nen he - rra - nal mi, yar, yar, yar,
յա՛ր նանա՛յ նայ նա՛յ, նա՛յ, նա՛յ, նա նա՛յ, նայ նա՛յ, նայ:
yar na nay nay nay, nay, nay, na nay, nay nay, nay.

Չինար ես, կեռանա՛լ մի,
Յա՛ր, յա՛ր, յա՛ր,
Մեր դըռնեն հեռանա՛լ մի.
Յա՛ր, յա՛ր, յա՛ր.
Յա ՛ր, նա նա՛յ, նայ, նա՛յ, նա՛յ, նա՛յ:
Նայ, նա՛յ, նայ, նա՛յ, նա՛յ:

Յա՛ր, քո աստված կըսիրես,
Յա՛ր, յա՛ր, յա՛ր:
Հեռու ես, մոռանա՛լ մի:
Յա՛ր, յա՛ր, յա՛ր:
Յա՛ր, նա նա՛յ, նայ, նա՛յ, նա՛յ, նա՛յ
Նայ նա՛յ, նայ, նա՛յ, նա՛յ:

Ձեր բաղի դուռը բաց ա,
Ոտներըս շաղով թաց ա.
Ինձանից հեռացել ես՝
Աչքերըս լիքը լաց ա:

Էս գիշեր երազ տեսա,
Հերկերըս վարած տեսա,
Ամո՛թ քեզի, այ տղա,
Քու յարը տարած տեսա:

Ch'inar es, kerrana'l mi,
Ya´r, ya´r, ya´r,
Mer dyrrnen herrana'l mi,
Ya´r, ya´r, ya´r.
Ya ´r, na na´y, nay, na´y, na´y, na´y,
Nay, na´y, nay, na´y, na´y.

Ya´r, k'o astvats kysires,
Ya´r, ya´r, ya´r.
Herru es, morrana'l mi.
Ya´r, ya´r, ya´r.
Ya´r, na na´y, nay, na´y, na´y, na´y,
Nay na´y, nay, na´y, na´y.

Dzer baghi durry bats' a,
Votnerys shaghov t'ats' a,
Indzanits' herrats'el es՝
Ach'k'erys lik'y lats' a.

Es gisher yeraz tesa,
Herkerys varats tesa,
Amo't' k'ezi, ay tygha,
K'u yary tarats tesa.

ՉՔՆԵԼ, ՏՂԱՆԵՐ
CH'K'NEL TGHANER

Արցախյան քայլերգ
Artsakh March

Խոսք՝ Յու. Սահակյանի
Lyrics by Yu. Sargsyan

Երաժշտ.՝ Գ. Գաբրիելյանի
Music by G. Gabrielyan

Vivace Աշխույժ

Հե - քիա - թում ն - րոշ են չա - րը և բա-րին, Հե - քիա -
He - k'ia - t'um vo - roshen ch'a - ry yev ba-rin, he - k'ia -

թի վեր - ջում միշտ հաղ - թում է բա-րին, Հե-քիա - թը հա - վատէ պատ-մո -
t'i ver - jum misht hagh - t'um e ba-rin, he-k'ia - t'y ha - vat e pat-mo -

դի հա-մար, չր - քր - նեք, տղ - դա-ներ, չր - քր - նեք: Չր - քր-
ghi ha-mar, ch'y - k'y - nek', ty - gha-ner, ch'y - k'y - nek'. Ch'y - k'y -

նեք, տղ - դա-ներ, չր - քր - նեք, կյան-քր ձեր նոր ընթացք կու - նե -
nek', ty - gha-ner, ch'y - k'y - nek', kyan - k'y dzer nor yn-t'atsk' ku - ne -

նա: Չր - քր - նեք, տղ - դա-ներ, չր - քր - նեք, ով քր -
na. Ch'y - k'y - nek', ty - gha-ner, ch'y - k'y - nek', ov k'y -

Fine

նի, հա - զիվ թէ արթ - նա - նա: 2.ի - մաս-
ni, ha - ziv t'e art' - na - na. 2.i - mas

287

Հեքիաթում որոշ են չարը և բարին,
Հեքիաթի վերջում միշտ հաղթում է բարին,
Հեքիաթը հավատ է պատմողի համար,
Չքնեք, տղաներ, չքնեք...

ԿՐԿՆԵՐԳ
Չքնեք, տղաներ, չքնեք,
Կյանքը ձեր նոր ընթացք կունենա:
Չքնեք,տղաներ, չքնեք,
Ով քնի հազիվ թե արթնանա:

Իմաստուն է եղել հեքիաթի բարին,
Եվ աղ է ցանել նա իր խոր վերքերին,
Որ ցավը միշտ արթուն պահպանի նրան,
Չքնեք, տղաներ, չքնեք...

Իսկ չարը միշտ ունի հազար ձև ու դեմք,
Գեղեցիկ խոստումներ ու ժպիտներ նենգ,
Եվ հաճախ համոզում ու խաբում է նա,
Չքնեք, տղաներ, չքնեք...

Hek'iat'um vorosh en ch'ary yev barin,
Hek'iat'i verjum misht haght'um e barin,
Hek'iat'y havat e patmoghi hamar,
Ch'k'nek', tghaner, ch'k'nek'...

CHORUS
Ch'k'nek', tghaner, ch'k'nek',
Kyank'y dzer nor ynt'ats'k' kunena,
Ch'k'nek',tghaner, ch'k'nek',
Ov k'ni haziv t'e art'nana.

Imastun e yeghel hek'iat'i barin,
Yev agh e ts'anel na ir khor verk'erin,
Vor ts'avy misht art'un pahpani nran,
Ch'k'nek', tghaner, ch'k'nek'...

Isk ch'ary misht uni hazar dzev u demk',
Geghets'ik khostumner u zhpitner neng,
Yev hachakh hamozum u khabum e na,
Ch'k'nek', tghaner, ch'k'nek'...

ՊՃԻՆԿՈ
PCHINKO

Խոսք՝ Տ. Չիթունու
Lyrics by V. Chituni

Երաժշտ.՝ Վ. Սրվանձտյանի
Music by V. Srvandztyan

Ա - րև ըլ - լամ՝ ծա - թիմ, մա-րիմ վե - րե - վեղ, կամ
A - rev yl - lam tsa - t'im, ma - rim ve - re - ved, kam
շուք ըլ - լամ՝ ա - ճիմ, հատ-նիմ քե - զի հետ, դեմ - քիդ մա - տաղ,
shuk' yl - lam a - chim, hat - nim k'e - zi het, de - k'id ma - tagh,
ա՛յ սի-րա-կան, քայ - լե - րուդ հետ՝ ծաղ - կե - ծա-ղիկ Վետ ի վետ:
ay, si-ra-kan, k'ay - le - rud het, tsagh-ke - tsa-ghik Vet i vet.
Օ՜յ, օյ, օյ, օ՜յ, պը-ճին - կո, պը-ճին-կո, պը - ճին - կո,
oy, oy, oy, oy, py-chin - ko, py-chin-ko, py - chin - ko,
1,2
3
օ՜յ, օյ, օյ, օ՜յ, պը-ճին - կո, պը-ճին-կո, պը - ճին - կո, -ճին - կո...
oy, oy, oy, oy, py-chin - ko, py-chin-ko, py - chin - ko, chin - ko...

Արև ըլլամ՝ ծաթիմ, մարիմ վերևեդ,
Կամ շուք ըլլամ՝ աճիմ, հատնիմ քեզի հետ.
Դեմքիդ մատաղ, ա՛յ սիրական,
Քայլերուդ հետ, ծաղկե - ծաղիկ վետ ի վետ:

Օ՛յ, օ՛յ, օ՛յ, օ՛յ, պճինկո, պճինկո, պճինկո,
Օ՛յ, օ՛յ, օ՛յ, օ՛յ, պճինկո, պճինկո, պճինկո...

Ես՝ արեգակ, դու ես ծովը ծիրանի,
Հալինք, լեցվինք իրար ծոցը հոլանի,
Հովը երգե, այ սիրական,
Հազար լարով, հազար անգամ երանի:

Օ՛յ, օ՛յ, օ՛յ, օ՛յ...

Արու, թե էգ, երկու, թե մեկ մարմին ենք,
Արու և էգ ձագ ու թոռներ կհանենք.
Մեր աշխարհի չորս ծագերուն
Արևի պես բոց ու բարի կշարենք:

Օ՛յ, օ՛յ, օ՛յ, օ՛յ...

Arev yllam՝ tsat'im, marim vereved,
Kam shuk' yllam՝ achim, hatnim k'ezi het.
Demk'id matagh, a´y sirakan,
K'aylerud het, tsaghke - tsaghik vet i vet.

O´y, o´y, o´y, o´y, pchinko, pchinko, pchinko,
O´y, o´y, o´y, o´y, pchinko, pchinko, pchinko...

Yes՝ aregak, du es tsovy tsirani,
Halink', lets'vink' irar tsots'y holani,
Hovy yerge, ay sirakan,
Hazar larov, hazar angam yerani.

O´y, o´y, o´y, o´y...

Aru, t'e eg, yerku, t'e mek marmin enk',
Aru yev eg dzag u t'orrner khanenk'.
Mer ashkharhi ch'ors tsagerun
Arevi pes bots' u bari ksharenk'.

O´y, o´y, o´y, o´y...

ՊԱՐ ՆԱՎԱՍՏՅԱՑ
PAR NAVASTYATS'

Կոմիտաս
Komitas

Moderato Հանգիստ - չափավոր
Աշ - խույժ նա-վաս - տին ան - վե - հեր ճա - կատ՝ ընդ - դեմ փո-թոր -
ash - khuyzh na - vas - tin an - ve - her cha - kat ynd - dem p'o-t'or -
կին, եր - գե ան-փույթ, զը - վարթ: Լա-ռիթ դըմ - բը-լա, լա, հա՛, հա՛, հա՛, լա-ռիթ
kin, yer - ge an - p'uyt', zy - vart'. La - rrit' dym - by-la, la, ha, ha, ha, la - rrit'
դըմ - բը-լա, լա, հա՛, հա՛, հա՛, լա-ռիթ դըմ - բը-լա, լա, հա՛, հա՛, հա՛, Լա-ռիթ
dym - by-la, la, ha, ha, ha, la - rit' dym - by-la, la, ha, ha, ha, La - rit'
դըմ - բը - լա, լա, հա՛, հա՛, հա՛: Լա - ռիթ Հա՛:
dym - by - la, la, ha, ha, ha. La - rit' Ha.

Աշխույժ նավաստին
Անվեհեր ճակատ՝
Ընդդեմ փոթորկին,
Երգե անփույթ զըվարթ:

ԿՐԿՆԵՐԳ
Լառիթ դըմբըլա լա, հա', հա', հա (4 անգամ)

Կոհակք փրփրադեզ
Չեն սոսկում վախ մեզ,
Հողմունք սաստկահար
Գըրգռեն մեզ ի պար:

Օ՛ն, խըմենք զըվարթ
Գինին մինչ հատակ.
Օ՛ն գըրկենք զիրար,
Պարենք մենք անդադար:

Զանգակն ուժգնապիրկ
Կոչե մեզ ի կարգ.
Վերջ տանք խընդության,
Քաշենք մենք մեր պարան:

Ashkhuyzh navastin
Anveher chakat`
Ynddem p'ot'orkin,
Yerge anp'uyt' zyvart'.

CHORUS
Larrit' dymbyla la, ha', ha', ha (4 times)

Kohakk' p'rp'radez
Ch'en soskum vakh mez,
Hoghmunk' sastkahar
Gyrgrren mez i par.

O´n, khymenk' zyvart'
Ginin minch' hatak,
O´n gyrkenk' zirar,
Parenk' menk' andadar.

Zangakn uzhgnapirk
Koch'e mez i karg,
Verj tank' khyndut'yan,
K'ashenk' menk' mer paran.

ՊԼՊՈՒԼՆ ԱՎԱՐԱՅՐԻ
PLPULN AVARAYRI

Խոսք՝ Ղ. Ալիշանի
Lyrics by Gh. Alishan

Երաժշտ.՝ Մ. Եկմալյանի
Music by M. Yekmalyan

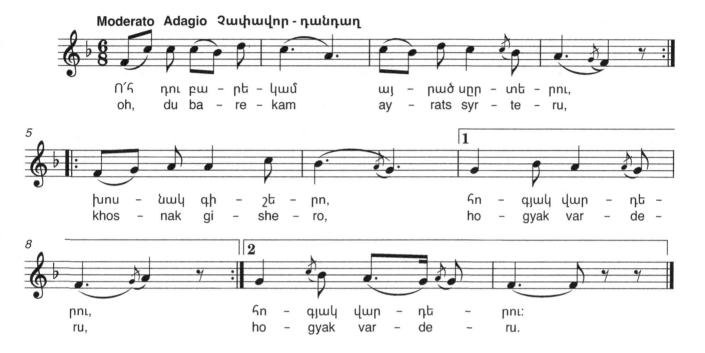

Moderato Adagio Չափավոր - դանդաղ
Ո՛հ դու բա - րե - կամ այ - րած սըր - տե - րու,
oh, du ba - re - kam ay - rats syr - te - ru,
խոսն - նակ գի - շե - րո, հո - գյակ վար - դե -
khos - nak gi - she - ro, ho - gyak var - de -
րու, հո - գյակ վար - դե - րու:
ru, ho - gyak var - de - ru.

Ո՛հ, դու բարեկամ այրած սրտերու,
Խոսնակ գիշերո, հոգյակ վարդերու,
Երգե՛, պլպուլի՛կդ, երգե՛ ի սարեդ,
Զանմահ քաջք Հայոց երգե՛ հոգվույս հետ:

Թադեի Վանուց ձենիկդ ինձ դիպավ,
Սըրտիկս, որ ի խաչն էր կիպ, թունդ առավ.
Ի խաչին թևերն թըռա ու հասա,
Գըտա զքեզ ի դաշտ քաջին Վարդանա:

Պըլպո՛ւլ, քեզ համար մեր հարքն ասացին,
Թե չէ հավ, պլպուլ մեր Ավարայրին,
Եղիշյա հոգյակն ի քաղցրախոսիկ,
Որ զՎարդան ի վարդըն տեսնու կարմրիկ:

Զմեռն հանապատ կու գնա կա ի լաց,
Գարունն յԱրտազ գա ի թուփ վարդենյաց.-
Երգել ու կանչել յԵղիշեին ձայն,
Թե պատասխանիկ ա՞րդյոք տա՝ Վարդան:

O՛h, du barekam ayrats srteru,
Khosnak gishero, hogyak varderu,
Yerge′, plpuli′kd, yerge′ i sared,
Zanmah k'ajk' Hayots' yerge′ hogvuys het.

T'adev Vanuts' dzenikd indz dipav,
Syrtiks, vor i khach'n er kip, t'und arrav
I khach'in t'evern t'yrra u hasa,
Gyta zk'ez i dasht k'ajin Vardana.

Pylpo′wl, k'ez hamar mer hark'n asats'in,
T'e ch'e hav, plpul mer Avarayrin,
Yeghishya hogyakn i k'aghts'rakhosik,
Vor zVardan i vardyn tesnu karmrik.

Dzmerrn hanapat ku gna ka i lats',
Garunn yArtaz ga i t'up' vardenyats'.
Yergel u kanch'el yEghishevn dzayn,
T'e pataskhanik a՞rdyok' ta՝ Vardan.

ՋԱՆԸՍ ՄՐՄՈՒՌ
JANS MRRMURR

Խոսք՝ Ավ. Իսահակյանի
Lyrics by Av. Isahakyan

Երաժշտ.՝ Գր. Սյունու
Music by Gr. Syuni

Andante Cantabile
Հանդարտ - երգուն
Ջա - նըս մըր - մուռ, սիր - տըս փը - շուր, ա՛խ, կա - պել ես,
Ja - nys myr - murr, sir - tys p'y - shur, akh, ka - pel es,
յա՛ր, ինձ քո դուռ: Հե՛յ, ա - նուշ յար, հե՛յ, ան - ջի -
yar, indz k'o durr. Hey, a - nush yar, hey, an - ji -
գյար, ա՛խ, իմ սըր - տին ա - րա մի ճար:
gyar, akh, im syr - tin a - ra mi char.

Ջանըս մրմուռ,
Սիրտըս փըշուր,
Ա՛խ, կապել ես,
Յա՛ր, ինձ քո դուռ:

Հե՛յ, անուշ յար,
Հե՛յ, անջիգյար,
Ա՛խ, իմ սըրտի՛ն
Արա մի ճար:

Քո դուռն է կուռ,
Քանց քար ամուր.
Կյանք - կապիչդ ուռ,
Ո՞ւր էրթամ, ո՞ւր:

Հե՛յ, անուշ յար,
Հե՛յ, անջիգյար,
Ա՛խ, իմ սըրտի՛ն
Արա մի ճար:

Janys mrmurr,
Sirtys p'yshur,
A´kh, kapel es,
Ya´r, indz k'o durr.

He´y, anush yar,
He´y, anjigyar,
A´kh, im syrti'n
Ara mi char.

K'o durrn e kurr,
K'ants' k'ar amur.
Kyank' - kapich'd urr,
Ou˘r ert'am, ou˘r.

He´y, anush yar,
He´y, anjigyar,
A´kh, im syrti'n
Ara mi char.

ՍԱՐԵՆ ԵԼԱՎ
SAREN YELAV

Երաժշտ.՝ ըստ Վ. Սրվանձտյանի
Transcription by V. Srvandztyan

Հայ. ժողովրդական երգ
Armenian folk song

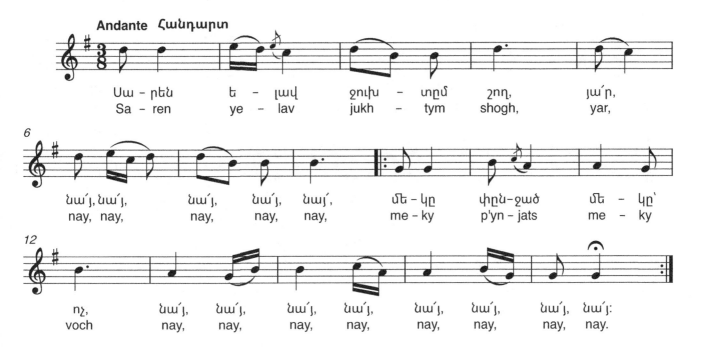

Սա - րեն ե - լավ ջուխ - տըմ շող, յա՛ր,
Sa - ren ye - lav jukh - tym shogh, yar,
նա՛յ, նա՛յ, նա՛յ, նա՛յ, նայ՛, մե - կը փըն-ջած մե - կը՝
nay, nay, nay, nay, nay, me - ky p'yn - jats me - ky
ոչ, նա՛յ, նա՛յ, նա՛յ, նա՛յ, նա՛յ, նա՛յ, նա՛յ, նա՛յ:
voch nay, nay, nay, nay, nay, nay, nay, nay.

Սարեն ելավ ջուխտմ շող,
Յա՛ր, նա՛յ, նա՛յ, նա՛յ, նա՛յ, նա՛յ,
Մեկը փնջած, մեկը՝ ոչ.
Նա՛յ, նա՛յ, նա՛յ, նա՛յ, նա՛յ, նա՛յ, նա՛յ, նա՛յ:

Ջուր է գալիս լափ տալեն,
Յա՛ր, նա՛յ, նա՛յ ...

Saren yelav jukhtm shogh,
Ya´r, na´y, na´y, na´y, na´y, na´y,
Meky p'njats, meky՝ voch'.
Na´y, na´y, na´y, na´y, na´y, na´y, na´y, na´y.

Jur e galis lap' talen,
Ya´r, na´y, na´y ...

ՍԱՐԵՆ ԿՈՒԳԱ ՁԻԱՎՈՐ
SAREN KUGA DZIAVOR

Երաժշտ.՝ Գր. Սյունու
Music by Gr. Syuni

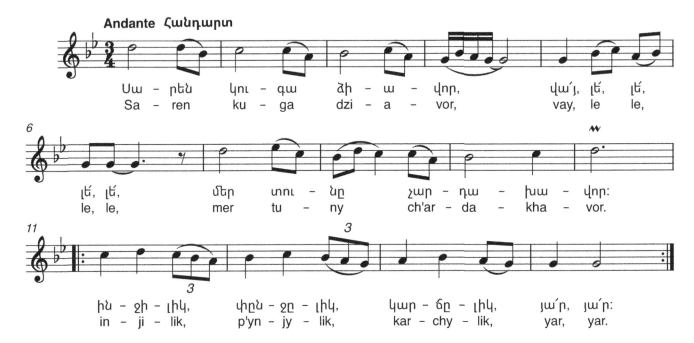

Սա - րեն կու - գա ձի - ա - վոր, վա՛յ, լե՛, լե՛,
Sa - ren ku - ga dzi - a - vor, vay, le le,
լե՛, լե՛, մեր տու - նը չար - դա - խա - վոր:
le, le, mer tu - ny ch'ar - da - kha - vor.
ին - ջի - լիկ, փըն - ջը - լիկ, կար - ճը - լիկ, յա՛ր, յա՛ր:
in - ji - lik, p'yn - jy - lik, kar - chy - lik, yar, yar.

Սարեն կուգա ձիավոր,
Վա՛յ, լե՛, լե՛, լե՛,լե՛,
Մեր տունը չարդախավոր,
Ինջիլիկ, փընջըլիկ, կարճըլիկ
Յա՛ր, յա՛ր,
Ինջիլիկ, փընջըլիկ, կարճըլիկ
Յա՛ր, յա՛ր,
Հըրես եկավ իմ ախպեր,
Երեք օրվա թագավոր:

Ծառերի հովին մեռնեմ,
Իմ յարի բոյին մեռնեմ.
Երկու օր ա չեմ տեսել
Տեսնողի աչքին մեռնեմ:

Ճամփա տըվեք՝ առաջ գամ,
Սիրած յարիս բարև տամ:
Ուխտ եմ արել, որ առնեմ,
Թող տեսնի աշխարհ ալամ:

Saren kuga dziavor,
Va´y, le´, le´, le´,le´,
Mer tuny ch'ardakhavor,
Injilik, p'ynjylik, karchylik
Ya´r, ya´r,
Injilik, p'ynjylik, karchylik
Ya´r, ya´r,
Hyres yekav im akhper,
Yerek' orva t'agavor.

Tsarreri hovin merrnem,
Im yari boyin merrnem.
Yerku or a ch'em tesel
Tesnoghi ach'k'in merrnem.

Champ'a tyvek" arraj gam,
Sirats yaris barev tam,
Ukht em arel, vor arrnem,
T'ogh tesni ashkharh alam.

ՍԱՐԵՐԸ ՄԱՆ ԵՄ ԵԿԵԼ
SARERY MAN EM YEKEL

Երաժշտ.՝ ըստ Գր. Սյունու
Transcription per Gr. Syuni

Հայ. ժողովրդական երգ
Armenian folk song

Սարերը ման եմ եկել,
Յա՛ր, նա՛յ, նանի ջա՛ն...
Յա՛ր, նա, նանայ, նանայ,
Նանայ, նանայ, նանի ջան:

Սիրած յարիս վարդ եմ քաղել,
Յա՛ր, նայ, նանի ջա՛ն...
Յա՛ր, նա, նանայ, նանայ,
Նանայ, նանայ, նանի ջա՛ն:

Անձրևը ցող է շաղել
Սիրուն յարիս վըրա մաղել:

Sarery man em yekel,
Ya´r, na´y, nani ja´n...
Ya´r, na, nanay, nanay,
Nanay, nanay, nani jan.

Sirats yaris vard em k'aghel,
Ya´r, nay, nani ja´n...
Ya´r, na, nanay, nanay,
Nanay, nanay, nani ja´n.

Andzrevy ts'ogh e shaghel
Sirun yaris vyra maghel.

ՍԱՐԵՐԻ ՀՈՎԻՆ ՄԵՌՆԵՄ
SARERI HOVIN MERRNEM

Երաժշտ.՝ Հովհ. Բադալյանի
Music by H. Badalyan

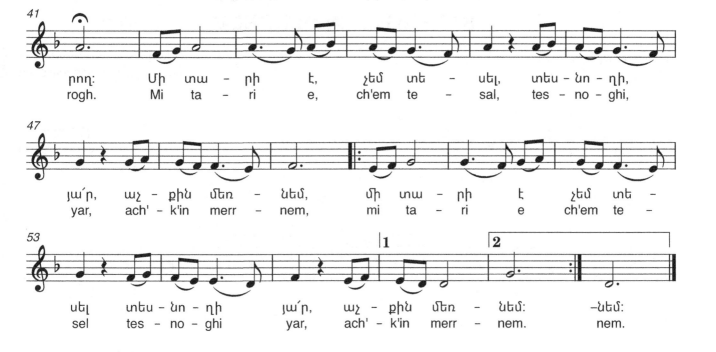

րող: Մի տա - րի է, չեմ տե - սել, տես - նո - ղի,
rogh. Mi ta - ri e, ch'em te - sal, tes - no - ghi,
յա՛ր, աչ - քին մեռ - նեմ, մի տա - րի է չեմ տե -
yar, ach' - k'in merr - nem, mi ta - ri e ch'em te -
սել տես - նո - ղի յա՛ր, աչ - քին մեռ - նեմ: –նեմ:
sel tes - no - ghi yar, ach' - k'in merr - nem. nem.

Սարերի հովին մեռնեմ,
Հովին մեռնեմ, հովին մեռնեմ,
Իմ յարի բոյին մեռնեմ,
Բոյին մեռնեմ, բոյին մեռնեմ:
Մի տարի է չեմ տեսել,
Տեսնողի, յա՛ր, աչքին մեռնեմ:

Գետերը ջուր չեն բերում,
Ջուր չեն բերում, ջուր չեն բերում,
Քեզանից լուր չեն բերում,
Լուր չեն բերում, լուր չեն բերում,
Չըլնի՞ սերդ սառել է,
Քո սերը, յա՛ր, զուր չեն բերում:

Կայնել եմ գալ չեմ կարող,
Գալ չեմ կարող, գալ չեմ կարող,
Լցվել եմ՝ լալ չեմ կարող,
Լալ չեմ կարող, լալ չեմ կարող,
Մի տարի է չեմ տեսել,
Տեսնողի, յա՛ր, աչքին մեռնեմ:

Sareri hovin merrnem,
Hovin merrnem, hovin merrnem,
Im yari boyin merrnem,
Boyin merrnem, boyin merrnem.
Mi tari e ch'em tesel,
Tesnoghi, ya'r, ach'k'in merrnem.

Getery jur ch'en berum,
Jur ch'en berum, jur ch'en berum,
K'ezanits' lur ch'en berum,
Lur ch'en berum, lur ch'en berum,
Ch'ylni˜ serd sarrel e,
K'o sery, ya'r, zur ch'en berum.

Kaynel em gal ch'em karogh,
Gal ch'em karogh, gal ch'em karogh,
Lts'vel em' lal ch'em karogh,
Lal ch'em karogh, lal ch'em karogh,
Mi tari e ch'em tesel,
Tesnoghi, ya'r, ach'k'in merrnem.

ՍԱՐԵՐԻ ՀՈՎԻՆ ՄԵՌՆԵՄ
SARERI HOVIN MERRNEM

Ըստ Գր. Սյունու
Transcription by Gr. Syuni

Հայ. ժողովրդական երգ
Armenian folk song

Adagio Cantabile Դանդաղ Երգուն
Սա - րե - րի հո - վին մեռ - նիմ
Sa - re - ri ho - vin merr - nim
Իմ յա - րի բո - յին մեռ - նիմ
Im ya - ri bo - yin merr - nim
Էս օրօխտն օր չեմ տե-սել տես-նո-ղի աչ -
Es or okhtn or ch'em te - sel tes-no-ghi ach' -
քին մեռ - նիմ: «Ա՜խ» է - նիմ ա - րուն կու - գա,
k'in merr - nim. "Akh" e - nim a - run ku - ga,
սեվ սըր-տիս գա-րուն կու-գա: Ի՞նչ է-նիմ ես էն յա-րը,
sev syr - tis ga - run ku - ga. Inch' e-nim es en ya - ry,
պը - տըտ-վի տա-րուն կու-գա: Յա՛ր, յա՛ր յա՛ր
py - tyt - vi ta - run ku - ga. Yar, yar, yar
յար, նանայ, ա՛խ նա-նի ջա՛ն, նա-նի վա՛յ, նա-նի նա - նի ջան:
yar, na-nay akh na - ni jan, na - ni vay, ba - ni na - ni jan.

Սարերի հովին մեռնիմ,
Իմ յարի բոյին մեռնիմ.
Էս օր օխտն օր չեմ տեսել,
Տեսնողի աչքին մեռնիմ:

ԿՐԿՆԵՐԳ
«Ա՛խ, էնիմ՝ արուն կուգա,
Սև սըրտիս գարուն կուգա,
Ի՞նչ էնիմ ես էն յարը,
Պըտըտվի տարուն կուգա:

Յա՛ր, յա՛ր, յա՛ր, յա՛ր, նա, նայ,
Ա՛խ, նանի, ջան նանի
Վա՛յ, նանի, նանի ջան:

Լուսնյակ, դու բարձրանց գնա,
Լույս տուր ու բարձրանց գնա.
Հեռու տեղ մի յար ունիմ,
Բարև տուր, անցի, գնա:

«Ա՛խ էնիմ...

Էս գիշեր, լուսնակ գիշեր,
Սև ունքեր, կարմիր թշեր.
Իմ սիրած յարն ինձ տըվեք,
Ձեզ խեր ու բարի գիշեր:

«Ա՛խ էնիմ..

Sareri hovin merrnim,
Im yari boyin merrnim,
Es or okhtn or ch'em tesel,
Tesnoghi ach'k'in merrnim.

CHORUS
«A´kh, enim՝ arun kuga,
Sev syrtis garun kuga,
I՞nch' enim yes en yary,
Pytytvi tarun kuga.

Ya´r, ya´r, ya'r, ya'r, na, nay,
A´kh, nani, jan nani
Va'y, nani, nani jan.

Lusnyak, du bardzrants' gna,
Luys tur u bardzrants' gna,
Herru tegh mi yar unim,
Barev tur, ants'i, gna.

«A'kh Enim...

Es gisher, lusnak gisher,
Sev unk'er, karmir t'sher,
Im sirats yarn indz tyvek',
Dzez kher u bari gisher.

«A'kh Enim..

ՍԵՎ ԱՉԵՐ
SEV ACH'ER

Խոսք՝ Ավ. Իսահակյանի
Lyrics by A. Isahakyan

Երաժշտ.՝ Արմ. Տիգրանյանի
Music by A. Tigranyan

 Սև ա-չե-րեն շատ վա-խե-ցիր, –էն մութ,ան-ծեր գի-շեր է,
Sev a-ch'e-ren shat va-khe-tsir, En mut', an-tser gi-sher e,

մու-թը ա'հ է, չար-քեր շա'տ կան, սև ա-չե - րը մի' սի-րե...
mu-t'y ah e, ch'ar-k'er shat kan, sev a-ch'e - ry mi si-re...

մու-թը ա'հ է, չար-քեր շա'տ կան, սև ա-չե - րը մի' սի-րե...
mu-t'y ah e, ch'ar-k'er shat kan, sev a-ch'e - ry mi si-re...

սև ա-չե - րը մի' սի - րե...
sev a-ch'e - ry mi si - re...

Սև աչերեն շա՛տ վախեցի՛ր,-.
Էն մութ, անծեր գիշեր է.
Մութը ա՛հ է, չարքեր շա՛տ կան,
Սև աչերը մի՛ սիրե...

Տես՝ իմ սիրտըս — արուն-ծով է.
Էն չարքերը զարկեցին,
Էն օրվանեն դադար չունիմ,
Սև աչերը մի՛ սիրե:

Սև աչերեն շա՛տ վախեցի՛ր,-.
Էն մութ, անծեր գիշեր է,
Մութըն ա՛հ է, չարքեր շա՛տ կան,-
Սև աչերը մի՛ սիրե...

Sev ach'eren sha´t vakhets'i'r,
En mut', antser gisher e.
Mut'y a'h e, ch'ark'er sha´t kan,
Sev ach'ery mi' sire...

Tes' im sirtys — arun-tsov e,
En ch'ark'ery zarkets'in,
En orvanen dadar ch'unim,
Sev ach'ery mi' sire.

Sev ach'eren sha´t vakhets'i'r,
En mut', antser gisher e,
Mut'yn a'h e, ch'ark'er sha´t kan,
Sev ach'err mi' sire...

ՍԵՎ ԿԱՔԱՎԻԿ
SEV KAK'AVIK

Խոսք՝ Հովհ. Թումանյանի
Lyrics by H. Tumanyan

Երաժշտ.՝ Ռ. Մելիքյանի
Music by R. Melikyan

Վա՛յ կաքավիկ, սև կաքավիկ,
Չալիկ - մալիկ սիրուն հավիկ,
Վա՛յ քո ճուտին, էն խորոտին,
Վա՛յ սըգավոր իր մոր սրտին:

Էլ չես կարդում հանդ ու արտում,
Մեր սարերից կերթաս տըրտում,
Վա՛յ կաքավիկ, սև կաքավիկ,
Վա՛յ իմ կորած սիրուն հավիկ:

Va´y kak'avik, sev kak'avik,
Ch'alik - malik sirun havik,
Va´y k'o chutin, en khorotin,
Va´y sygavor ir mor srtin.

El ch'es kardum hand u artum,
Mer sarerits' kert'as tyrtum,
Va´y kak'avik, sev kak'avik,
Va´y im korats sirun havik.

ՍԵՎ ՁԻՆ ՆՍՏՈՂ
SEV DZIN NSTOGH

Խոսք և երաժշտ.՝ Ն. Գալանտերյանի
Lyrics and music by N. Galanteryan

Սև ձին նըս-տող, մեր տուն ե-կող շեկ տը-ղա: շեկ տը-ղա:
Ջա-հել սիր-տըս գող-գող տը-ղա,
Sev dzin nys-togh, mer tun ye-kogh shek ty-gha. shek ty-gha.
Ja-hel sir-tys gogh-tsogh ty-gha,
Ա-րի, թառ-լան, թև առ, ա-րի, յա՛ր տը - ղա.
A-ri, t'arr-lan, t'ev ar, a-ri, yar ty - gha
պա-ռավ նա-նիս գով-կան փե-սա, շեկ տը - ղա:
pa-rrav na-nis gov-kan p'e-sa, sher ty - gha

Սև ձին նստող,
Մեր տուն եկող
Շեկ տղա,
Ջահել սիրտս
Գողցող տղա,
Շեկ տղա:

Արի՛, թառլա՛ն,
Թև առ, արի՛:
Յա՛ր տղա,
Պառավ նանիս
Գովկան փեսա,
Շե՛կ տղա:

Առվի ափին,
Ծառի տակին
Քնող տղա,
Ջահել աղջկան
Սիրող տղա,
Սեր տղա:

Արի՛, թառլա՛ն,
Թև առ, արի՛,
Յա՛ր տղա,
Պառավ նանիս
Գովկան փեսա,
Շե՛կ տղա:

Sev dzin nstogh,
Mer tun yekogh
Shek tgha,
Jahel sirts
Goghts'ogh tgha,
Shek tgha.

Ari', t'arrla'n,
T'ev arr, ari'
Ya'r tgha,
Parrav nanis
Govkan p'esa,
She'k tgha.

Arrvi ap'in,
Tsarri takin
K'nogh tgha,
Jahel aghjkan
Sirogh tgha,
Ser tgha.

Ari', t'arrla'n,
T'ev arr, ari',
Ya'r tgha,
Parrav nanis
Govkan p'esa,
She'k tgha.

ՍԵՎ - ՄՈՒԹ ԱՄՊԵՐ
SEV-MUT' AMPER

Խոսք՝ Ավ. Իսահակյանի
Lyrics by Av. Isahakyan

Երաժշտ.՝ Սպ. Մելիքյանի
Music by Sp. Melikyan

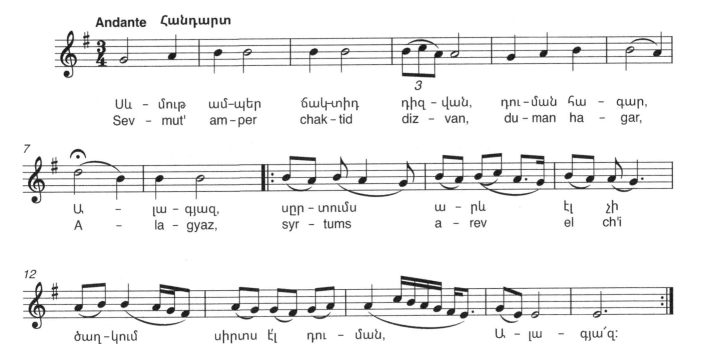

Սև - մութ ամ-պեր ճակ-տիդ դիզ - վան, դու-ման հա - գար,
Sev - mut' am-per chak-tid diz - van, du-man ha - gar,
Ա - լա - գյազ, սըր - տումս ա - րև էլ չի
A - la - gyaz, syr - tums a - rev el ch'i
ծաղ-կում սիրտս էլ դու - ման, Ա - լա - գյա՛զ:
tsagh-kum sirts el du - man, A - la - gyaz.

Սև - մութ ամպեր ճակտիդ դիզվան,
Դուման հագար, Ալագյա՛զ,
Սրտումս արև էլ չի ծաղկում,
Սիրտս է՛լ դուման, Ալագյա՛զ:

Զառ փեշերըդ անցա, տեսա,
Առանց դարդի սիրտ չըկար,
Ա՛խ, իմանաս, ջա՛ն Ալագյազ,
Իմ դարդիս պես դարդ չկար...

— Է՛յ, Մանթաշի նըխշո՛ւն հավքե՛ր,
Իմ դարդս որ ձերն եղներ,
Ձեր էդ զառ-վառ, խաս-փետուրներ
Կսևնային քանց գիշեր:

— Է՛յ, Մանթաշի մարմա՛նդ հովե՛ր,
Իմ դարդըս որ ձերն եղներ,
Ձեր ծաղկանուշ բուրմունքն անուշ
Թույն ու տոթի կփոխվեր:

— Հե՛յ վա՛խ... կոտրան իմ թևերս,
Ընկա գիրկդ, Ալագյա՛զ,
Ա՛խ, մեծ սըրտիդ սեղմեմ սիրտս,
Լամ, արուն լամ, Ալագյա՛զ:

Sev - mut' amper chaktid dizvan,
Duman hagar, Alagya'z,
Srtums arev el ch'i tsaghkum,
Sirts e'l duman, Alagya'z.

Zarr p'esheryd ants'a, tesa,
Arrants' dardi sirt ch'ykar,
A'kh, imanas, ja'n Alagyaz,
Im dardis pes dard ch'kar...

— E'y, Mant'ashi nykhsho'un havk'e'r,
Im dards vor dzern yeghner,
Dzer ed zarr-varr, khas-p'eturner
Ksevnayin k'ants' gisher.

— E'y, Mant'ashi marma'nd hove'r,
Im dardys vor dzern yeghner,
Dzer tsaghkanush burmunk'n anush
T'uyn u tot'i kp'okhver.

— He'y va'kh... kotran im t'evers,
Ynka girkd, Alagya'z,
A'kh, mets syrtid seghmem sirts,
Lam, arun lam, Alagya'z.

ՍԻՐԵՑԻ, ՅԱՐԸՍ ՏԱՐԱՆ
SIRETSI, YARS TARAN

Խոսք՝ Ավ. Իսահակյանի
Lyrics by Av. Isahakyan

Երաժշտ.՝ Գ. Առստամյանի
Music by G. Arstamyan

Si - re - tsi ya-rys ta - ran, ya - ra ty - vin u ta - ran, es inch'
zu - lum ash-kharh e, po-ke - tsin, sir - tys ta - ran, es inch'
zu - lum ash-kharh e, po - ke - tsin, sir - tys ta - ran.

Սիրեցի, յարըս տարան.
Յարա տըվին ու տարան.
— Էս ի՞նչ զուլում աշխարհ է,
Սիրտըս պոկեցին, տարան:

Ցավըս խորն է, ճար չկա,
Ճար կա, ճար անող չկա.
— Էս ի՞նչ զուլում աշխարհ է,
Սրտացավ ընկեր չկա:

Լա՛վ օրերս գնացի՛ն,
Ափսո՛ս ասին, գնացին:
— Էս ի՞նչ զուլում աշխարհ է,
Սև դարդերս մնացին...

Sirets'i, yarys taran,
Yara tyvin u taran,
— Es i˜nch' zulum ashkharh e,
Sirtys pokets'in, taran.

Ts'avys khorn e, char ch'ka,
Char ka, char anogh ch'ka.
— Es i˜nch' zulum ashkharh e,
Srtats'av ynker ch'ka.

La'v orers gnats'i'n,
Ap'so's asin, gnats'in.
— Es i˜nch' zulum ashkharh e,
Sev darders mnats'in...

ՍԻՐՈ ՄԵՂԵԴԻ
SIRO MEGHEDI

Խոսք՝ Ա. Գրաշու
Lyrics by A. Grashi

Երաժշտ.՝ Ստ. Ջրբաշյանի
Music by St. Jrbashyan

Moderato Չափավոր
Հա-յու-հի գե-ղե - ցիկ, այս բար-դու շը-վա - քում
Ha-yu-hi ge-ghe - tsik, ays bar-du shy-va - k'um
իմ հո-գին գե-րե - ցին ա - չե - րըդ երկ-նա - գույն:
im ho-gin ge-re - tsin a - ch'e - ryd yerk-na - guyn.
Ես ին-չո՞ւ սի-րե - ցի ա - չե-րըդ կա-պու - տակ,
Yes in-ch'u si-re - tsi a - ch'e-ryd ka - pu - tak,
իմ սիր-տը այ-րե - ցին հույ-սե - րով հուր կը - րակ:
im sir - ty ay-re - tsin huy-se - rov hur ky - rak.
Քո լուս-նյակ պատ-կե - րով ինձ հան - գիստ չես տա - լիս,
K'o lus-nyak pat-ke - rov indz han - gist ch'es ta - lis,
սի-րա-հար իմ սըր - տի նուրբ լա-րերն են լա - լիս:
si - ra - har im syr - ti nurb la - rern en la - lis.
1
Հա-յու-հի գե-ղե - ցիկ, այս բար-դու շը-վա - քում
Ha-yu-hi ge-ghe - tsik, ays bar-du shy-va - k'um
իմ հո-գին գե-րե - ցին ա - չե - րըդ երկ-նա - գույն:
im ho-gin ge-re - tsin a - ch'e - ryd yerk-na - guyn.

33
2.
Զե-փյու-ռի հետ ա - րի, քո կա - րոտն եմ քա - շում,
Ze-p'yu-ri het a - ri, k'o ka - rotn em k'a - shum,
37
մեր թախ-ծոտ ան-ցյա - լի հու-շերն են ինձ մա - շում:
mer t'akh-tsot an-tsya - li hu-shern en indz ma - shum.
41
Ա՛խ, ին-չո՞ւ չես գա - լիս, ճամ-փադ շատ պա-հե - ցի,
Akh, in-ch'u ch'es ga - lis, cham-p'ad shat pa - he - tsi,
45
կար-կա-չող ջը-րե - րի օ-րե - րըս սա-հե - ցին:
kar-ka-ch'ogh jy-re - ri o-re - rys sa-he - tsin.

Հայուհի գեղեցիկ,
Այս բարդու շվաքում,
Իմ հոգին գերեցին,
Աչերդ երկնագույն:

Ես ինչո՞ւ սիրեցի
Աչերդ կապուտակ,
Իմ սիրտը այրեցին
Հայացքով հուր կրակ:

Քո լուսնյակ պատկերով
Ինձ հանգիստ չես տալիս,
Սիրահար իմ սրտի,
Նուրբ լարերն են լալիս:

Հայուհի գեղեցիկ,
Այս բարդու շվաքում
Իմ հոգին գերեցին,
Աչերդ երկնագույն:

Ա՜խ, ինչո՞ւ չես գալիս,
Ճամփադ շատ պահեցի,
Կարկաչող ջրերի
Օրերս սահեցին:

Երազում թե արթուն
Քո աչերն եմ տեսնում,
Մեր սիրո պարտեզում
Քո երդումն եմ հիշում:

Զեփյուռի հետ արի,
Քո կարոտն եմ քաշում.
Մեր թախծոտ անցյալի
Հուշերն են ինձ տանջում:

Ա՜խ, ինչո՞ւ չես գալիս,
Ճամփադ շատ պահեցի,
Կարկաչող ջրերի
Օրերս սահեցին:

Hayuhi geghets’ik,
Ays bardu shvak’um,
Im hogin gerets’in,
Ach’erd yerknaguyn.

Yes inch’o՞u sirets’i
Ach’erd kaputak,
Im sirty ayrets’in
Hayats’k’ov hur krak.

K’o lusnyak patkerov
Indz hangist ch’es talis,
Sirahar im srti,
Nurb larern en lalis.

Hayuhi geghets’ik,
Ays bardu shvak’um
Im hogin gerets’in,
Ach’erd yerknaguyn.

A՜kh, inch’o՞u ch’es galis,
Champ’ad shat pahets’i,
Karkach’ogh jreri
Orers sahets’in.

Yerazum t’e art’un
K’o ach’ern em tesnum,
Mer siro partezum
K’o yerdumn em hishum.

Zep’yurri het ari,
K’o karotn em k’ashum,
Mer t’akhtsot ants’yali
Hushern en indz tanjum.

A՜kh, inch’o՞u ch’es galis,
Champ’ad shat pahets’i,
Karkach’ogh jreri
Orers sahets’in.

ՍԻՐՈ ՎԱԼՍ
SIRO VALS

Խոսք՝ Վ. Արամունու
Lyrics by V. Aramuni

Երաժշտ.՝ Արամ Սաթունցի
Music by Aram Satunts

Դու ծաղկում ես նորից
Իմ գարուն չքնաղ,
Տես, երկինքն է կապույտ
Մեզ ժպտում ուրախ:

Քո հայացքն է շոյում,
Իմ սիրտը հուզում,
Ա՛խ, ինչ լավն ես, իմ անուշ,
Սեր ենք երազում:

Դու նազով աղջիկ իմ,
Ամենից չքնաղ,
Քեզ երգում եմ, սեր իմ,
Սիրուց քո տարված:

Ջինջ առվակն է երգում
Ու մեղմ կարկաչում.
Իսկ քո սիրուց՝ սար ու ձոր
Զուգվում, կանաչում:

Թող սիրո այս վալսը
Հնչի ամենուր,
Վառ հուշեր թողնի մեր
Սիրող սրտերում:

Երևան իմ սիրուն,
Հայրենի քաղաք.
Դու ծաղկում ես գարնան պես,
Իմ սիրո գարուն:
Ջան...

Du tsaghkum es norits’
Im garun ch’k’nagh,
Tes, yerkink’n e kapuyt
Mez zhptum urakh.

K’o hayats’k’n e shoyum,
Im sirty huzum,
A´kh, inch’ lavn es, im anush,
Ser enk’ yerazum.

Du nazov aghjik im,
Amenits’ ch’k’nagh,
K’ez yergum em, ser im,
Siruts’ k’o tarvats.

Jinj arrvakn e yergum
Ou meghm karkach’um,
Isk k’o siruts’’ sar u dzor
Zugvum, kanach’um.

T’ogh siro ays valsy
Hnch’i amenur,
Varr husher t’oghni mer
Sirogh srterum.

Yerevan im sirun,
Hayreni k’aghak’,
Du tsaghkum es garnan pes,
Im siro garun.
Jan...

ՍԻՐՈՒՀԻՍ, ՔԵԶ ՀԱՄԱՐ
SIRUHIS, K'EZ HAMAR

Խոսք և երաժշտ.՝ Է. Տեր-Գրիգորյանի
Lyrics and music by E. Ter-Grigoryan

va - rre - tsir si - - rov,

Սիրուհիս, քեզ համար
Կյանքս կես եղավ.
Քո անունն էր միայն,
Որ ինձ կյանք տվավ:

Siruhis, k'ez hamar
Kyank's kes yeghav,
K'o anunn er miayn,
Vor indz kyank' tvav.

Աղջիկ դու սիրուն,
Շքեղ անունով.
Սևորակ աչքով,
Երկնածիր ունքով:

Aghjik du sirun,
Shk'egh anunov,
Sevorak ach'k'ov,
Yerknatsir unk'ov.

ԿՐԿՆԵՐԳ
Այրվի քո սիրտը,
Այրեցիր հրով.
Վառվի քո սիրտը,
Վառեցիր սիրով:

CHORUS
Ayrvi k'o sirty,
Ayrets'ir hrov,
Varrvi k'o sirty,
Varrets'ir sirov.

Մանուշակ, նունուֆար,
Վարդ, մեխակ, շուշան,
Ոչինչ են ինձ համար,
Իմ անգին հոգյակ:

Manushak, nunufar,
Vard, mekhak, shushan,
Voch'inch' en indz hamar,
Im angin hogyak.

Մորիցդ գաղտնի՝
Արի մեր պարտեզ.
Ման գանք միասին,
Սիրուն, դու և ես:

Morits'd gaghtni'
Ari mer partez,
Man gank' miasin,
Sirun, du yev yes.

ԿՐԿՆԵՐԳ

CHORUS

Բայց ափսոս, չեմ կարող
Որ գամ քեզ տեսնեմ.
Իմ վիրավոր սրտի
Կարոտը առնեմ:

Bayts' ap'sos, ch'em karogh
Vor gam k'ez tesnem,
Im viravor srti
Karoty arrnem.

Դե, բավական է,
Նայիր երկնքին,
Կապույտ երկնքին,
Քո խղճմտանքին:

De, bavakan e,
Nayir yerknk'in,
Kapuyt yerknk'in,
K'o khghchmtank'in.

ԿՐԿՆԵՐԳ

CHORUS

ՍԻՐՈՒՆ ԳԱՐՈՒՆ
SIRUN GARUN

Խոսք՝ Ալ. Ծատուրյանի
Lyrics by Al. Tsaturyan

Երաժշտ.՝ Եղ. Բաղդասարյանի
Music by Yegh. Baghdasaryan

Սիրուն գարուն, կանաչ գարուն,
Քեզ ի՞նչ սրտով ողջունեմ.
Դու մեզ բերիր լաց ու արյուն,—
Էլ ես ուրախ երգ չունեմ:

Երգում էի ջերմ կարոտով.
Գովքդ անում ամեն օր.
Երբ մեր երկրում քո քաղցր հոտով
Միշտ լցված էր սար ու ձոր:

Երգում էի քնարս լարած՝
Մեր կյանքի լույս օրերում.
Երգում էի բլբուլ դառած,
Քանի վարդ կար հայ երկրում:

Ա՜խ, ի՞նչ սրտով երգեմ հիմիկ,
Քեզ ի՞նչ սրտով ողջունեմ.
Փուշ են դառել վարդ ու ծաղիկ,
Էլ ես ուրախ երգ չունեմ:

Sirun garun, kanach' garun,
K'ez i˜nch' srtov voghjunem,
Du mez berir lats' u aryun,—
El yes urakh yerg ch'unem.

Yergum ei jerm karotov,
Govk'd anum amen or,
Yerb mer yerkrum k'o k'aghts'r hotov
Misht lts'vats er sar u dzor.

Yergum ei k'nars larats'
Mer kyank'i luys orerum,
Yergum ei blbul darrats,
K'ani vard kar hay yerkrum.

A´kh, i˜nch' srtov yergem himik,
K'ez i˜nch' srtov voghjunem,
P'ush en darrel vard u tsaghik,
El yes urakh yerg ch'unem.

ՍԻՐՈՒՍ ԿՍՊԱՍԵՄ
SIRUS KSPASEM

Խոսք՝ Գ. Բանդուրյանի
Lyrics by G. Banduryan

Երաժշտ.՝ Խ. Ավետիսյանի
Music by Kh. Avetisyan

33
Ջա-հել սիր - տըս խո-րո - վել է նա-զը իմ յա - րի,
Ja - hel sir - tys kho-ro - vel e na-zy im ya - ri,
37
1. 2.
ափ-սոս, հե - տըս խը-ռո - վել է սիր-տըսկը - մա - րի, րի,
ap'-sos, he - tys khy-rro - vel e sir-tys ky - ma - ri, ri,
42
աստ-ղե - րի մեջ լուս-նի նը - ման սի-րուս կը - սպա - սեմ,
ast-ghe - ri mej lus-ni ny - man si-rus ky - spa - sem,
46
իմ ա - րե - վը դու ես մի - այն մի թող ինձ ան - սեր:
im a - re - vy du es mi - ayn mi t'ogh indz an - ser.
50
Աստ-ղե - րի մեջ լուս-նի նը - ման սի-րուս կը - սպա - սեմ,
Ast-ghe - ri mej lus-ni ny - man si-rus ky - spa - sem,
54
իմ ա - րե - վը դու ես մի - այն մի թող ինձ ան - սեր:
im a - re - vy du es mi - ayn mi t'ogh indz an - ser.
58
եր-գով սըր - տիդ դուռն եմ թա - կում, կա-րոտ քո դեմ - քին,
yer-gov syr - tid durrn em t'a - kum, ka-rot k'o dem - k'in,
62
թե չես գա - լու, գո-նե թա - քուն ա-կանջ դիր եր - գիս:
t'e ch'es ga - lu, go-ne t'a - k'un a-kanj dir yer - gis.

Արծաթ շողով, հարսի քողով
Ելավ լուսնկան,
Ձեր տան կողքով, սրտի դողով
Կերթամ ու կուգամ։

Երգով սրտիդ դուռն եմ թակում
Կարոտ քո դեմքին,
Թե չես գալու գոնե թաքուն
Ականջ դիր երգիս։

Կանցնեն զույգեր ուրախ դեմքով,
Օրոր ու շորոր,
Ախ, ինչ մեղք եմ ես իմ տեսքով՝
Մենակ ու մոլոր։

Աստղերի մեջ լուսնի նման,
Սիրուս կսպասեմ
Իմ արևը դու ես միայն,
Մի թող ինձ անսեր։

Ջահել սիրտս խորովել է
Նազը իմ յարի,
Ափսոս հետս խռովել է
Սիրտս կմարի։

Աստղերի մեջ լուսնի նման,
Սիրուս կսպասեմ
Իմ արևը դու ես միայն,
Մի թող ինձ անսեր։

Երգով սրտիդ դուռն եմ թակում
Կարոտ քո դեմքին,
Թե չես գալու գոնե թաքուն
Ականջ դիր երգիս։

Artsat' shoghov, harsi k'oghov
Yelav lusnkan,
Dzer tan koghk'ov, srti doghov
Kert'am u kugam.

Yergov srtid durrn em t'akum
Karot k'o demk'in,
T'e ch'es galu gone t'ak'un
Akanj dir yergis.

Kants'nen zuyger urakh demk'ov,
Oror u shoror,
Akh, inch' meghk' em yes im tesk'ov`
Menak u molor.

Astgheri mej lusni nman,
Sirus kspasem
Im arevy du yes miayn,
Mi t'ogh indz anser.

Jahel sirts khorovel e
Nazy im yari,
Ap'sos hets khrrovel e
Sirts kmari.

Astgheri mej lusni nman,
Sirus kspasem
Im arevy du yes miayn,
Mi t'ogh indz anser.

Yergov srtid durrn em t'akum
Karot k'o demk'in,
T'e ch'es galu gone t'ak'un
Akanj dir yergis.

ՎԱՅՐԻ ԾԱՂԻԿ
VAYRI TSAGHIK

Խոսք՝ Լ. Մանվելյանի
Lyrics by L. Manvelyan

Երաժշտ.՝ Ռ. Մելիքյանի
Music by R. Melikyan

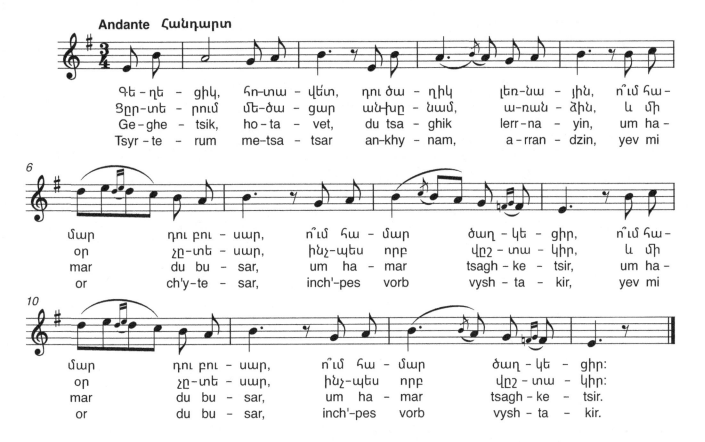

Գեղեցիկ, հոտավէտ, դու ծաղիկ լեռնային,
Ո՞ւմ համար դու բուսար, ո՞ւմ համար ծաղկեցիր,
Ցրտերում մեծացար անխնամ, առանձին,
Եվ մի օր չտեսար, ինչպես որբ վշտակիր:

Կուսական քնքշիկ ձեռքերով չքաղված,
Կուսական դու կրծքի զարդարանք չդառար.
Անմատույց այդ լեռան կատարին կռացած
Անօգո՜ւտ աճեցիր, անօգո՜ւտ դու բուսար:

Վաղորդյան միայն մեգ, մառախուղ պատեցին
Այդ մատաղ, աննման, գեղեցիկ քո պատկեր.
Միայն հողմ ու մրրիկ քո չորս կողմ սուլեցին,
Եվ գլխիդ ճայթեցին զայրացկոտ որոտներ...

Ինչպես խեղճ ու լքյալ, քողարկված մշուշով,
Կարճեցիր դու քո կյանք՝ անտերունչ, տխրագին.
Նույնպես խեղճ ու լքյալ կխամրիս դու շուտով,
Գեղեցի՛կ, հոտավէ՛տ դու, ծաղիկ լեռնային:

Geghets'ik, hotave't, du tsaghik lerrnayin,
O˘um hamar du busar, o˘um hamar tsaghkets'ir,
Ts'rterum metsats'ar ankhnam, arrandzin,
Yev mi or ch'tesar, inch'pes vorb vshtakir.

Kusakan k'nk'shik dzerrk'erov ch'k'aghvats,
Kusakan du krtsk'i zardarank' ch'darrar,
Anmatuyts' ayd lerran katarin krrats'ats
Anogo'ut achets'ir, anogo´ut du busar.

Vaghordyan miayn meg, marrakhugh patets'in
Ayd matagh, annman, geghets'ik k'o patker,
Miayn hoghm u mrrik k'o ch'ors koghm sulets'in,
Yev glkhid chayt'ets'in zayrats'kot vorotner...

Inch'pes kheghch u lk'yal, k'ogharkvats mshushov,
Karchets'ir du k'o kyank" anterunch', tkhragin,
Nuynpes kheghch u lk'yal kkhamris du shutov,
Geghets'i'k, hotave't du, tsaghik lerrnayin.

ՎԱՍՊՈՒՐԱԿԱՆ
VASPURAKAN

Խոսք՝ Վ. Վահանի
Lyrics by V. Vahan

Երաժշտ.՝ Ալան Հովհաննեսի
Music by Alan Hovhannes

Քառասուն դարեր կանգնած դու հպարտ,
Մարմինդ հոշոտված, բայց հոգիդ անպարտ,
Հայոց միջնաբերդ, Արծրունյաց ոստան,
Քաղաք պաշտելի, քաղաք դու մեր Վան:

ԿՐԿՆԵՐԳ
Վասպուրական (4 անգամ)
Երկիր քաջաց անմահական,
Երկիր հայոց հերոսական,
Վասպուրական, Վասպուրական:

Հայրենի երկիր, երկիր պատվական,
Հայոց աշխարհ, իմ երազ դու անմար,
Հող մեր սրբազան, պաշտպան մեզ համար.
Երկիր պատմական, մեր Վասպուրական:

K'arrasun darer kangnats du hpart,
Marmind hoshotvats, bayts' hogid anpart,
Hayots' mijnaberd, Artsrunyats' vostan,
K'aghak' pashteli, k'aghak' du mer Van.

CHORUS
Vaspurakan, Vaspurakan, Vaspurakan, Vaspurakan
Yerkir k'ajats' anmahakan,
Yerkir hayots' herosakan,
Vaspurakan, Vaspurakan.

Hayreni yerkir, yerkir patvakan,
Hayots' ashkharh, im yeraz du anmar,
Hogh mer srbazan, pashtpan mez hamar.
Yerkir patmakan, mer Vaspurakan.

ՎԱՐԴԸ
VARDY

Խոսք՝ Գյոթեի
Lyrics by J.W.Goethe
Թարգմ.՝ Հովհ. Թումանյանի
Translation by H. Tumanyan

Երաժշտ.՝ Ռ. Մելիքյանի
Music by R. Melikyan

Փոքրիկ տղան մի վարդ տեսավ,
Տեսավ մի վարդ դաշտի միջին.
Վարդը տեսավ, ուրախացավ,
Մոտիկ վազեց սիրուն վարդին.
Սիրուն վարդին, կարմիր վարդին,
Կարմիր վարդը դաշտի միջին:

Տղան ասավ.— Քեզ կըպոկեմ,
Ա՛յ կարմիր վարդ դաշտի միջին:
Վարդը ասավ.— Տե՛ս, կըծակեմ,
Որ չըմոռնաս փըշոտ վարդին.
Փըշոտ վարդին, կարմիր վարդին,
Կարմիր վարդը դաշտի միջին:

Ու անհամբեր տըղան պոկեց,
Պոկեց վարդը դաշտի միջին.
Փուշը նըրա ձեռքը ծակեց,
Բայց էլ չօգնեց քնքուշ վարդին.
Քնքուշ վարդին, կարմիր վարդին,
Կարմիր վարդը դաշտի միջին:

P'ok'rik tghan mi vard tesav,
Tesav mi vard dashti mijin,
Vardy tesav, urakhats'av,
Motik vazets' sirun vardin,
Sirun vardin, karmir vardin,
Karmir vardy dashti mijin.

Tghan asav.— K'ez kypokem,
A'y karmir vard dashti mijin,
Vardy asav.— Te's, kytsakem,
Vor ch'ymorrnas p'yshot vardin.
P'yshot vardin, karmir vardin,
Karmir vardy dashti mijin.

Ou anhamber tyghan pokets',
Pokets' vardy dashti mijin,
P'ushy nyra dzerrk'y tsakets',
Bayts' el ch'ognets' k'nk'ush vardin.
K'nk'ush vardin, karmir vardin,
Karmir vardy dashti mijin.

ՏԱԼՎՈՐԻԿԻ ԿՏՐԻՃ
TALVORIKI KTRICH

Խոսք՝ Մ. Տամատյանի
Lyrics by M. Tamatyan

Marciale Քայլերգանման
Տալ - վո - րի - կի զա-վակ եմ ղորթ, քաղ - քը - ցու պես չեմ թու - լա -
Tal - vo - ri - ki za - vak em ghort', k'agh - k'y - tsu pes ch'em t'u - la -
մորթ, սա - րի զա - վակ, քա - րի որ - դի՝ հին քաջ հա - յոց եմ մը - նա - ցորդ:
mort', sa - ri za - vak, k'a - ri vor - di hin k'aj ha - yots em my - na - tsord.
Տալ - վո-րի-կի զա-վակ եմ քաջ, չեմ խո-նար-հիր վա-տին ա - ռաջ.
Tal - vo-ri-ki za - vak em k'aj, ch'em kho-nar-hir va - tin a - rraj,
քա - րոտ լե-րանց եմ ա-զատ լաճ՝ չեմ տե-սեր ոչ ա - րոր, ոչ
k'a - rot le-rants em a - zat lach ch'em te-ser voch' a - ror, voch
մաճ: Հայ աղ - բըր - տի՛ք, ջան,աղ - բըր - տի՛ք, Տալ-վո - րի - կի զա-վակ եմ
mach. Hay agh - byr - tikk', jan, agh - byr - tik', Tal-vo - ri - ki za - vak em
քաջ, ա-զա - տու - թյան սի-րույն հա - մար ե-կեք դեպ ինձ, ա - ռաջ, ա - ռա՛ջ:
k'aj, a-za - tu - t'yan si-ruyn ha - mar ye-kek' dep indz a - rraj, a - rraj.

Տալվորիկի զավակ եմ ղորթ,
Քաղքցու պես չեմ թուլամորթ.
Սարի զավակ, քարի որդի՝
Հին քաջ հայոց եմ մնացորդ:

Տալվորիկի զավակ եմ քաջ,
Չեմ խոնարհիր վատին առաջ,
Քարոտ լեռանց եմ ազատ լաճ՝
Չեմ տեսներ ո՛չ արոր, ո՛չ մաճ:

ԿՐԿՆԵՐԳ
Հայ աղբրտի՛ք, ջան, աղբրտի՛ք,
Տալվորիկի զավակ եմ քաջ.
Ազատության սիրույն համար
Եկեք դեպ ինձ, առա՜ջ, առա՜ջ:

Թող այլք բնակին հովիտ ու դաշտ,
Վատ անգութին հետ լինին հաշտ,
Ես պիտ մնամ միշտ աննվաճ,
Թեև վըրաս գա քսան վաշտ:

Իսկի չքաշեմ բանի մը կարոտ,
Քանի ունիմ գնդակ, վառոդ,
Ազատ ապրիմ, մեռնիմ ազատ,
Սասնո որդին եմ հարազատ:

ԿՐԿՆԵՐԳ

Եվ իմ խելոք ջոջ պապ Հարե,
(Աստված հոգին լուսավորե).
Ինձ կըսեր միշտ - «Աղքատ ապրե,
Բայց մի՛ ծռե վիզ, հարկ մի՛ վճարե»:

Սակայն մի՞թե կրնա աղքատ
Կոչվիլ այն մարդ, որ է ազատ,
Մի՞թե կա բան մը ավելի թանկ՝,
Քան անիշխան և ազատ կյանք:

ԿՐԿՆԵՐԳ

Talvoriki zavak em ghort',
K'aghk'ts'u pes ch'em t'ulamort',
Sari zavak, k'ari vordi`
Hin k'aj hayots' em mnats'ord.

Talvoriki zavak em k'aj,
Ch'em khonarhir vatin arraj,
K'arot lerrants' em azat lach`
Ch'em tesner vo'ch' aror, vo'ch' mach.

CHORUS
Hay aghbrti'k', jan, aghbrti'k',
Talvoriki zavak em k'aj,
Azatut'yan siruyn hamar
Yekek' dep indz, arráj, arráj.

T'ogh aylk' bnakin hovit u dasht,
Vat angut'in het linin hasht,
Yes pit mnam misht annvach,
T'eyev vyras ga k'san vasht.

Iski ch'k'ashem bani my karot,
K'ani unim gndak, varrod,
Azat aprim, merrnim azat,
Sasno vordin em harazat.

CHORUS

Yev im khelok' joj pap Hare,
(Astvats hogin lusavore),
Indz kyser misht - «Aghk'at apre,
Bayts' mi' tsrre viz, hark mi' vchare».

Sakayn mi՞t'e krna aghk'at
Koch'vil ayn mard, vor e azat,
Mi՞t'e ka ban my aveli t'ank`,
K'an anishkhan yev azat kyank'.

CHORUS

ՏԱՂ ԿԱՔԱՎԻ ՄԱՍԻՆ
TAGH KAK'AVI MASIN

Խոսքի մշակումը՝ Հովհ. Թումանյանի
Lyrics by H. Tumanyan

Երաժշտ.՝ Լ. Աստվածատրյանի
Music by L. Astvatsatryan

Արև բացվեց թուխ ամպերեն,
Կաքավ թըռավ կանաչ սարեն,
Կանաչ սարեն՝ սարի ծերեն,
Բարև բերավ ծաղիկներեն.

Սիրունի՜կ, սիրունի՜կ,
Սիրունի՜կ նախշուն կաքավիկ:

Քո թև փափուկ ու խատուտիկ,
Պըստի կըտուց, կարմիր տոտիկ,
Կարմիր - կարմիր տոտիկներով,
Կըշորորաս ճուտիկներով.

Սիրունի՜կ, սիրունի՜կ,
Սիրունի՜կ նախշուն կաքավիկ:

Քո բուն հյուսած ծաղիկներով՝
Շուշան, նարգիզ, նունուֆարով,
Քո տեղ լըցված ցող ու շաղով,
Քընես - կելնես երգ ու տաղով.

Սիրունի՜կ, սիրունի՜կ,
Սիրունի՜կ նախշուն կաքավիկ:

Երբ կըկանգնես մամռոտ քարին,
Տաղեր կասես ծաղիկներին,
Սարեր - ձորեր զըվարթ կանես,
Դարդի ծովեն սիրտ կըհանես.

Սիրունի՜կ, սիրունի՜կ,
Սիրունի՜կ նախշուն կաքավիկ:

Arev bats'vets' t'ukh amperen,
Kak'av t'yrrav kanach' saren,
Kanach' saren՝ sari tseren,
Barev berav tsaghikneren.

Siruni՜k, siruni՜k,
Siruni՜k nakhshun kak'avik.

K'o t'ev p'ap'uk u khatutik,
Pysti kytuts', karmir totik,
Karmir - karmir totiknerov,
Kyshororas chutiknerov.

Siruni՜k, siruni՜k,
Siruni՜k nakhshun kak'avik.

K'o bun hyusats tsaghiknerov՝
Shushan, nargiz, nunufarov,
K'o tegh lyts'vats ts'ogh u shaghov,
K'ynes - kelnes yerg u taghov.

Siruni՜k, siruni՜k,
Siruni՜k nakhshun kak'avik.

Yerb kykangnes mamrrot k'arin,
Tagher kases tsaghiknerin,
Sarer - dzorer zyvart' kanes,
Dardi tsoven sirt kyhanes.

Siruni՜k, siruni՜k,
Siruni՜k nakhshun kak'avik.

ՏԵ՛Ր, ԿԵՑՈ ԴՈՒ ԶՀԱՅՍ
TER, KETS'O DU ZHAYS

Խոսք՝ Մ. Թաղիադյանի
Lyrics by M. Taghiadyan

Երաժշտ.՝ Մ. Եկմալյանի
Music by M. Yekmalyan

Տե՛ր, կեցո՛ դու զհայս,
Եվ արա զնոսա պայծառ.
Կեցո՛, դու զհայս,
Կեցո՛, դու զհայս:

Զողորմությունըդ վերին
Հաճյաց ձոնել նոցին,
Զի նովին մարդասցուք
Ապրիլ հաստիս:

Հաստիս, հաստիս, հաստիս,
Զի նովին մարդասցուք
Ապրիլ հաստիս:

Te'r, kets'o' du zyhays,
Yev ara zynosa paytsarr,
Kets'o', du zyhays,
Kets'o', du zyhays.

Zoghormut'yunyd verin
Hachyats' dzonel nots'in,
Zi novin mardasts'uk'
April hastis.

Hastis, hastis, hastis,
Zi novin mardasts'uk'
April hastis.

ՑԱՅԳԵՐԳ
TS'AYGERG

Խոսք՝ Ն. Քուչակի (փոխադրություն)
Lyrics by N. Kuchak (adaptation)

Երաժշտ.՝ Բ. Կանաչյանի
Music by B. Kanachyan

Սիրտս դարձել է մի մանուկ լալկան,
Զուր եմ խաբխբում նրան շաքարով,
Նա միշտ լալիս է, անուշ սիրակա՛ն,
Եվ քեզ է ուզում օր ու գիշերով:
Ես նրան ինչ ճար անեմ:

Ինչքան աշխարհում սիրուններ որ կան՝
Աչքիս ցույց տվի, զուր եմ համոզում,
Բացի քեզնից, անուշ սիրակա՛ն,
Էլ ուրիշ ոչ ոք, ոչ ոք չէ ուզում:
Ես նրան ինչ ճար անեմ:

Sirts dardzel e mi manuk lalkan,
Zur em khabkhybum nran shak'arov,
Na misht lalis e, anush siraka'n,
Yev k'ez e uzum or u gisherov.
Yes nran i˚nch' char anem.

Inch'k'an ashkharhum sirunner vor kan'
Ach'k'is ts'uyts' tvi, zur em hamozum,
Bats'i k'eznits', anush siraka'n,
El urish voch' vok', voch' vok' ch'e uzum.
Yes nran i˚nch' char anem.

ՑՆՈՐՔ
TS'NORK'

Խոսք՝ Վ. Տերյանի
Lyrics by V. Teryan

Երաժշտ.՝ Ա. Պատմագրյանի
Music by A. Patmagryan

Նա ուներ խորունկ երկնագույն աչքեր,
Քնքուշ ու տրտում, որպես իրիկուն.
Նա մի անծանոթ երկրի աղջիկ էր,
Որ աղոթքի պես ապրեց իմ հոգում:

Նրա ժպիտը մեղմ էր ու դողդոջ,
Որպես լուսնյակի ժպիտը տխուր.
Նա չուներ խոցող թովչանքը կնոջ.
Նա մոտենում էր որպես քաղցր քույր...

Իմ հուշերի մեջ ամենից պայծառ,
Իմ լքված սրտի լուսե հանգրվան,
Քո՛ւյր իմ, դու չըկաս, քո՛ւյր իմ դու մեռար,
Ու քեզ հետ հոգուս լույսերը մեռան...

Na uner khorunk yerknaguyn ach'k'er,
K'nk'ush u trtum, vorpes irikun,
Na mi antsanot' yerkri aghjik er,
Vor aghot'k'i pes aprets' im hogum.

Nra zhpity meghm er u doghdoj,
Vorpes lusnyaki zhpity tkhur,
Na ch'uner khots'ogh t'ovch'ank'y knoj,
Na motenum er vorpes k'aghts'r k'uyr...

Im husheri mej amenits' paytsarr,
Im lk'vats srti luse hangrvan,
K'o'uyr im, du ch'ykas, k'o'uyr im du merrar,
Ou k'ez het hogus luysery merran...

ՈՒՌԻՆ
OURRIN

Խոսք՝ Ավ. Իսահակյան
Lyrics by Av. Isahakyan

Երաժշտ.՝ Դ. Ղազարյանի
Music by D. Ghazaryan

Գետակի վրա
Թեքվել է ուռին
Ու նայում է լուռ
Վազող ջրերին։

...Երազ աշխարհում
Ամեն բան հավետ
Գալիս է, գնում
Ու ցնդում անհետ։

Եվ գլուխը կախ՝
Նա լաց է լինում,
Ջրերը ուրախ
Գալիս են, գնում...

Հին տարիների
Նոր հեքիաթներից
Պատմում էր ուռին
Այն վառ հուշերից։

Անցած-գնացած
Գարուն օրերին
Մրմունջ էր կարդում
Ծերացած ուռին։

Ու լուռ արտասվում,
Տխուր հեկեկում,
Ջրերը ուրախ
Գալիս են, գնում։

Getaki vra
T'ek'vel e urrin
U nayum e lurr
Vazogh jrerin...

Yeraz ashkharhum
Amen ban havet
Galis e, gnum
Ou ts'ndum anhet.

Yev glukhy kakh`
Na lats' e linum,
Jrery urakh
Galis en, gnum...

Hin tarineri
Nor hek'iat'nerits'
Patmum er urrin
Ayn varr husherits'.

Ants'ats-gnats'ats
Garun orerin
Mrmunj er kardum
Tserats'ats urrin.

U lurr artasvum,
Tkhur hekekum,
Jrery urakh
Galis yen, gnum.

ՈՒՍԱՆՈՂԱԿԱՆ ՎԱԼՍ
OUSANOGHAKAN VALS

Խոսք՝ Գ. Բորյանի
Lyrics by G. Boryan

Երաժշտ.՝ Կ. Զաքարյանի
Music by K. Zakaryan

Հանդես է տոնական աստղալից երկնքի տակ,
Անջատման ժամերը կանչում են դեպի կյանք,
Թողած լույս-լսարան, դեպի կյանք, աշխատանք:

ԿՐԿՆԵՐԳ
Մենք զվարթ ու խնդուն, քո վառ սերը մեր սրտում,
Մեր հոգում կրակներ և ուրախ, զնգուն երգեր,
Քայլում ենք դեպի կյանք, դեպի նոր աշխատանք,
Բերում ենք, Հայրենիք, սերը մեր քեզ նվեր:

Հայրենիքն է կանչում հարազատ մոր նման.
Ծով դաշտերը կանաչ, այս գետերը վարար,
Լույս աստղերը ճանաչ, այս երկինքը գարնան:

Եվ ուր էլ որ լինենք Հայրենի ափերում,
Քո անմար աստղերն են մեր վառվող աչքերում,
Մենք քեզնով, դու մեզնով հավերժ ենք աշխարհում:

Handes e tonakan astghalits' yerknk'i tak,
Anjatman zhamery kanch'um en depi kyank',
T'oghats luys-lsaran, depi kyank', ashkhatank'.

CHORUS
Menk' zvart' u khndun, k'o varr sery mer srtum,
Mer hogum krakner yev urakh, zngun yerger,
K'aylum enk' depi kyank', depi nor ashkhatank',
Berum enk', Hayreni'k', sery mer k'ez nver.

Hayrenik'n e kanch'um harazat mor nman,
Tsov dashtery kanach', ays getery varar,
Luys astghery chanach', ays yerkink'y garnan.

Yev ur el vor linenk' hayreni ap'erum,
K'o anmar astghern en mer varrvogh ach'k'erum,
Menk' k'eznov, du meznov haverzh enk' ashkharhum.

ՈՒՐ ԵՔ ՏՂԱՆԵՐ
UR EK' TGHANER

Խոսք՝ Ա. Սահակյանի
Lyrics by A. Sahakyan

Երաժշտ.՝ Ռ. Ամիրխանյանի
Music by R. Amirkhanyan

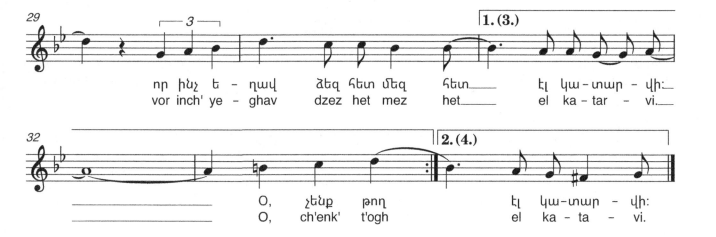

որ ինչ ե - ղավ ձեզ հետ մեզ հետ էլ կա - տար - վի:
vor inch' ye - ghav dzez het mez het el ka - tar - vi.
Օ, չենք թող էլ կա-տար - վի:
O, ch'enk' t'ogh el ka - ta - vi.

Կյանքում կա արև ու լույս
Եվ սեր ու ծաղիկ,
Բայց նաև կա փուշ,
Մահ ու փոթորիկ,
Սրտում մեր գարուն է միշտ,
Եվ սեր ու խայտանք,
Բայց նաև կա վիշտ,
Ցավ ու ահազանգ:

ԿՐԿՆԵՐԳ
Ո՞ւր եք, տղաներ,
Որ ելաք մարտի:
Ինչո՞ւ կյանք ու սեր
Դարձան մահ, ավեր՝
Ձեռքով տմարդի:
Օ՜ չենք թողնի վառվի
Մի նոր հրդեհ կռվի
Որ ինչ եղավ ձեզ հետ՝
Մեզ հետ էլ կատարվի:

Մարդիկ կան անթիվ հիմա,
Բայց չկա՛ն նրանք,
Որ մարդկանց համար
Կյանք են զոհել թանկ:
Ամեն տեղ համբույր ու սեր
Եվ բախտ ու հույսեր,
Բայց ամենը այս
Դուք չեք տեսնի էլ...

Kyank'um ka arev u luys
Yev ser u tsaghik,
Bayts' nayev ka p'ush,
Mah u p'ot'orik,
Srtum mer garun e misht,
Yev ser u khaytank',
Bayts' nayev ka visht,
Ts'av u ahazang.

CHORUS
O˜ur ek', tghaner,
Vor yelak' marti,
Inch'o˜u kyank' u ser
Dardzan mah, aver'
Dzerrk'ov tmardi.
O´ ch'enk' t'oghni varrvi
Mi nor hrdeh krrvi
Vor inch' yeghav dzez het'
Mez het el katarvi.

Mardik kan ant'iv hima,
Bayts' ch'ka'n nrank',
Vor mardkants' hamar
Kyank' en zohel t'ank.
Amen tegh hambuyr u ser
Yev bakht u huyser,
Bayts' ameny ays
Duk' ch'ek' tesni el...

ՓԱՓԱԳ
P'AP'AG

Խոսք՝ Վ. Թէքէյանի
Lyrics by V. Tek'eyan

Երաժշտ.՝ Ա. Պատմագրյանի
Music by A. Patmagryan

Ա - նուշ հո-գի մը ըլ-լա՛ր, ես այն հոգ-վույն սի - րա -
A - nush ho-gi my yl-lar, yes ayn hog-vuyn si - ra -
հար, ան իմ եր - կին-քըս ըլ-լար: Ես
har, an im yer - kin-k'ys yl-lar. Yes
այն հո-գին պաշ-տե - ի, ինչ-պես եր-կին-քը ծա - վի, զայն
ayn ho-gin pash-te - i, inch'-pes yer-kin-k'y tsa - vi, zayn
հե - ռու-են պաշ-տե - լի: Ան ցո-լա-նա՛ր սըր-տիս մեջ
he - rru-en pash-te - li. An tso-la-nar syr-tis mej
իր լույ - սե - րո - վը ան-շեջ, ես սուզ - վե - ի ա - նոր
ir luy - se - ro - vy an-shej, yes suz - ve - i a - nor
մեջ: Ա - նուշ հո-գի մը մի-այն, ու
mej. A - nush ho-gi my mi-ayn, u
գըր - կե - ի ես ան - ձայն, զայն հո - գի-իս մեջ մի-այն:
gyr - ke - i yes an - dzayn, zayn ho - gi-is mej mi-ayn.

Անուշ հոգի մը ըլլա՛ր,
Ես այն հոգվույն սիրահար,
Ան իմ երկինքըս ըլլար:

Ես այդ հոգին պաշտեի
Ինչպես երկինքը ծավի,
Զայն հեռուեն պաշտեի:

Ան ցոլանա՛ր սրտիս մեջ
Իր լույսերովը անշեջ,
Ես սուզվեի՛ անոր մեջ:

Անուշ հոգի՛ մը միայն,
Ու գրկեի՛ ես անձայն
Զայն հոգիիս մեջ միայն...:

Anush hogi my ylla´r,
Yes ayn hogvuyn sirahar,
An im yerkink'ys yllar.

Yes ayd hogin pashteyi
Inch'pes yerkink'y tsavi,
Zayn herruyen pashteyi.

An ts'olana´r srtis mej
Ir luyserovy anshej,
Yes suzveyi´ anor mej.

Anush hogi´ my miayn,
Ou grkeyi´ yes andzayn
Zayn hogiis mej miayn...:

ՔԱՐԱՎԱՆ
K'ARAVAN

Խոսք՝ Վ. Հարությունյանի
Lyrics by V. Harutyunyan

Երաժշտ.՝ Ա. Այվազյանի
Music by A. Ayvazyan

Անապատով անափ - անծիր,
Իմ քարավան, քայլիր, անցիր
Դեպի երկինքն հավետ գարնան
Դու տար, ինձ տար, իմ քարավան:

ԿՐԿՆԵՐԳ
Բացվիր իմ դեմ,
Հայրենիք իմ լուսե,
Թող խնդության
Արտասուքըս հոսե:
Քայլիր թեթև,
Իմ քարավան,
Դեպի արև՝
Դեպ Հայաստան:

Այնտեղ հնչում են երգ ու պար,
Ծաղկում են ճոխ արոտ ու արտ,
Եվ հայուհի մի արևոտ
Իմ դարձին է մնում կարոտ:

Այնտեղ Հրազդանն է կարկաչում
Պանդուխտներին տուն է կանչում,
Ահա, գալիս եմ կարոտած,
Իմ Հայրենիք, քո գիրկը բաց:

Anapatov anap' - antsir,
Im k'aravan, k'aylir, ants'ir
Depi yerkink'n havet garnan
Du tar, indz tar, im k'aravan.

CHORUS
Bats'vir im dem,
Hayrenik' im luse,
T'ogh khndut'yan
Artasuk'ys hose.
K'aylir t'et'ev,
Im k'aravan,
Depi arev`
Dep Hayastan.

Ayntegh hnch'um en yerg u par,
Tsaghkum en chokh arot u art,
Yev hayuhi mi arevot
Im dardzin e mnum karot.

Ayntegh Hrazdann e karkach'um
Pandukhtnerin tun e kanch'um,
Aha, galis em karotats,
Im Hayrenik', k'o girky bats'.

ՔԵԶ՝ ՀԱՅԱՍՏԱՆ
K'EZ HAYASTAN

Խոսք՝ Շարլ Ազնավուրի
Թարգ.՝ Գևորգ Արմենյանի
Lyrics by Charles Aznavour
Translation by Gevorg Armenyan

Երաժշտ.՝ Գ. Կառվարենցի
Music by G. Karvarents

Քեզ հա - մար նոր գա-րուն կը - գա և պայ - ծառ
K'ez ha - mar nor ga - run ky - ga yev pay - tsarr
կը - շո - ղաս նո - րից, ձըմ - ռան ցըրտից դու մա - հաբեր
ky - sho - ghas no - rits, dzym - rran tsyr-tits du ma - ha-ber
կը - հառ-նես ինչ - պես փյու - նիկ կըր - կին, Հա - յաս - տան:
ky - harr-nes inch' - pes p'yu - nik kyr - kin, Ha - yas - tan.
Կը - զըն - գա եր - գըդ ա - մե - նուր, կուռ կամ - քով
Ky - zyn - ga yer - gyd a - me - nur, kurr kam - k'ov
վեր կը - սը - լա - նաս, Աստ - ված պա - հի քո հո - ղը սուրբ, ապ -
ver ky - sy - la - nas, Ast - vats pa - hi k'o ho - ghy surb, ap -

344

րիր հա-վետ ու եր - ջա-նիկ, իմ սեր, Հա - յաս -
rir ha-vet u yer - ja - nik, im ser, Ha - yas -
1
տան: Աշ - խար - հը վըշ-տա-կեզ ող - բում է քեզ հետ և
tan. Ash - khar - hy vysh - ta - kez vogh - bum e k'ez het yev
ձեռքն է մեկ - նում իր կո - րո - վի ան - կեղծ եղ - բայ - րու -
dzerrk'n e mek - num ir ko - r - vi an - keghts yegh - bay - ru -
2
թյան, որ դու ապ - րես: -տան: Ոս-կյա ա - րե-վը թող ժըպ-տա մի
t'yan, vor du ap - res. tan. Vos-kya a - re - vy t'ogh zhyp - ta mi
բուռ քո հո-ղին, հար ցըն-ծա, իմ Հա-յաս - տան աշ - խարհ, ար -
burr k'o ho-ghin, har tsyn - tsa, im Ha-yas - tan ash - kharh, ar -
ցուն - քը քո սըր-բիր, թող հույ - սը քեզ օգ-նի, գո - տե-պընդ -
tsun - k'y k'o syr - bir, y'ogh huy - sy k'ez og - ni, go - te - pynd -
վիր, իմ ժո-ղո - վուրդ: Թող հա - վա - տը քեզ չը - լը - քի,
vir, im zho-gho - vurd. T'ogh ha - va - ty k'ez ch'y - ly - k'i,
փոր-ձու-թյան քո ճա-նա-պար-հին, թախ - ծոտ ու սև քո աչ-քե-րում
p'or - dzu - t'yan k'o cha - na - par - hin, t'akh - tsot u sev k'o ach' - k'e - rum

45
թող անմար ա - րև ժըպ - տա կըր - կին, Հա - յաս - տան:
t'ogh an-mar a - rev zhyp - ta kyr - kin, Ha - yas - tan.
48
Քո բախ - տին ին - քըդ տի - րա - նաս, ձայ - նըդ զիլ
K'o bakh - tin in - k'yd ti - ra - nas, dzay - nid zil
51
աշ - խար - հում թըն - դա, Աստ -ված պա - հի քո հո - ղը սուրբ ապ -
ash - khar - hum t'yn - da, Ast - vats pa - hi k'o ho - ghy surb ap -
54
րես հա-վետ ու եր - ջա - նիկ իմ ալ, իմ կա -
res ha - vet u yer - ja - nik im al, im ka -
57
պույտ, իմ ա - րև, Հա - յաս - տան:
puyt, im a - rev, Ha - yas - tan.

Քեզ համար նոր գարուն կգա,
Եվ պայծառ կշողաս նորից
Ձմռան բոցից դու մահաբեր
Կհառնես ինչպես փյունիկ կրկին,
Հայաստան:

Կըզնգա երգդ ամենուր,
Կուռ կամքով վեր կսլանա,
Աստված պահի քո հողը սուրբ,
Ապրիր հավետ ու երջանիկ
Իմ սեր Հայաստան:

Ողջ աշխարհն է սատար դարձել,
Որ կանգուն ու անխախտ մնաս,
Տանջվել ես միշտ դու նահատակ,
Մոռացված իմ ժողովուրդ, ապրիր,
Հայաստան:

Կբուժվեն քո վերքերը խոր,
Թե նույնիսկ դու միշտ անիծես
Քո բախտը չար, ուղիղ արնոտ,
Թող կանաչի ճամփադ լուսե,
Իմ սեր Հայաստան:

Աշխարհը վշտակեզ ողբում է քեզ հետ,
Եվ ձեռքն է մեկնում իր կորովի
Անկեղծ եղբայրության,
Որ դու ապրես:

Ոսկյա արևը թող ժպտա մի բուռ քո հողին,
Հար ցնծա, իմ Հայաստան աշխարհ,
Արցունքը քո սրբիր, թող հույսը քեզ օգնի,
Գոտեպնդվիր, իմ ժողովուրդ:

Թող հավատը քեզ չլքի
Փորձության քո ճանապարհին,
Թախծոտ ու սև քո աչքերում
Թող անմար ժպիտ շողա կրկին,
Հայաստան:

Քո բախտին ինքդ տիրանաս,
Ձայնդ զիլ աշխարհում թնդա,
Աստված պահի քո հողը սուրբ,
Ապրիր հավետ ու երջանիկ,
ԻՄ ԱԼ, իմ կապույտ՝ ԻՄ ԱՐԵՎ,
ՀԱՅԱՍՏԱՆ:

K'ez hamar nor garun kga,
Yev paytsarr kshoghas norits'
Dzmrran bots'its' du mahaber
Kharrnes inch'pes p'yunik krkin,
Hayastan.

Kyznga yergd amenur,
Kurr kamk'ov ver kslana,
Astvats pahi k'o hoghy surb,
Aprir havet u yerjanik
Im ser Hayastan.

Voghj ashkharhn e satar dardzel,
Vor kangun u ankhakht mnas,
Tanjvel es misht du nahatak,
Morrats'vats im zhoghovurd, aprir,
Hayastan.

Kbuzhven k'o verk'ery khor,
T'e nuynisk du misht anitses
K'o bakhty ch'ar, ughid arnot,
T'ogh kanach'i champ'ad luse,
Im ser Hayastan.

Ashkharhy vshtakez voghbum e k'ez het,
Yev dzerrk'n e meknum ir korovi
Ankeghts yeghbayrut'yan,
Vor du apres.

Voskya arevy t'ogh zhpta mi burr k'o hoghin,
Har ts'ntsa, im Hayastan ashkharh,
Arts'unk'y k'o srbir, t'ogh huysy k'ez ogni,
Gotepndvir, im zhoghovurd.

T'ogh havaty k'ez ch'lk'i
P'ordzut'yan k'o chanaparhin,
T'akhtsot u sev k'o ach'k'erum
T'ogh anmar zhpit shogha krkin,
Hayastan.

K'o bakhtin ink'd tiranas,
Dzaynd zil ashkharhum t'nda,
Astvats pahi k'o hoghy surb,
Aprir havet u yerjanik,
IM AL, im kapuyt' IM AREV,
HAYASTAN:

ՔԵԼԵՐ, ՑՈԼԵՐ
K'ELER, TS'OLER

Կոմիտաս
Komitas

Քե-լեր, ցո-լեր իմ յա-րը, ա - րե-վի տա - կին
K'e-ler, tso-ler im ya-ry, a - re - vi ta - kin
քե-լեր, ցո-լեր իմ յա-րը: Սա-րի սո-վոր,
k'e - ler, tso - ler im ya - ry. Sa - ri so - vor,

Քելեր, ցոլեր իմ յարը,
Արևի տակին
Քելեր, ցոլեր՝ իմ յարը:
Սարի սովոր,
Մեն-մենավոր,
Շե՛կ տղա,
Շո՛ղ արեգակ,
Թո՛ղ արեգակ,
Ե՛՛կ, տղա:

Քելեր, ցոլեր՝ իմ յարը,
Գերանդին ուսին՝
Քելեր, ցոլեր՝ իմ յարը:
Հով ծառի տակ,
Զով ծառի տակ,
Ե՛կ, տղա.
Հունձ ես արել,
Քըրտինք դառել,
Շե՛կ տղա:

K'eler, ts'oler im yary,
Arevi takin
K'eler, ts'oler՝ im yary.
Sari sovor,
Men-menavor,
She'k tgha,
Sho´gh aregak,
T'o'gh aregak,
Ye´´k, tgha.

K'eler, ts'oler՝ im yary,
Gerandin usin՝
K'eler, ts'oler՝ im yary.
Hov tsarri tak,
Zov tsarri tak,
Ye'k, tgha.
Hundz es arel,
K'yrtink' darrel,
She'k tgha.

Քելեր, ցոլեր իմ յարը,
Աղբյուրի ակին
Քելեր, ցոլեր՝ իմ յարը:
Կանաչ առվով,
Ճանաչ առվով,
Ե՛կ, տղա,
Բաղովն արի,
Շաղովն արի,
Շե՛կ տղա:

Քելեր, ցոլեր՝ իմ յարը
Ջա՛ն, աչքի լուսին,
Քելեր, ցոլեր իմ յարը:
Հո՛վ է, քընի՛ր,
Զո՛վ է, քընի՛ր,
Ե՛կ, տըղա,
Հունձ ես արել,
Շատ բեզարել,
Շեկ տըղա:

K'eler, ts'oler im yary,
Aghbyuri akin
K'eler, ts'oler՝ im yary.
Kanach' arrvov,
Chanach' arrvov,
Ye'k, tgha,
Baghovn ari,
Shaghovn ari,
She'k tgha:

K'eler, ts'oler՝ im yary
Ja´n, ach'k'i lusin,
K'eler, ts'oler im yary.
Ho´v e, k'yni'r,
Zo´v e, k'yni'r,
Ye´k, tygha,
Hundz es arel,
Shat bezarel,
Shek tygha.

ՔՆԱՐԱԿԱՆ
K'NARAKAN

Խոսք՝ Հովհ. Շիրազի
Lyrics by H. Shiraz

Երաժշտ.՝ Վ. Բալյանի
Music by V. Balyan

Ամպեց, կորավ լուսնկան,
Արտեր, մտեք քուն,
Արտով կանցնի իմ ճամփան,
Կերթամ յարիս տուն:

ԿՐԿՆԵՐԳ
Սերս գաղտնի թող մնա,
Սերս՝ յարիս պես,
Ճամփեն պիտի չիմանա,
Թե ուր կերթամ ես:

Մենակ յարս կիմանա,
Թե ուր կերթամ ես,
Մեկ էլ ծովակն իմ Վանա՝
Մորս աչքի պես:

Ampets', korav lusnkan,
Arter, mtek' k'un,
Artov kants'ni im champ'an,
Kert'am yaris tun.

CHORUS
Sers gaghtni t'ogh mna,
Sers՝ yaris pes,
Champ'en piti ch'imana,
T'e ur kert'am yes.

Menak yars kimana,
T'e ur kert'am yes,
Mek el tsovakn im Vana՝
Mors ach'k'i pes.

ՔՆԱՐԱԿԱՆ
K'NARAKAN

Խոսք՝ Սարմենի
Lyrics by Sarmen

Երաժշտ.՝ Ստ. Ջրբաշյանի
Music by St. Jrbashyan

Vivace Աշխույժ
Ան - տա-ռում կը - րակ վա - ռել, նըս-տել ենք շուրջ-բո - լոր,
An - ta-rrum ky - rak va - rrel, nys - tel enk' shurj - bo - lor,
զով քա-մին եր - գիչ դա - ռել, մեզ ա-սում է օ - րոր,
zov k'a-min yer - gich' da - rrel, mez a-sum e o - ror,
բայց աչ-քիս քուն չի գա-լիս, հի-շել եմ քեզ սի - րե-լիս,
bayts ach'-k'is k'un ch'i ga-lis, hi-shel em k'ez si - re-lis,
դու իմ ան-մո - ռաց, սերն ես ե - րա - զած:
du im an-mo - rrats, sern es ye - ra - zats.
Fine
բայց աչ-քիս քուն չի գա-լիս, հի-շել եմ քեզ սի - րե-լիս,
bayts ach'-k'is k'un ch'i ga-lis, hi-shel em k'ez si - re-lis,
դու իմ ան-մո - ռաց, սերն ես ե - րա - զած:
du im an-mo - rrats, sern es ye - ra - zats.
սերն ես ե-րա - զած: սերն ես ե-րա - զած:
sern es ye-ra - zats. sern es ye-ra - zats.

Անտառում կրակ վառել
Նստել ենք շուրջ բոլոր,
Զով քամին երգիչ դառել
Մեզ ասում է օրոր:

ԿՐԿՆԵՐԳ
Բայց աչքիս քուն չի գալիս,
Հիշել եմ քեզ սիրելիս,
Դու իմ անմոռաց,
Սերն ես երազած:

Ծաղիկներ, առու, աղբյուր,
Կաղնիներ դարավոր,
Աստղիկներ հազար ու բյուր,
Մեզ ասում են օրոր:

Լեռնային գիշերը վառ,
Դաշտերի սիրտը անդորր,
Քուն մտնող արար աշխարհ
Մեզ ասում են օրոր:

Antarrum krak varrel
Nstel enk' shurj bolor,
Zov k'amin yergich' darrel
Mez asum e oror.

CHORUS
Bayts' ach'k'is k'un ch'i galis,
Hishel em k'ez sirelis,
Du im anmorrats',
Sern es yerazats.

Tsaghikner, arru, aghbyur,
Kaghniner daravor,
Astghikner hazar u byur,
Mez asum en oror.

Lerrnayin gishery varr,
Dashteri sirty andorr,
K'un mtnogh arar ashkharh
Mez asum en oror.

ՔՈ ԱՉՔԵՐԸ ԻՆՁ ՀԵՏ ԵՆ
K'O ACH'K'ERY INDZ HET EN

Խոսք՝ Ա. Գրաշու
Lyrics by A. Grashi

Երաժշտ.՝ Ալ. Հեքիմյանի
Music by Al. Hekimyan

Քո աչ-քե-րը ինձ հետ են, ուր էլ գը - նամ, հե - ռա - նամ,
K'o ach'-k'e-ry indz het en, ur el gy - nam, he - rra - nam,
ուր էլ,ուր էլ սը - լա - նամ, ինչ-պես նը - րանց մո - ռա - նամ,
ur el, ur el sy - la - nam, inch'-pes ny - rants mo - rra - nam,
ինչ-պես խոս - քըս ու - րա-նամ, նը-րանքսի - րո զույգ գետ են,
inch'-pes khos - k'ys u - ra - nam, ny-rank' si - ro zuyg get en,
ես՝ սի-րա - հար պո-ետ եմ, քո աչ-քե - րը ինձ հետ են:
yes, si - ra - har po - et em, k'o ach'-k'e - ry indz het en.

Քո աչքերը ինձ հետ են,
Ուր էլ գնամ, հեռանամ.
Ուր էլ, ուր էլ սլանամ,
Ինչպե՞ս նրանց մոռանամ,
Ինչպե՞ս խոսքս ուրանամ,
Նրանք սիրո զույգ գետ են,
Ես սիրահար պոետ եմ,
Քո աչքերը ինձ հետ են:

Քո աչքերը ինձ հետ են,
Չի բաժանի ինձ ոչինչ
Քո հայացքից այնքան ջինջ.
Քո նայվածքից գրավիչ:
Մերթ արևոտ եթեր են,
Մերթ ծաղիկներ են աննինջ.
Ինձ համար սեր կավետե,
Քո աչքերը ինձ հետ են:

Քո աչքերը ինձ հետ են,
Ուրախ լինեմ, թե տրտում,
Քնած լինեմ, թե արթուն,
Շողշողում են իմ սրտում:
Անգամ ձմռան ձյան ցրտում
Վառ աստղեր են զվարթուն:
Թեկուզ վիհն էլ ինձ նետեն,
Քո աչքերը ինձ հետ են:

K'o ach'k'ery indz het en,
Ur el gnam, herranam.
Ur el, ur el slanam,
Inch'pe͞s nrants' morranam,
Inch'pe͞s khosk's uranam,
Nrank' siro zuyg get en,
Yes sirahar poet em,
K'o ach'k'ery indz het en.

K'o ach'k'ery indz het en,
Ch'i bazhani indz voch'inch'
K'o hayats'k'its' aynk'an jinj.
K'o nayvatsk'its' gravich'.
Mert' arevot yet'er en,
Mert' tsaghikner en anninj.
Indz hamar ser kavete,
K'o ach'k'ery indz het yen.

K'o ach'k'ery indz het en,
Urakh linem, t'e trtum,
K'nats linem, t'e art'un,
Shoghshoghum en im srtum.
Angam dzmrran dzyan ts'rtum
Varr astgher en zvart'un.
T'ekuz vihn el indz neten,
K'o ach'k'ery indz het en.

ՔՈՒՅՐ ԻՄ ՆԱԶԵԼԻ
K'UYR IM NAZELI

Խոսք՝ Ավ Իսահակյանի
Lyrics by Av. Isahakyan

Երաժշտ.՝ Դ. Ղազարյանի
Music by D. Ghazaryan

Քույր իմ նազելի, նայիր քո դիմաց՝
Վիրավոր, ավեր սիրտս եմ բացել.
Ա՜խ, նըվիրական ինձ քո գիրկը բաց
Եվ գուրգուրիր ինձ, ես շատ եմ լացել...

Քնքուշ ձեռներով աչերըս սըրբիր,
Մի՛ թող ինձ լալու - ես շա՜տ եմ լացել,
Ճակատիս մռայլ՝ մշուշը ցըրիր,
Եվ գուրգուրիր ինձ, ես շա՜տ եմ լացել...

K'o'uyr im nazeli, nayir k'o dimats"
Viravor, aver sirts em bats'el.
A'kh, nyvirakan indz k'o girky bats'
Yev gurgurir indz, yes shat em lats'el...

K'nk'ush dzerrnerov ach'erys syrbir,
Mi' t'ogh indz lalu - yes sha't em lats'el,
Chakatis mrrayl' mshushy ts'yrir,
Yev gurgurir indz, yes sha't em lats'el...

ՔՈՒՆ ԵՂԻՐ, ՊԱԼԱՍ
K'UN EGHIR, PALAS

Խոսք՝ Ռ. Պատկանյանի
Lyrics by R. Patkanyan

Երաժշտ.՝ Բ. Կանաչյանի
Music by B. Kanachyan

Քո՛ւն ե - ղիր, պա - լաս, աչ - քըդ խուփ ա - րա,
K'un ye - ghir, pa - las, ach' - k'yd khup' a - ra,
քուն թող գա նախ-շուն աչ - քե-րուդ վը-րա,
k'un t'ogh ga nakh-shun ach' - k'e-rud vy - ra,
իմ պա-լաս, օ - րոր, օ - րո՛ր ու նա-նի, իմ ա-նու - շի-կիս
im pa-las, o - ror, o - ror u na-ni, im a-nu - shi-kis
քու - նը կը - տա-նի, իմ պա-լաս, օ - րոր, օ - րո՛ր ու նա-նի,
k'u - ny ky - ta - ni, im pa-las, o - ror, o - ror u na-ni,
իմ ա - նու - շի - կիս քու - նը կը - տա - նի:
im a - nu - shi - kis k'u - ny ky - ta - ni.

Քո՛ւն եղիր, պալաս, աչքըղ խուփ արա,
Քուն թող գա նախշուն աչքերուդ վըրա.
Իմ պալաս, օրո՛ր, օրո՛ր ու նանի,
Իմ անուշիկիս քունը կը տանի:

Մավի հիլուններ կախիլ եմ ես ալ,
Նազար չիս առնուլ, քո՛ւն եղիր, մի՛ լալ.
Իմ պալաս, օրո՛ր, օրո՛ր ու նանի,
Իմ անուշիկիս քունը կը տանի:

Աս քանի՞ մորըդ անքուն աչքովը
Անցիլ է օրեր օրոցքիդ քովը.
Իմ պալա՛ս, օրո՛ր, օրո՛ր ու նանի,
Իմ անուշիկիս քունը կը տանի:

Օրոցքըդ օրրիմ, օրով բոյ քաշիս,
Մըղկըտան ծանով սիրտըս չի մաշիս.
Ի՛մ պալաս, օրո՛ր, օրո՛ր ու նանի,
Իմ անուշիկիս քունը կը տանի:

Դուն ալ քուն եղիր, ինծի ալ քուն տուր,
Սուրբ Աստվածամայր, պապիկիս քուն տուր.
Իմ պալաս, օրո՛ր, օրո՛ր ու նանի,
Իմ անուշիկիս քունը կը տանի:

K’o′un yeghir, palas, ach’k’ygh khup’ ara,
K’un t’ogh ga nakhshun ach’k’erud vyra.
Im palas, oro´r, oro´r u nani,
Im anushikis k’uny ky tani.

Mavi hilunner kakhil em yes al,
Nazar ch’is arrnul, k’o’un yeghir, mi′ lal.
Im palas, oro´r, oro´r u nani,
Im anushikis k’uny ky tani.

As k’ani˜ moryd ank’un ach’k’ovy
Ants’il e orer orots’k’id k’ovy.
Im pala’s, oro´r, oro´r u nani,
Im anushikis k’uny ky tani.

Orots’k’yd orrim, orov boy k’ashis,
Myghkytan tsanov sirtys ch’i mashis.
I’m palas, oro´r, oro´r u nani,
Im anushikis k’uny ky tani.

Dun al k’un yeghir, intsi al k’un tur,
Surb Astvatsamayr, papikis k’un tur.
Im palas, oro´r, oro´r u nani,
Im anushikis k’uny ky tani.

ՕՏԱ՛Ր, ԱՄԱՅԻ՛
OTAR, AMAYI

Խոսք՝ Ավ. Իսահակյանի
Lyrics by Av. Isahakyan

Երաժշտ.՝ Ա. Մսրլյանի
Music by A. Msrlyan

Օտա՛ր, ամայի՛ ճամփեքի վրա
Իմ քարավանըս մեղմ կըղողանջե.
Կանգնի՛ր, քարավանս, ինձի կըթվա,
Թե հայրենիքես ինձ մարդ կըկանչե:

Բայց լուռ է շուրջս ու շշուկ չկա
Արևա՛ռ, անդո՛րր այս անապատում.
Ա՛խ, հայրենիքըս ինձ խորթ է հիմա,
Ու քնքուշ սերըս ուրիշի գրկում:

Կընոջ համբույրին է՛լ չեմ հավատա,
Շուտ կըմոռանա նա վառ արցունքներ.
Շարժվի՛ր, քարավանս, ինձ ո՞վ ձայն կըտա,
Գիտցի՛ր, լուսնի տակ չըկա ուխտ և սեր:

Գընա՛, քարավանս, ինձ հետդ քա՛շ տուր
Օտար, ամայի ճամփեքի վրա.
Ուրտեղ կհոգնիս՝ գըլուխըս վար դիր,
Ժեռ-քարերի մեջ, փըշերի վըրա...

Ota´r, amayi´ champ'ek'i vra
Im k'aravanys meghm kyghoghanje.
Kangni'r, k'aravans, indzi kyt'va,
T'e hayrenik'es indz mard kykanch'e.

Bayts' lurr e shurjs u shshuk ch'ka
Areva'rr, ando'rr ays anapatum.
A´kh, hayrenik'ys indz khort' e hima,
Ou k'nk'ush serys urishi grkum.

Kynoj hambuyrin e'l ch'em havata,
Shut kymorrana na varr arts'unk'ner.
Sharzhvi'r, k'aravans, indz o˜v dzayn kyta,
Gitts'i'r, lusni tak ch'yka ukht yev ser.

Gyna', k'aravans, indz hetd k'a´sh tur
Otar, amayi champ'ek'i vra.
Urtegh khognis` gylukhys var dir,
Zherr-k'areri mej, p'ysheri vyra...

ՕՐՈՐՈՑԻ ԵՐԳ
ORORОТSI YERG

Խոսք՝ Մեսյանի
Lyrics by Mesyan

Երաժշտ.՝ Գ. Գեղարիկի
Music by G. Gegharik

Andante Հանդարտ
Թող քեզ ծած - կեմ, ան - գին լա - լաս, օ - րո - րեմ՝ քը - նիր.
T'ogh k'ez tsats - kem, an - gin la - las, o - ro - rem k'y - nir,
օ - րը մըթ - նեց, լու - սինն ե - լավ, գի - շեր է հի - մի:
o - ry myt' - nets, lu - sinn e - lav, gi - sher e hi - mi.

Թող քեզ ծածկեմ, անգին լալաս,
Օրորեմ՝ քնիր.
Օրը մթնեց, լուսինն ելավ,
Գիշեր է հիմի:

Արևն արդեն գնաց հոգնած
Քընեց մեր գրկում.
Դու դեռ արթուն, աչքերըդ բաց՝
Խոսում ես, երգում:

Քամին մնչեց, ծիտ ու ծղրիդ
Քնել են մո՜ւշ-մո՜ւշ.
Մեռնեմ լեզվիդ, վարդ ծիծաղիդ,
Քնի՜ր, իմ անուշ:

Վաղը նորից արև կգա
Քեզ համար նոր օր.
Մութ է, լալաս, քնիր հիմա,
Քեզ օրո՜ր, օրո՜ր...

T'ogh k'ez tsatskem, angin lalas,
Ororem՝ k'nir,
Ory mt'nets', lusinn yelav,
Gisher e himi.

Arevn arden gnats' hognats
K'ynets' mer grkum,
Du derr art'un, ach'k'eryd bats"
Khosum yes, yergum.

K'amin mnjets', tsit u tsghrid
K'nel en mo´ush-mo´ush,
Merrnem lezvid, vard tsitsaghid,
K'ni'r, im anush.

Vaghy norits' arev kga
K'ez hamar nor or,
Mut' e, lalas, k'nir hima,
K'ez oro´r, oro´r...

ԲՈՎԱՆԴԱԿՈՒԹՅՈՒՆ
TABLE OF CONTENTS

The Big Book of Armenian Songs
Composed and Folk Songs of XVIII-XX Centuries

200+ Songs With Sheet Music in Armenian and Transliterated English.

Compiled by and English transliteration	A.Matosyan
Cover design by	A.Matosyan
Cover art ornaments by	Armen Kyurkchyan, Hrayr Hawk Khatcherian from Armenian Ornamental Art

Made in the USA
Las Vegas, NV
11 February 2024